GUIDE REVEL 2013

des
CHAMPAGNES
et des AUTRES BULLES

Sources des photos :

Pages 4, 6, 8, 10, 17, 21, 22, 26, 27, 38, 39, 42, 232, 237, 253, 255, 259, 275, 329, 343, 347, 359, 377, 379, 393, 406, 407, 413, 515, 535, 546 et 547 : Guénaël Revel
Pages 12 et13 : Katarzyna Mazurowska | Dreamstime.com
Pages 30 et 31 : Alexandr Kornienko | Dreamstime.com
Pages 32 et 33 : Xdrew | Dreamstime.com
Pages 34 et 35 : Travelpeter | Dreamstime.com
Pages 36 et 37 : Halpand | Dreamstime.com
Couverture : © Pierre Tison | Poc Communications

© Guénaël Revel et Les Publications Modus Vivendi inc., 2012

LES PUBLICATIONS MODUS VIVENDI INC.
55, rue Jean-Talon Ouest, 2e étage
Montréal (Québec) H2R 2W8
CANADA

www.groupemodus.com

Éditeur : Marc Alain
Éditrice déléguée : Isabelle Jodoin
Designer graphique : Émilie Houle
Correcteur : Frederick Letia

ISBN 978-2-89523-722-8

Dépôt légal — Bibliothèque et Archives nationales du Québec, 2012
Dépôt légal — Bibliothèque et Archives Canada, 2012

Nous reconnaissons l'aide financière du gouvernement du Canada par l'entremise du Fonds du livre du Canada pour nos activités d'édition.

Gouvernement du Québec — Programme de crédit d'impôt pour l'édition de livres — Gestion SODEC

Imprimé au Canada

GUIDE REVEL 2013

des
CHAMPAGNES
et des AUTRES BULLES

Guénaël Revel

MODUS VIVENDI

Mot de l'auteur

Guénaël Revel

« Vous n'êtes jamais fatigué de déguster autant de vins ? » me questionnait un amateur rencontré cet été dans un festival des vins au Québec… « Absolument pas » lui ai-je répondu « et pas seulement parce que je déguste davantage de champagnes et de mousseux que de vins tranquilles, mais bien parce que je suis conscient d'être privilégié, tout simplement. Je côtoie des vignerons, c'est-à-dire des personnes qui aiment la terre, qui aiment les plaisirs de la table et qui aiment les partager. Mon métier me fait voyager et j'ai 3 passions que je fais cohabiter : le vin, l'écriture et les arts. Je ne manque jamais un musée dans les pays que je visite. J'ai la chance, de plus, de m'être spécialisé dans une catégorie de vin qui provoque inévitablement la joie quand le bouchon saute ! Même si je n'élabore pas de bulles, je contribue à ma façon à les faire connaître; je suis en quelque sorte un marchand de bonheur, non ? Faites le test : présentez-vous chez des amis avec une bouteille de champagne et un exemplaire de ce guide… Je ne pense pas qu'ils vous claqueront la porte au nez ! »

Pour sa 3e année, le *Guide des champagnes et des autres bulles* a évolué en perdant un chapitre ! En effet, j'ai préféré transférer la partie qui concerne l'histoire et les règlements de toutes les appellations de vins effervescents dans le monde – présentée dans l'édition 2012 – sur le site internet **MonsieurBulles.com**, pendant électronique de cet ouvrage, accessible gratuitement à tous et hebdomadairement mis à jour. Si vous disposez d'un « téléphone intelligent », le code QR, au dos de ce guide, vous renvoie directement sur le site. Je me suis permis de remettre quelques questions déjà posées l'année dernière dans la partie Vos questions / Mes réponses, quand celles-ci sont récurrentes parmi les courriels que je reçois dans l'année courante. Je réponds évidemment aux nouvelles questions, même lorsqu'elles sont originales (voir James Bond).

La grande nouveauté de cette édition 2013 est l'instauration d'un cahier consacré à une appellation spécifique. En effet, même si certains en doutent encore, je considère qu'il y a suffisamment d'appellations dédiées uniquement aux bulles dans le monde pour qu'une attention leur soit apportée. J'ai donc décidé qu'un cahier exhaustif présentera dans chaque future édition une appellation sélectionnée ou une spécificité qui distingue l'une d'elles.

Pour cette édition 2013, **les fines bulles de Touraine** sont à l'honneur.

Je tiens à remercier les producteurs de vins rencontrés chez eux ou chez moi au Québec, et leurs agents de promotion au Canada qui ont toujours facilité les dégustations. Je remercie aussi les restaurateurs et les sommeliers de Montréal, de Paris et de Bruxelles, et même quelques particuliers outre-Atlantique qui m'ont permis de toujours déguster, dans des conditions adéquates, les champagnes et les vins effervescents dont j'ai retenu ici une sélection.

Je remercie les propriétaires de l'Auberge Saint-Gabriel à Montréal, sa direction et son chef-cuisinier Éric Gonzalès qui ont contribué à la photo de couverture de ce guide.

Je remercie enfin ma femme et mes filles qui me soutiennent dans la rédaction de ce guide annuel. Elles sont le « pop ! » de ma vie quotidienne.

Guénaël Revel

Table
des matières

L'actualité des bulles
dans le monde

France
L'année 2011 en champagne

Une année à marquer d'une pierre blanche comme on dit puisque des chiffres de ventes record ont été constatés (hausse de 3,5 % sur un an). La reprise des ventes de champagne s'est amorcée en 2010 avec une hausse de 8,9 % après un repli de 5 % en 2008 et 9 % en 2009. Près de 330 millions de bouteilles ont été expédiées dans le monde, après 319,5 millions en 2010, selon les estimations du Comité interprofessionnel du vin de Champagne (CIVC) : « L'année 2011 est une bonne année, qui poursuit le rattrapage entamé en 2010 après deux ans de forte baisse (...) Le champagne va profiter d'une hausse en valeur et en volume », déclare Thibaut Le Mailloux, porte-parole du CIVC, qui rassemble les vignerons, les coopératives et la centaine de « maisons » de champagne regroupant les grandes marques.

Outre la France, premier marché du champagne avec 55 % des ventes en volume, les amateurs se trouvent en Grande-Bretagne, aux États-Unis, en Allemagne, en Belgique et au Japon. Aussi, certains pays émergents comme la Chine, la Russie ou le Brésil, où se sont écoulés plus d'un million de bouteilles dans chacun d'eux, entrainant des taux de progression très élevés, démontrent qu'il faudra désormais compter sur ces marchés très prometteurs, que les appellations « à bulles », extérieures à la Champagne (Prosecco, Cava), guettent également. Il a de plus été observé que les ventes dans ces pays sont davantage rentables, car ce sont les grandes cuvées et les champagnes millésimés, aux tarifs élevés, qui sont appréciés.

Les dix premiers marchés de champagne hors France (en millions de bouteilles)

1. ROYAUME-UNI : 35 488 401
2. ETATS-UNIS : 16 934 242
3. ALLEMAGNE : 13 076 153
4. BELGIQUE : 8 806 008
5. JAPON : 7 464 935
6. ITALIE : 7 183 113
7. SUISSE : 5 442 295
8. ESPAGNE : 3 689 307
9. AUSTRALIE : 3 687 140
10. PAYS-BAS : 2 474 876

Les chiffres du champagne (source CIVC 2011)

Total des superficies plantées : 34 045 ha (plus de 270 000 parcelles)
Superficie plantée appartenant aux vignerons : 29 648 ha
Superficie plantée appartenant aux maisons : 3 433 ha

Marne : 23 897 ha
Aisne et Seine-et-Marne : 2 422 ha
Aube et Haute-Marne : 7 022 ha
Pinot noir : 13 072 ha (38,40 %)
Pinot meunier : 11 008 ha (32,34 %)
Chardonnay : 9 868 ha (28,99 %)
Autres : 93 ha (0,27 %)

Nombre de Récoltants-Manipulants et de Récoltants-Coopérateurs (RM–RC) : 4 776

Nombre de coopératives : 137 (66 d'entre elles commercialisent du champagne)

Nombre de vignerons adhérents aux coopératives : 13 830

Nombre de maisons de champagne : 325

Rendement : 10 903 kg/hectare

Stock : 1 384 millions de bouteilles

Les marques de champagne à elles seules vendent environ ⅔ des bouteilles commercialisées chaque année dans le monde.

Russie

Le « Champanskoe » disparaîtra dans 10 ans.

En 2010, la Russie a produit 223 millions de litres de vin mousseux, localement appelé « champanskoe » (qui signifie champagne), élaboré essentiellement à base d'Aligoté et de Chardonnay. Sur le marché russe, le Champagne (le vrai) représente encore des volumes de vente très faibles, même si le pays est parmi les pays émergents dont la consommation grimpe rapidement. Les producteurs russes de vins mousseux renonceront, à partir de 2022, à utiliser le terme « champanskoe » dans les appellations de leurs boissons (il restera toutefois mentionné dans la documentation des pays de l'Union douanière). L'accord préalable a été fixé dans un protocole signé par le Comité interprofessionnel du vin de Champagne (CIVC) et l'Association des producteurs de vins mousseux de Russie en 2011. L'accord prévoit l'abandon par les viticulteurs russes de l'inscription sur les étiquettes (en caractères latins ou cyrilliques) de l'appellation « Champanskoe » et de l'expression « méthode champenoise ». « Du côté français, des dates concrètes ont été émises, mais la partie russe, ayant admis par principe qu'il faudrait avancer dans cette direction, n'a cependant pris la responsabilité d'aucun délai précis », a expliqué le président de l'Association des producteurs de vins mousseux, Alan Sokolov. L'Association a commandé une étude professionnelle du marché clientèle des vins mousseux en Russie, afin de déterminer à quel point le consommateur est prêt à ce changement de nom.

L'association russe comptait obtenir les résultats de cette étude en février 2012, étude dont une partie du financement était assumée par le CIVC. Au moment de la mise sous presse de ce guide, les résultats n'ont toujours pas été dévoilés. Les producteurs utiliseront le nom *Sparkling Wine* en attendant de trouver (ou non) une autre dénomination.

On répertorie aujourd'hui 11 producteurs de vins mousseux en Russie. Les plus imposants sont les groupes Abrau-Durso , ZAO Vins mousseux et OAO Combinat moscovite des vins de champagne (MKChV). Leurs marques principales sont « Abrau-Durso », « Rossiskoe champanskoe » et « Zolotoy standart ».

Source : Le Courrier de Russie - La Russie d'aujourd'hui.

Les bulles dans le monde

Les vins effervescents représentent environ 3,4 milliards de bouteilles en production (Source Viteff 2012). Il s'en commercialise et s'en consomme annuellement 2,34 milliards. On prévoit qu'il s'en consommera 2,48 milliards en 2014 (source Vinexpo), ce qui fait de la catégorie la seule en augmentation constante.

Le champagne représente 10 % des volumes consommés (c'est 1 % de la production mondiale de vin dont 10 % est consacré aux vins effervescents).

Par ailleurs, le champagne représente 55 % du chiffre d'affaires des vins effervescents dans le monde.

Les 10 premiers pays producteurs de « Bulles » dans le monde (en bouteilles)

1. FRANCE : 550 millions
2. ALLEMAGNE : 525 millions
3. ITALIE : 380 millions
4. RUSSIE : 223 millions
5. ESPAGNE : 220 millions
6. ÉTATS-UNIS : 98 millions dont 95 millions en Californie
7. UKRAINE : 80 millions
8. AUSTRALIE : 78 millions
9. POLOGNE : 47 millions
10. ARGENTINE : 34 millions

Les 10 premiers pays consommateurs de « Bulles » dans le monde (en bouteilles)

1. ALLEMAGNE : 487,3 millions
2. FRANCE : 455 millions
3. RUSSIE : 296,9 millions
4. ETATS-UNIS : 179,9 millions
5. ITALIE : 137,3 millions
6. ROYAUME-UNI : 108,9 millions
7. ESPAGNE : 99,4 millions
8. AUSTRALIE : 67,8 millions
9. UKRAINE : 63,9 millions
10. POLOGNE : 52,3 millions

Le tarif moyen des bulles dans la francophonie

Le prix moyen d'un vin mousseux AOP (France, Italie, Espagne, Allemagne et Luxembourg) est de 5 euros la bouteille en Europe, il est 3,5 fois moins élevé que celui du champagne. Certains champagnes se vendent toutefois moins de 10 euros en grande surface !

Au Québec, le prix moyen d'un vin mousseux, toute origine confondue, se situe autour de 18 $, tandis que celui du champagne est autour de 60 $.

En Europe francophone, 42 % des achats de champagne et de mousseux sont effectués en grandes surfaces commerciales.

VOS QUESTIONS
MES RÉPONSES

Vos questions

Le champagne a toujours été présent dans l'œuvre de Ian Fleming et de son héros, James Bond. Pouvez-vous me rappeler les différentes cuvées aperçues dans chaque film ?

On notera d'abord que l'une des dernières versions pour le cinéma nommée « Casino Royale » est en fait le premier essai écrit de l'auteur qui se fit connaître par ce titre en 1958. L'adaptation pour le grand écran de ce titre en 2006 était le 21e opus des James Bond. En 2012 (au moment de la rédaction de ce guide), le 22e James Bond, intitulé *Skyfall* et réalisé par Sam Mendès, était annoncé. Le dernier essai écrit par l'auteur fut « L'homme au pistolet d'or », il date de 1964. La série fut lancée en 1962 avec le fameux « Docteur No ». Toutefois, on oublie souvent que cette série fut d'abord adaptée en bandes dessinées par le Daily Express en 1958. C'est le dessinateur John McLusky qui croqua pour la première fois la silhouette de James Bond selon les critères de l'auteur. L'acteur Sean Connery en fut sa plus fidèle copie plastique parmi les comédiens qui ont interprété l'espion.

Docteur No (1962) de Terence Young : Dom Pérignon 1955 (James Bond mentionne le 1953 comme étant son préféré).

Bons baisers de Russie (1963) de Terence Young : Comte de Champagne de Taittinger (pas de millésime mentionné).

Goldfinger (1964) de Guy Hamilton : Dom Pérignon 1953.

Opération Tonnerre (1965) de Terence Young : Dom Pérignon 1955.

On ne vit que deux fois (1967) de Lewis Gilbert : Dom Pérignon 1959.

Au service de sa Majesté (1969) de Peter Hunt : Dom Pérignon 1957.

Les diamants sont éternels (1971) de Guy Hamilton : Bollinger est mentionné dans la nouvelle, pas dans le film.

Vivre et laisser mourrir (1973) de Guy Hamilton : champagne Bollinger sans précison de catégorie.

L'homme au pistolet d'or (1974) de Guy Hamilton : Dom Pérignon 1964 (JB dit qu'il préfère le Dom Pérignon 1962).

L'espion qui m'aimait (1977) de Lewis Gilbert : Dom Pérignon 1952 (seulement mentionné).

Moonraker (1979) de Lewis Gilbert : Cuvée R.D. 1969.

Rien que pour vos yeux (1981) de John Glen : Aucun champagne, JB commande du vin grec.

Octopussy (1983) de John Glen : Bollinger Spécial Cuvée.

Dangereusement vôtre (1985) de John Glen : Bollinger R.D. 1975.

Tuer n'est pas jouer (1987) de John Glen : Bollinger La Grande Année 1982.

Permis de tuer (1989) de John Glen : Cuvée R.D de Bollinger.

L'œil de feu (1995) de Martin Campbell : Bollinger La Grande Année 1988.

Demain ne meurt jamais (1997) de Roger Spottiswoode : Bollinger La Grande Année 1989.

Le monde ne suffit pas (1999) de Michael Apted : Bollinger La Grande Année 1990.

Meurs un autre jour (2002) de Lee Tamahori : Bollinger Spécial Cuvée (JB demande un 1961) et La Grande Année 1995.

Casino Royale (2006) de Martin Campbell : Bollinger La Grande Année 1990.

Quantum of Solace (2008) de Marc Forster : Bollinger La Grande Année 1999.

Je pensais que votre guide présentait toutes les cuvées de champagne ?

Aucun livre commentant toutes les cuvées de champagne n'a été écrit à ce jour. Et je pense qu'il est impossible de le faire. Même le Comité interprofessionnel du vin de Champagne (CIVC) n'est pas en mesure de l'envisager alors qu'il est la seule institution à posséder toute la logistique pour le faire. La raison semble évidente :

Il y a plus de 14 000 élaborateurs de champagne.

Considérant que chacun a la possibilité de créer au moins 3 cuvées différentes, cela pourrait donner plus de 42 000 champagnes différents créés chaque année !

Selon mes recherches et mes estimations, par rapport au nombre de cuvées qu'un vigneron champenois élabore, il doit y avoir aujourd'hui plus de 25 000 étiquettes différentes vendues chaque année !

Il est donc impossible de déguster autant de champagnes en une seule année.

Le Guide Revel est un ouvrage annuel, un guide de consommation qui présente une sélection personnelle de champagnes et d'autres mousseux élaborés dans le monde, en fonction des 5 marchés que je couvre, soit la France, le Québec, la Belgique, la Suisse et le Luxembourg.

Je dois donc privilégier les cuvées les plus souvent disponibles sur ces marchés afin de répondre au mieux aux facilités d'achat du consommateur francophone des 2 continents.

Toutefois, je mentionne chaque année de petites maisons méconnues afin de les exposer, de les faire connaître, même si leur produit n'apparaît pas sur l'un des marchés et que leur production ne permet pas autant de diffusion.

Les marchés ontariens et québécois sont sans conteste les plus délicats à couvrir, car au-delà d'être des monopoles, aux règles d'importation qui varient régulièrement pour les agences importatrices, ils représentent un faible volume de champagne au regard du marché champenois. Aussi, la rotation des ventes de bouteilles des petites maisons de récoltants (et non des marques de champagne) étant justement tributaire du travail de l'agent et de la politique évolutive des monopoles, une étiquette ou plusieurs peut être absente d'un marché pendant des mois, sinon des années.

L'implication promotionnelle demandée par ces monopoles aux producteurs pour obtenir le marché et s'y dévoiler est telle qu'un simple vigneron-récoltant ne pourra pénétrer ce dernier, alors qu'une grande maison - une marque - a les moyens de le faire.

Le guide 2012 mentionnait par exemple de petits récoltants dont les bouteilles n'étaient déjà plus au Québec ou en Ontario, un mois après leur sortie, parce que la quantité entrée avait été au moins dix fois moindre que celle d'une marque.

Je lis de nombreuses explications qui varient sur l'origine du sabrage et du sablage. Pouvez-vous être exhaustif sur le sujet ?

J'ai répondu une première fois sur le sujet dans l'édition 2012, un sujet qui semble populaire puisque une question sur cinq qu'on me pose à propos du champagne en général, concerne ces deux termes. Les voici mieux expliqués.

L'expression « sabler le champagne » a eu plusieurs interprétations. Elle a d'abord signifié boire d'un seul coup (faire « cul sec ») ou boire beaucoup (de champagne) lors des manifestations de la cour de France à la fin du XVIIe siècle et au début du XVIIIe siècle. Les dictionnaires de français de ce dernier siècle définissaient déjà ainsi l'expression, tirée du vocabulaire de la sidérurgie où l'on « jetait en sable » la matière en fusion dans des moules.

Au même siècle, certains écrits rapportent qu'on mettait la bouteille de champagne dans du sable, mais rien ne confirme que cela servait à la rafraîchir.

Enfin, la dernière explication est double, toutefois, elle n'est rapportée dans aucun ouvrage linguistique. Elle a été véhiculée au XIXe siècle : dans un premier temps, l'effervescence et la mousse ayant été irrégulières pendant des décennies, on humectait les parois internes du verre à la vapeur ou par l'haleine (!), puis on les enduisait de sucre pour mieux faire pétiller le champagne. Les verres donnaient ainsi l'impression d'être sablés. Dans un deuxième temps, comme l'aristocratie russe consommatrice de champagne trouvait ce dernier trop sec, elle ajoutait du sucre pour l'adoucir, provoquant de fait, davantage de mousse.

Tous les dictionnaires du XVIIIe siècle, ainsi que l'Encyclopédie, ont confirmé la définition du dictionnaire de Richelet rédigé dans la première moitié du XVIIIe siècle : sabler le champagne provient du vocabulaire de la sidérurgie et c'est bien dans ce sens que l'emploie Diderot dans *Jacques le Fataliste* où il écrit que son héros, « en chemise et pieds nus, avait sablé deux ou trois rasades sans ponctuation, comme il s'exprimait, c'est-à-dire de la bouteille au verre, du verre à la bouche ».

L'expression « sabrer le champagne » rappelle la manière d'ouvrir la bouteille de champagne avec un sabre ou un autre objet coupant en la décapitant, au lieu de faire sauter naturellement le bouchon, en tournant délicatement la bouteille. Après avoir dénoué le muselet, la lame du sabre doit longer rapidement le fil de jointure de la bouteille, puis cogner sèchement le rebord du goulot qui saute avec le bouchon emprisonné. Si l'opération est réussie, les deux parties se séparent en laissant le souvenir d'un biseau net. Les régiments de cavalerie des armées napoléoniennes, prussiennes et autres utilisaient ce mode d'ouverture avec le revers d'un sabre. Par ailleurs, des archives du Premier Empire rapportent que cette façon d'ouvrir était réservée à l'usage exclusif des officiers de cavalerie lors des cérémonies.

Depuis quand bouche-t-on les bouteilles de mousseux avec un muselet ?

Le succès du champagne est dû à la fois à l'amélioration du verre des bouteilles et à l'utilisation du liège qui les bouche. Jusqu'au règne de Louis XV, la bouteille est bouchée par un broquelet (une cheville de bois garnie de filasse de chanvre et graissée avec du suif) qu'on fixe par une ficelle cerclant le goulot. Les moines d'Espagne donnent à leurs confrères du nord l'idée d'utiliser des cônes de liège, plus hermétiques. Tout au long du XIXe siècle, et jusque dans les années 1940, la recherche visant à fabriquer de meilleurs bouchons et des bouteilles plus solides sera déterminante. L'idée de la plaque et du muselet s'est développée simultanément, par nécessité.

Les premiers bouchons étaient maintenus par de la ficelle de chanvre qu'on posait à la main en l'entrecroisant. Cependant, entre les rongeurs dans les caves qui rognaient le lien et ce même lien s'enfonçant dans le bouchon qui remontait à cause de la pression dans la bouteille, il fallait trouver rapidement une solution. En 1835, Adolphe Jacquesson succède à Memmie Jacquesson en tant que négociant à Châlons en Champagne. Ses vins sont déjà célèbres, car ils ont été servis à l'occasion du mariage de l'empereur Napoléon Ier avec l'archiduchesse Marie-Louise d'Autriche. Particulièrement brillant, on lui doit la plantation des vignes en ligne et le système de mesure des sucres par densité avec le pharmacien Jean-Baptiste François. En 1844, il dépose un brevet consistant à intercaler une rondelle métallique entre le bouchon et le fil du lien; le métal utilisé provenant de plaques qu'il avait utilisées pendant des années – avant l'invention de l'électricité - dans les couloirs obscurs de sa cave en guide de « réfléchisseur » de lumière ! Deux ans plus tard, un système d'agrafage qui maintient le bouchon de liège du tirage est breveté. En effet, la capsule-couronne étant encore inconnue, on utilisait alors le liège pour cette étape du tirage. Ces créations en appelant d'autres, on améliore l'opération de ficelage grâce à une machine à ficeler créée par Nicaise Petitjean et appelée « cheval de bois ».

La cordelette sera remplacée par du fil de fer, et c'est en préformant celui-ci que le muselet sera finalement inventé. Les premiers muselets sont fabriqués vers 1880, tandis que le ficelage est toujours conservé, car, en fait, les muselets sont d'abord posés par-dessus la ficelle. Lorsque les machines à poser les muselets deviennent fiables, on abandonne la ficelle. Jusque dans les années 1950, le système de fabrication de la plaque évolue et s'améliore considérablement.

La bouteille, une fois muselée, subit le piquetage ou le poignettage : elle est vigoureusement agitée afin que la liqueur s'intègre parfaitement au vin.

Mon barème

La question de l'effervescence et des bulles

La perfection de l'effervescence a toujours été difficile à analyser et à critiquer dans les concours de vins. Même si le verre est parfaitement propre, ce sont des particules invisibles à l'œil nu sur la paroi interne qui sont les facteurs de la présence et du comportement, bon ou mauvais, des bulles.

La recherche scientifique permet aujourd'hui de comprendre le phénomène de la formation des bulles, de leur état et de leur rôle. Une bulle naît et s'active grâce au relief qu'elle touche. On appelle ce relief un site de nucléation. C'est de ce site que dépendront le nombre, la taille et la persistance des bulles ainsi que la régularité de leur train.

Après plusieurs tests scientifiques, il a été clairement démontré que lorsque les sites de nucléation viennent à manquer sur les parois du verre, un vin « effervescent » contenant jusqu'à 10-12 g/l de CO_2 peut montrer une absence quasi totale de naissance de bulles et, par conséquent, une quasi-absence de mousse, par rapport au même vin servi dans un verre présentant un nombre plus important de sites de nucléation. Cette situation, observée à maintes reprises lors de dégustations professionnelles ou lors de consommations ménagères, illustre bien le fait qu'un vin présentant une composition et des propriétés physico-biochimiques idéales, pourra ne jamais correspondre aux attentes du vinificateur et du consommateur, car ce sont les conditions de service (verre, température et oxygénation) qui sont, en quelque sorte, les vecteurs de preuves de bonne qualité d'un vin effervescent.

Versez, chez vous, le même vin effervescent (issu de la même bouteille) dans deux, voire trois ou quatre verres différents et vous constaterez que la nature et le comportement des bulles sont, dans chaque verre, différents.

La question du verre utilisé

Tout en utilisant un verre dit tulipe et suite à l'explication sur l'effervescence qui précède, j'ai préféré m'abstenir de tout commentaire d'analyse visuelle des champagnes et autres effervescents dégustés, sachant pertinemment que la majorité des consommateurs goûtera les vins dans un environnement domestique et non scientifique.

Je me suis donc tenu à cette rigueur : une dégustation, un seul verre, une température de service de 10 °C. Le vin est testé 3 minutes après qu'il aura été versé afin qu'il s'oxygène et qu'il offre une meilleure appréciation olfactive et gustative. Lorsque je reprends la dégustation, je le mentionne dans le commentaire.

La question de la notation des vins

Le choix du système de notation est souvent tributaire de l'éducation scolaire reçue.

En règle générale, les sociétés issues de la culture anglophone ou développées à travers elle ont intégré la notation sur 100 dans une échelle de pourcentage, alors que les sociétés de traditions dites latines ont intégré la notation sur 20.

Plus habitué à cette dernière, je note les vins de ce guide sur 20.

Attention à la comparaison facile des mousseux avec le champagne !

Afin d'aider la lecture et le souvenir des pointages de chaque vin, j'ai préféré créer une grille de notation identique pour les champagnes et les vins effervescents.

Toutefois, je vous invite à ne pas faire d'amalgame. Il est toujours aisé de faire des raccourcis afin de valoriser un produit dégusté.

Puisqu'on ne peut « comparer des carottes avec des navets », ne comparons pas les champagnes avec les autres mousseux de ce monde. Un prosecco et un champagne, par exemple, ne se comparent pas. L'excellence du premier et la médiocrité du second ne signifient pas que le prosecco est meilleur ou digne du champagne. Penser ainsi serait insulter les vignerons de la célèbre région vénitienne dont le terroir transmet autant de caractéristiques intrinsèques que celui de la Champagne. Il s'agit de deux vins différents aux qualités bien établies que leurs ambassadeurs vignerons peuvent mal ou bien transmettre.

En bref, même si chacun d'eux reçoit 3 étoiles, ces étoiles sont des repères comparables au sein de la seule et même appellation.

20 : champagnes ou effervescents, millésimés ou non, rares et exceptionnels

La note parfaite pour un vin unique et exquis qui offre toutes les qualités attendues, de par sa renommée et son identité marquée, ou qui les surpasse. Généralement hors de prix ou indisponible sur le marché, il marque la mémoire du dégustateur. Les vins ainsi notés ont généralement été dégustés en restauration, chez le producteur ou lors d'un événement spécifique regroupant des professionnels de l'industrie.

De 18 à 19 : champagnes ou effervescents, millésimés ou non, rares et excellents

Vin de grande renommée, qui se distingue par sa typicité, son terroir, voire son millésime. Il garantit et confirme le style d'une marque ou d'un chef de cave, offre le plaisir escompté et entre parmi les grands souvenirs de dégustation. Un achat exceptionnel pour occasions exceptionnelles.

De 16 à 17 : très grands champagnes ou effervescents, millésimés ou non

Grand vin digne de son terroir et de sa technique de vinification, du millésime, s'il en a un, et qui garantit le plaisir au consommateur. Un achat pour les grandes occasions.

De 14 à 15 : bons champagnes ou effervescents, millésimés ou non, correspondant à leur rang

14 = ★★
15 = ★★⭐

Bon vin issu d'une seconde fermentation soignée et maîtrisée, issu d'une identité de cépages ou de terroir qu'on perçoit à la dégustation et qui offre le plaisir attendu.

De 12 à 13 : champagnes ou effervescents, millésimés ou non, décevants ou inadéquats par rapport à leur statut

Vin correct sans plus, de facture classique, qui ne laisse pas un grand souvenir après sa dégustation. Il peut manquer d'équilibre et de typicité.

Mention des tarifs et présentation par fourchette

En raison des changements réguliers des tarifs sur les marchés et parce que ce livre est distribué dans toute la francophonie européenne, j'ai retenu la présentation par fourchette de prix en dollars canadiens et en euros.

🐷 Inférieur à 25 $ / inférieur à 20 €

🐷 🐷 Entre 25 $ et 50 $ / entre 20 € et 40 €

🐷 🐷 🐷 Entre 50 $ et 100 $ / entre 40 € et 90 €

🐷 🐷 🐷 🐷 Entre 100 $ et 200 $ / entre 90 € et 170 €

🐷 🐷 🐷 🐷 🐷 Supérieur à 200 $ / supérieur à 170 €

La disponibilité des vins

J'ai retenu le système simple et lisible du drapeau national pour indiquer la disponibilité des produits sur le marché concerné.

Par ailleurs, la province du Québec ayant un statut particulier au niveau de la vente des alcools, on ne peut y trouver autant de champagnes et de mousseux qu'en Europe. L'offre et la variété des produits changent régulièrement sur son marché officiel monopolistique qui permet aussi l'importation privée, je mentionne les lettres IP quand le vin est disponible par le biais d'un agent importateur.

 Disponible au Québec

Disponible en France

Disponible au Luxembourg

Disponible en Belgique

 Disponible en Suisse

IP   Importation privée au Québec

Mes coups de cœur
2013

Les champagnes

MES COUPS DE CŒUR
CHAMPAGNES 2013

Les champagnes

Françoise Bedel
Cuvée L'Âme de la Terre – Millésime 2003 – Extra-Brut
– page 120

Gosset
Cuvée Grand Blanc de Blancs – Brut – page 129

Jacques Lassaigne
Cuvée Les Vignes de Montgueux – Extra-Brut
– Blanc de Blancs – page 147

Laherte Frères
Cuvée Millésime Récolte 2005 – Extra-Brut
– page 158

Lanson
Cuvée Extra-Âge – Brut – Blanc de Blancs
– page 161

Marie Courtin
Cuvée Efflorescence 2007 – Pinot Noir – Extra-Brut
– page 175

Nathalie Falmet
Le Val Cornet – page 184

Philipponnat
Grand Blanc 2005 – Brut – page 194

Roger Coulon
Esprit de Vrigny – Premier Cru – Brut Nature
– page 212

Les autres **bulles**

Boschendal
Le Grand Pavillon de Boschendal – Brut Rosé
– Afrique du Sud – page 241

Bon courage
Cap Classique – Jacques Bruére – Brut
– Blanc de Blancs 2008 – Afrique du Sud – page 246

Krone Borealis
Nicolas Charles Krone – Marque 1 – Afrique du Sud
– page 247

Coates & Seely
Rosé NV – Angleterre – page 256

Agusti Torello Mata
Reserva Barrica – Brut Nature – Espagne – page 309

Albet I Noya
Barrica 21 – Brut – Espagne – page 310

Raventos I Blanc
De Nit 2009 – Rosé – Brut – Espagne – page 323

Antech
Héritage – Brut 2008 – Crémant de Limoux – France
– page 396

Domaine des Roches Neuves
Bulles de Roches – Saumur – Brut – page 417

MES COUPS DE CŒUR
AUTRES BULLES 2013

Les autres **bulles**

Domaine du Bois Mozé
Blanc Secret – Brut et Nature 2008 – Crémant de Loire
– France – page 419

Domaine Leduc-Frouin
Saumur – Brut – Méthode Traditionnelle – France
– page 423

Domaine Priou
Brut – Méthode Traditionnelle – Touraine – France
– page 543

J. Delmare
Crémant de Loire – Brut – France
– page 430

Montenisa
Dizero Brut – Italie – page 465

Bisol
Talento Metodo Classico – Millesimato 2005
– Rosé Brut – Italie – page 488

Bortolomiol
Filenda Rosé 2009 – Brut – Vino Spumante – Italie
– page 491

Nino Franco
Faive – Rosé Brut – Vino Spumante – Italie – page 501

Les **champagnes**

20/20

Alain Thiénot
La Vigne aux Gamins 2000 – Brut – page 47

Bruno Paillard
NPU 1996 – Brut – page 69

Deutz
William Deutz 1999 – Brut – page 97

Bollinger
La Grande Année 2002 – Brut – page 65

Henriot
Cuvée des Enchanteleurs 1996 – page 141

Krug
Cuvée 1998 – Brut – page 157

Philipponnat
Clos des Goisses 1996 – Brut – page 196

19/20

Bollinger
La Grande Année 2002 – Brut Rosé – page 65

Charles Heidsieck
Brut 2000 – page 78

Deutz
Amour de Deutz 2003 – Brut – page 97

Dom Pérignon Œnothèque
Vintage 1996 – Brut – page 102

LES MIEUX NOTÉS
CHAMPAGNES 2013

Les champagnes

19/20 (suite)

Francis Boulard
Cuvée Petraea – Brut Nature – 1997 / 2007 – page 118

Krug
Cuvée 2000 – Brut – page 157

Mumm
Cuvée R. Lalou – Brut 1999 – page 127

Louis Roederer
Cristal 2004 – Brut – page 171

Ruinart
Dom Ruinart 2002 – Brut – page 217

Ruinart
Dom Ruinart 1998 – Brut – page 216

Ruinart
Dom Ruinart Rosé 1996 – Brut – page 217

Salon
S 1999 – Brut – page 218

Taittinger Comte de Champagne
– Blanc de Blancs 2000 – page 223

Tarlant
Cuvée Louis – Extra-Brut – page 226

Veuve Clicquot-Ponsardin
La Grande Dame 1998 – Brut – page 231

Les **champagnes**

18/20

Alain Thiénot – Cuvée La Vigne aux Gamins 2001
– Brut – page 47

Alfred Gratien
Cuvée Paradis – Brut – page 48

André Beaufort
Cuvée Ambonnay 2004 – Brut – page 48

Aspasie
Cuvée Cépages d'Antan – Brut – page 49

Boizel
Cuvée Sous Bois 2000 – Brut – page 63

Bollinger
La Grande Année 2004 – Rosé Brut – page 66

Cattier
Clos du Moulin – Brut – page 75

De Sousa
Cuvée des Caudalies 2006 – Brut – page 94

De Venoge
Cuvée Louis XV – Brut 1996 – page 99

Dom Pérignon
Vintage 2003 – Brut – page 101

Dom Pérignon
Vintage 2000 Rosé – Brut – page 102

Drappier
Cuvée Carte d'Or Millésime 1995 – Brut – page 107

Drappier
Cuvée La Grande Sendrée 2004 – page 108

Duval-Leroy
Femme de Champagne 2000 – Brut – page 110

Éric Rodez
Cuvée des Grands Vintages – Brut – page 114

Franck Pascal
Cuvée Quinte Essence – Extra-Brut 2004 – page 119

Gosset
Grand Millésime 2004 – Brut – page 130

Guy Charlemagne
Cuvée « Mesnillésime 2004 » – Brut – page 133

LES MIEUX NOTÉS
CHAMPAGNES 2013

Les **champagnes**

18/20 (suite)

Henri Giraud
Cuvée Fût de Chêne 2000 – Brut – page 138

Jacquart
Cuvée Brut de Nominée – page 146

Jacques Selosse
Cuvée Substance – Brut – page 149

Krug
Grande Cuvée – Brut – page 157

Larmandier-Bernier
Vieilles Vignes de Cramant 2006 – Extra-Brut – page 164

Laurent-Perrier
Grand Siècle – Brut – page 167

Louis Roederer
Blanc de Blancs 2005 – Brut – page 170

Louis Roederer
Vintage 2005 – Brut – page 170

Perrier-Jouët
Belle Époque 2004 – Brut – page 192

Perrier-Jouët
Belle Époque 2004 – Rosé Brut – page 192

Philipponnat
Clos des Goisses 2002 – Brut – page 197

Philipponnat
1522 – Millésime 2003 – Brut – page 196

Pierre Peters – Cuvée Spéciale Les Chétillons 2004
– Brut – Grand Cru – page 200

Pol Roger
Vintage 2002 Brut – page 204

Pommery
Louise 1999 – Brut – page 206

Ruinart
Dom Ruinart Rosé 1998 – Brut – page 217

Salon
S 1997 – Brut – page 219

Veuve Clicquot-Ponsardin – Cave Privée 1990
– Dégorgé en octobre 2008 – Brut – page 231

LES MIEUX NOTÉS
AUTRES BULLES 2013

Les autres **bulles**

19/20

Mumm Napa Valley
DVX 2000 – Brut – États-Unis – page 339

Bellavista
Vittorio Moretti – 2004 – Extra-Brut
– Dégorgé en 2010 – Italie – page 454

Ferrari
Giulio Ferrari Riserva del Fondatore – Brut 2001
– Italie – page 480

18/20

Salton
Salton 100 Anos Nature – Brésil – page 289

Raventos I Blanc
La Finca 2007 – Gran Reserva – Espagne – page 324

Recaredo
Reserva Particular 2001 – Josep Mata Capellades
– Espagne – page 325

Domaine Carneros
Le Rêve Blanc de Blancs 2005 – Brut – États-Unis
– page 332

Louis Bouillot
Les Grands Terroirs – Les Trois Saints 2003
– Blanc de Blancs – Brut Nature – page 370

J. Delmare
Crémant de Loire – Brut Prestige – France – page 430

Bellavista
Gran Cuvée 2006 – Brut – Italie – page 452

Bisol
Talento Metodo Classico – Millesimato 2002
– Pas Dosé – Extra-Brut – Italie – page 490

CHAPITRE 1

Toutes ces dégustations de champagnes, blancs et rosés, ont été entreprises entre janvier 2012 et août 2012. J'invite le consommateur avisé à tenir compte du temps qui s'écoule et qui marque tous ces vins de son empreinte lorsqu'il goûtera l'un d'eux.

AGRAPART & FILS

Pascal et Fabrice Agrapart dirigent aujourd'hui à Avize, dans la Côte des Blancs, une maison familiale fondée par leur arrière-grand-père en 1894. Disposant d'une dizaine d'hectares plantés de vignes classées Grand Cru âgées d'une quarantaine d'années en moyenne, ils privilégient les élevages longs sur lies, en fûts de chêne. Les étiquettes ont judicieusement évolué, elles sont aujourd'hui plus lisibles et plus contemporaines.

www.champagne-agrapart.com
Lieu : 57, avenue Jean Jaurès - 51190 Avize
Téléphone : 03 26 57 51 38

Cuvée Minéral 2005
Extra Brut Blanc de Blancs – Grand Cru

17/20 ▮▮ ▮▮ ▬ ▬▬ ➕ IP
★★★⌐

🐷 🐷 🐷

Dégustée en juin 2012, cette cuvée se montre minérale et iodée à l'attaque, encore fermée au niveau du fruit. Il faut lui laisser plusieurs minutes avant qu'elle ne s'ouvre pour laisser enfin paraître des accents discrets de pâtisseries aux fruits blancs (tarte feuilletée aux pommes et poires, sablé breton). La texture est satinée en bouche, l'effervescence est soignée, foisonnante et aérienne, elle devrait se montrer plus onctueuse et longue après quelques années de garde. Moins démonstratif que le millésime 2004, ce nouveau millésime au contour acidulé et à la trame rigide sera sans doute plus endurant. Inévitable aujourd'hui à l'apéritif, je préconise toutefois de le laisser sur les clayettes jusque 2015, au moins…

Cuvée Les 7 Crus
Brut Blanc de Blancs

16/20 ▮▮▮▮▮ ▬▬ ▬▬ ▮ IP
★★★

🐖 🐖 🐖

Un champagne toujours aussi pur et charmeur à travers ses notes subtiles de réglisse, d'amande et de cire d'abeille qu'on perçoit dans une effervescence aux bulles fines et vives. Plus pâtissier qu'il y a quelques années dans les parfums perçus en bouche (l'assemblage de millésimes doit en être la raison), il offre une impression d'onctuosité et de profondeur dans un volume au contour tout de même ciselé puisque c'est du chardonnay ! On passe à table ? Saumon poché, sauce crème à l'estragon.

ALAIN BERNARD

Le père d'Alain Bernard a lui-même creusé sa cave où dorment aujourd'hui les flacons issus des raisins de 8 hectares en propriété. Avec un approvisionnement additionnel provenant d'Hautvillers et de Cumières, les villages voisins, la famille Bernard frôle les 100 000 bouteilles produites avec une gamme offerte originale et riche. Benoît Bernard qui s'occupe désormais des vinifications a dernièrement créé un Blanc de Noirs Brut Nature aussi tranchant qu'exquis.

www.champagne-alain-bernard.com
Lieu : 116, rue Daniele Casanova 51530 Dizy
Téléphone : 03 26 55 24 78

Cuvée Blanc de Noirs
Grand Cru

15/20 ▮▮▮▮▮ ▬▬ ▬▬ ▮ IP
★★⯪

🐖 🐖

Minéral, pur et iodé au premier nez, l'aération développe de discrètes notes de poires, de fenouil et de tisanes qu'on retrouve en bouche dans une attaque vive qui plaira aux amateurs de vin droit et tranchant. Les bulles ont un calibre moyen, un comportement aérien, en harmonie avec les saveurs.

Cuvée Rosé de Saignée
Brut – Premier Cru

16/20 ▌ ▐ ▌▌ ═ ▪▪ ✚ IP

★★★

🐷 🐷 🐷

Un rosé qui mérite 3 étoiles tant il est expressif dans ses arômes de groseilles, de canneberges, de noyaux de cerises. Ferme à l'attaque, l'élégance est illustrée par une fine acidité, un peu mordante, qui apporte fraîcheur et disposition à la garde. Un bon rosé qui a du goût et de la personnalité.

ALAIN THIÉNOT

Il aura fallu à peine 20 ans à Alain Thiénot pour se hisser parmi les dix plus grandes maisons de Champagne. En dirigeant aujourd'hui un groupe qui comprend les champagnes Joseph Perrier, Canard-Duchêne, Marie Stuart, Paul Gobillard et Jean-Louis Malard, ainsi que le vignoble Dourthe dans le bordelais et un domaine languedocien, l'homme d'affaires est devenu incontournable en Champagne. Les cuvées qui portent son nom sont curieusement trop méconnues et, pourtant, elles méritent d'être appréciées.

www.thienot.com
Lieu : 4, rue Joseph Cugnot - Parc d'activités - 51500 Taissy
Téléphone : 03 26 77 50 10

Cuvée Brut

15/20 ▌ ▐ ▌▌ ═ ▪▪ ✚ IP

★★⌇

🐷 🐷

Le nez est d'abord floral et délicat, puis axé sur les arômes d'une salade d'agrumes et de pommes qu'on retrouve dès l'attaque en bouche. L'effervescence est peu crémeuse, mais persistante. Les bulles sont de calibre moyen, elles tapissent et rafraîchissent les papilles qui décèlent quelques accents d'acidité de groseilles en finale. C'est un bon champagne, plus vif et apéritif que gourmand et pâtissier, à apprécier donc avant le repas.

Cuvée Brut – Rosé

14/20 ■ ■ ■■ ══ ∷ 🇨🇭 IP
★★
🐷 🐷 🐷

Très pinot (cerises, noyaux, épices) et pourtant peu corsé, ce champagne est davantage subtil et léger que dosé et vineux. Il ne manque pas de structure, elle est fine à l'image des bulles et de l'effervescence régulière qui file vers une finale acidulée. Un champagne croquant que je préconiserais en apéritif.

Cuvée Vintage 2005 – Brut

15/20 ■ ■ ■■ ══ ∷ 🇨🇭 IP
★★★⟩
🐷 🐷 🐷

Dégustée en juillet 2012, les arômes au nez sont axés sur la pomme verte et les agrumes jaunes qu'on retrouve dès l'attaque en bouche. Les bulles sont fines et nouées, elles dansent dans un volume léger, voire aérien qui signe encore la jeunesse du vin. Quelques notes pâtissières se laissent saisir (brioche peu beurrée, cake aux fruits) certes, mais elles se font couvrir par une minéralité enveloppante que seul le dosage sensible en finale vient atténuer. Même après plusieurs minutes dans le verre, le vin confirmait ses accents printaniers de pommes brunes et de fleurs blanches. C'est un bon champagne, encore adolescent, qui a déjà un bel équilibre dans son comportement, et qui devrait se montrer plus bavard vers 2015.

La Vigne aux Gamins 2000 – Brut

20/20 ■ ■ ■■ ══ ∷ 🇨🇭
★★★★★
🐷 🐷 🐷 🐷

Dégusté en mai 2012, ce vin présente un nez expressif et profond, habillé par le temps, axé sur la frangipane avec une légère pointe de champignons frais à l'aération. Les bulles sont d'une très grande finesse, elles construisent une texture soyeuse en bouche qui transporte un léger rancio d'évolution. On y retrouve les arômes initialement perçus, accentués par des notes pâtissières où les fruits blancs s'entremêlent. Le volume est plein, la minéralité a laissé la place à une puissance élégante, c'est un champagne pénétrant et plein, aussi magnifique que trop méconnu, aussi charmeur que confidentiel. Un incontournable pour l'amateur.

La Vigne aux Gamins 2001 – Brut

18/20 ▌▌▐▌▌ ▬ ▪▪▪ ✚

★★★★

🐖 🐖 🐖 🐖

Dégusté en juin 2012, ce champagne est toujours axé sur les fruits blancs, légèrement confits, pour se faire plus pâtissier dans les arômes après quelques minutes dans le verre (tarte aux poires, croissant, palmier). L'attaque est vive, un léger rancio se laisse capter pour être immédiatement occulté par une amertume de peau de pomme brune. L'effervescence abonde, les bulles sont de calibre moyen, toutefois nouées, elles filent et laissent en bouche une impression de miel en finale. Moins puissant que le millésime 2000, plus accessible au niveau aromatique, il devrait évoluer rapidement et même s'il est déjà prêt à boire, je préconise la patience jusqu'en 2015.

ALFRED GRATIEN

Au sein du groupe allemand Henkell & Söhnlein depuis l'entrée dans le 3e millénaire, cette maison, fondée en 1864, est aussi reconnue pour ses mousseux de la Loire (Gratien & Meyer). Experte en matière d'effervescence, elle offre une constance de qualité remarquable, quelles que soient les cuvées. Très respectée en Champagne, cette maison est pourtant méconnue du grand public.

www.alfredgratien.com
Lieu : 30, rue Maurice Cerveaux - BP 3 - 51201 Épernay
Téléphone : 03 26 54 38 20

Cuvée Brut Classique

15/20 ▌▌▐▌▌ ▬ ▪▪▪ ✚

★★★

🐖 🐖 🐖

Les mêmes flaveurs se laissent captiver au nez et en bouche : biscuits au beurre et zestes de pamplemousses confits. À la fois crémeux et tranchant, c'est un champagne surprenant, car sa fraîcheur se remarque en finale, tandis que sa vinosité, grâce à une finesse de bulles remarquable, se décèle dès l'attaque. L'ensemble est dans le style de la maison, gras et intense.

Cuvée Paradis

18/20 ∎ ∎ ∎∎ ═ ∷ ✚

★★★★

🐖 🐖 🐖 🐖

Sobre, minérale et pourtant pleine et aromatique (amandes grillées, brioches), toute la complexité de la maison est dans cette cuvée où les bulles très fines et vives offrent de la crème en bouche aux arômes floraux et beurrés, sans doute apportés par le chardonnay qui domine l'assemblage. Dense, gras, compact, sans manquer de prestance et de finesse, ce vin mérite une aération d'au moins vingt minutes dans le verre.

ANDRÉ BEAUFORT

À la fin des années 1960, Jacques Beaufort, le fils d'André Beaufort, a contracté diverses allergies dues à l'emploi de produits systémiques dans la vigne. La famille décide donc de passer à la culture biologique dans un esprit homéopathique et aromathérapique où même le cuivre est seulement parcimonieusement employé. Ainsi, depuis les années 1970, les champagnes Beaufort se sont construits dans un cadre bien différent de ce que la Champagne propose en général au consommateur.

www.champagnebeaufort.com
Lieu : 1 rue de Vaudemanges 51150 Ambonnay
Téléphone : 03.26.57.01.50

Cuvée Grand Cru 2004 – Ambonnay

18/20 ∎ ∎ ∎∎ ═ ∷ ✚ IP

★★★★

🐖 🐖 🐖

Ce champagne m'aura donc dérouté pendant 3 ans, depuis la première année (2010 - voir l'édition 2011 du guide) où je l'ai découvert peu bavard jusqu'à aujourd'hui où il dévoile – enfin – une vraie personnalité, digne des grands vins pour qui le temps qui passe est un tremplin. Le nez est déroutant, à la fois iodé et pâtissier (tarte aux fraises, orangettes, galette des rois après quelques minutes), l'attaque en bouche est encore tendue, puis immédiatement enveloppante et pleine. Le volume est construit par de petites perles qui s'accrochent tout au long de la dégustation, offrant des accents de gingembre et de tarte amandine. Il gagne à être attendu une fois dans le verre, car il s'y dégage des notes bourguignonnes de noyaux de cerises. C'est un champagne complexe, riche et séduisant qui bouge beaucoup, un grand vin de champagne.

ASPASIE

Rémi Ariston et son fils Paul-Vincent perpétuent une tradition viticole familiale depuis 1794, à Brouillet, village situé à une vingtaine de kilomètres de Reims. La famille a développé la marque Aspasie du nom de l'aïeule qui, au début du XIXe siècle commença le commerce du vin de champagne, alors tranquille. C'est la grand-mère de Paul-Vincent, Geneviève, qui champagnisa la première ses vins. 50 ans plus tard, la famille se distingue en sauvegardant les vieux cépages de la région qu'elle sait de mieux en mieux habiller avec le temps et l'expérience.

www.champagneaspasie.com
Lieu : 4 et 8, Grande rue - 51170 Brouillet
Téléphone : 03 26 97 43 46

Cuvée Aspasie – Cépages d'Antan Brut

18/20 ▮▮ ▮▮ ▬ ▦ ✚ IP
★★★★

🐷 🐷 🐷

Découverte il y a 3 ans, cette cuvée m'était apparue mordante et citrique, peu flatteuse finalement. Redégustée en mai 2012, j'ai cru boire un autre champagne : l'arbanne et le petit meslier dominent toujours l'assemblage, les accents d'agrumes sont bien présents, toutefois plus confits sans que ce soit le dosage du vin qui les soutienne. L'effervescence est gourmande, les bulles sont menues et nouées, en belle adéquation avec les parfums tropicaux qu'on y décèle. Un léger bouquet de rancio entremêlé de notes minérales se laisse capter après quelques minutes dans le verre, on y succombe parce que ce vin bouge en permanence et qu'il offre une originalité aromatique qui le distingue de bien des champagnes.

AYALA

Dans la seconde moitié du XIXᵉ siècle, en épousant Gabrielle d'Albrecht, nièce du Vicomte de Mareuil, en Champagne, Edmond de Ayala devient le propriétaire du Château d'Aÿ et de plusieurs parcelles de vignes dans la vallée de la Marne. La maison de Champagne Ayala naît ainsi en 1860 et prend son essor grâce au marché britannique, puis espagnol. En 2005, la marque Ayala entre dans le capital de la Société Jacques Bollinger (SJB), propriété de la famille Bollinger. Avec 800 000 bouteilles en production, elle semble depuis retrouver une seconde jeunesse.

www.champagne-ayala.fr
Lieu : 2, boulevard du Nord - BP 6 - 51160 Aÿ
Téléphone : 03 26 55 15 44

Cuvée Brut Nature

15/20 ▮ ▮ ▮▮ ▬ ▦ ✚
★★★

Grâce au pinot noir qui domine l'assemblage de ce vin, on ne sent pas l'absence de sucre qui est enrayée par la qualité des raisins très mûrs. Certes incisif à l'attaque, ce champagne présente la pureté du fruit (pêches, fruits secs) et la minéralité complexe du sol champenois (notes de farine, de champignons, d'aneth) dans un volume accrocheur et une effervescence aérienne. Pour l'apéritif.

Cuvée Brut Majeur – Brut

16/20 ▮ ▮ ▮▮ ▬ ▦ ✚
★★★

La cuvée dégustée a été dégorgée en mai 2011, le nez est expressif et fin, axé sur les toasts blonds et les pommes brunes au niveau aromatique. L'attaque ne mord pas, on se laisse immédiatement séduire par la texture pleine et satinée qui ne couvre pas la fine minéralité, plus nette qu'autrefois. Quelques accents d'épices indiennes se laissent percevoir après quelques minutes dans le verre apportant une touche d'originalité très plaisante. Un bon champagne pour apéritif gourmand.

Cuvée Rosé Nature

15/20 ▮ ▮ ▮▮ ▭ ▪▪ ✚
★★★⸌

🐷 🐷

Un champagne mordant qui n'agresse pourtant pas les papilles grâce à la conjugaison d'un fruité de cerise, très pur, et d'une effervescence bien menée, crémeuse et persistante. Un rosé de marque, bien élaboré et de facture classique, pour apéritifs gourmands.

Cuvée Rosé Majeur – Brut

15/20 ▮ ▮ ▮▮ ▭ ▪▪ ✚
★★★⸌

🐷 🐷

Un nez frais, floral et fruité, très délicat (fraises, pivoine). Le volume est léger, aérien en bouche, les bulles sont de calibre moyen, toutefois persistantes, elles illustrent le comportement apéritif de l'ensemble. Plus féminin que gourmand, c'est un champagne abordable et bien construit.

Cuvée Blanc de Blancs 2004 – Brut

17/20 ▮ ▮ ▮▮ ▭ ▪▪ ✚ IP
★★★★⸌

🐷 🐷 🐷

Dégusté très tôt pour le guide 2012 de l'année passée, redégusté en mai 2012, le voici fin prêt en 2013, toujours aussi minéral au nez comme en bouche avec toutefois plus de rondeur pâtissière dans les arômes (croissant, pâte d'amandes), dégageant même un subtil rancio d'évolution. La texture est veloutée, les bulles sont fines et persistantes, elles peuvent encore gagner en richesse avec le temps. C'est un excellent champagne qu'on peut placer en cave quelques années ou consommer dès aujourd'hui, sur un plat de pétoncles en sauce à la crème.

Cuvée Blanc de Blancs 2005
Brut

16/20 ▮▮ ▮▮ ▮▮ ▬▬ ▬▬ ▮▮ ✚ IP
★★★

🐷 🐷 🐷

Dégusté en mai 2012, ce champagne présente un nez discret, légèrement pâtissier (frangipane), présentant toutefois quelques notes herbacées qui pointent à l'attaque en bouche - un signe d'une jeunesse qui perdure et c'est tant mieux. Il faut le laisser respirer pour y déceler des arômes subtils de tisane, puis de toasts blonds au sein d'un volume aérien qu'habillent des bulles légères et fugaces. Plus apéritif que le millésime 2004, je le préconise sur des canapés où les fruits de mer ont leur place.

BARDOUX PÈRE & FILS

Pascal Bardoux descend d'une lignée de vignerons champenois qui exploitent la vigne depuis la fin du XVIIe siècle. Il gère aujourd'hui 4 hectares en propriété, répartis sur 17 parcelles où les pinots dominent le chardonnay.

www.champagne-bardoux.pagesperso-orange.fr
Lieu : 5–7, rue Saint Vincent 51390 Ville-Dommange
Téléphone : 03 26 49 25 35

Cuvée Brut Réserve
Premier Cru

15/20 ▮▮ ▮▮ ▮▮ ▬▬ ▬▬ ▮▮ ✚ IP
★★★

🐷 🐷

Un champagne au caractère rustique dans le bon sens du terme, c'est-à-dire authentique, franc et assis. Les bulles se présentent dans un calibre moyen, à la fois paquetées et aériennes, elles alimentent les saveurs plus boulangères que pâtissières (levure, baguette, croissants). Peu complexe et court, c'est un vin de champagne toutefois typé, représentatif du terroir dans son ensemble.

BARON ALBERT

Pas de titre de noblesse au sein de ce domaine familial qui doit simplement son nom de marque à l'inversion du nom et du prénom de son fondateur Albert Baron. Le pinot meunier domine les 45 hectares exploités en propre et en négoce.

www.champagne-baron.com
Lieu : 1, rue des Chaillots – Le Grand Porteron BP 12
– 02310 Charly-sur-Marne
Téléphone : 03 23 82 02 65

Cuvée AL
Blanc de Blancs 2006

16/20 ▮ ▮ ▮▮ ▬ ▰▰ ➕ IP
★★★

🐷 🐷 🐷

Du chardonnay tendu et frais où tout apparaît dans un fruité blanc et pur. Le crescendo des arômes perçus au nez comme en bouche est expressif : citron, pamplemousse, poire, pomme verte, amande, crème pâtissière. L'effervescence abonde, elle se fait plus aérienne que riche, quoique son enveloppe s'accroche durablement en laissant une pointe de minéralité qui file jusqu'à la finale. C'est un champagne qui peut rappeler certains chablis bus dans leur jeunesse, je le préconise à l'apéritif sur des huîtres plus iodées que laiteuses.

BEAUMONT DES CRAYÈRES

Coopérative qui va bientôt fêter ses 50 ans d'existence, elle regroupe plus de 230 vignerons et axe sa production sur le pinot meunier qui domine les approvisionnements.

www.champagne-beaumont.com
Lieu : 64, rue de la Liberté - 51530 Mardeuil
Téléphone : 03 26 55 29 40

Cuvée Grand Rosé – Brut

14/20 ∎ ∎ ∎∎ ═ ▪▪ ✚

★★

🐷 🐷 🐷

Un rosé effervescent qui joue davantage sur le fruité rouge classique dans les arômes décelés (fraises des bois, cerises, groseilles) que sur l'originalité. L'effervescence apporte la fraîcheur attendue par son comportement aérien. C'est un champagne qui « donne tout en bouche », il est bien construit, le bouquet aromatique dominant le comportement grâce à un dosage légèrement appuyé. Efficace et abordable pour les apéritifs aux canapés variés.

Cuvée Fleur Blanche 2004 – Brut

16/20 ∎ ∎ ∎∎ ═ ▪▪ ✚ IP

★★★

🐷 🐷 🐷

Un champagne qui apparaît précoce dans sa maturité au point d'offrir déjà, au nez comme en bouche, de légères notes d'un fin rancio qui couronnent celles de palmier, de biscuits au miel, d'amandes grillées et de zestes de citron confits. L'effervescence est soignée, les bulles sont de calibre moyen, mais elles sont nouées, conférant une onctuosité agréable et persistante. Le volume perçu présente une fine enveloppe de fraîcheur qui rappelle tout de même sa jeunesse à travers des arômes de pommes vertes. On les perçoit jusqu'à la finale où pointent des accents de lait d'amandes. C'est un chardonnay de belle facture qu'il faut laisser s'aérer plusieurs minutes dans le verre pour mieux découvrir sa palette de parfums plus classiques que complexes, toutefois expressifs et nets. Impeccable sur des pétoncles légèrement saisis avec sauce au lait de coco.

Cuvée Nostalgie 1999 – Brut
17/20 ▊ ▊ ▊▊ ═ ▪▪ 🇨🇭

★★★✦

🐷 🐷 🐷

Un champagne qui bouge constamment, qui nous fait aller d'arômes de fruits confits à ceux de baklava en passant par le lait au miel et le grué de cacao. Le chardonnay domine l'assemblage, on le décèle dans la tension qu'il exerce en bouche quoique la minéralité ait laissé la place à des notes poivrées. La texture porte son âge, elle est satinée, guidée par l'effervescence onctueuse et enveloppante. La finale se fait plus beurrée dans les parfums, elle signe un champagne remarquablement construit et très abordable pour autant d'atouts.

BENOÎT LAHAYE

La famille Lahaye bichonne depuis les années 1930 ses 4,4 hectares répartis en plusieurs parcelles sur les communes de Tauxières, Bouzy et Ambonnay, converties en culture biologique depuis une décennie. Le pinot noir domine dans les cuvées qui sont produites à raison d'environ 40 000 bouteilles par an.

Lieu : 33, rue Jeanne D'Arc 51150 Bouzy
Téléphone : 03 26 57 03 05

Cuvée Brut Nature – Grand Cru
16/20 ▊ ▊ ▊▊ ═ ▪▪ 🇨🇭 IP

★★★

🐷 🐷 🐷

Dégorgé en novembre 2011, ce vin se montre très frais, minéral et anisé au nez, d'une grande pureté conjuguée à une belle tension en bouche, à l'attaque ferme et austère, pour immédiatement être patiné par une effervescence riche et onctueuse, aux bulles fines et accrocheuses.

Cuvée Prestige – Brut Blanc de Noirs

15/20 ▋▋▋▋▋ ══ ▪▪ ✚ IP
★★☆

🐷 🐷 🐷

De facture classique dans les flaveurs (fenouil, poire, foin, levure, agrumes, brioche), ce champagne se montre intense par le comportement foisonnant, volumineux et frais de l'effervescence. Il se distingue toutefois en fin de dégustation par quelques notes de fruits rouges, puis de fût, qui se décèlent lorsque la température se fait clémente, autour de 12 degrés. Attention cependant de ne pas pousser trop haut cette acclimatation au risque de percevoir un dosage sensible. Un champagne très bien élaboré.

Cuvée Rosé de Macération Extra-Brut

17/20 ▋▋▋▋▋ ══ ▪▪ ✚ IP
★★★☆

🐷 🐷 🐷

Le fruité en bouche comme au nez est d'une grande intensité, l'effervescence est soignée, les bulles sont de calibre moyen, elles sont toutefois nouées. L'ensemble se montre puissant et frais à la fois, mordant et pénétrant, c'est un rosé au caractère affirmé, d'une grande personnalité, qui pourra facilement se placer à table sur un plat de gibier à plumes.

BÉRÈCHE & FILS

Une famille de Ludes qui élabore ses propres champagnes depuis 30 ans après avoir vendu ses raisins au négoce, depuis le milieu du XIXe. Modernes et créatifs, Jean-Pierre, Catherine, Raphaël et Vincent Berèche bichonnent aujourd'hui 10 hectares en propriété.

www.champagne-bereche-et-fils.com
Lieu : Le Craon de Ludes 51500 Ludes
Téléphone : 03 26 61 13 28

Cuvée Vallée de la Marne
Rive Gauche – Extra-Brut

16/20 ■ ■ ■■ ══ ▪▪ ➕ IP
★★★

🐷 🐷 🐷

Nez très discret de farine, d'orgeat, de céréales, puis de soya qu'on retrouve en bouche dès l'attaque. Volume léger dans le comportement de l'effervescence, les bulles sont de calibre moyen, mais elles tapissent généreusement les papilles, elles s'accrochent et déposent le souvenir de parfums d'un déjeuner plus granola que pâtissier, c'est une vraie découverte, un champagne très particulier, donc original, pour amateur et converti.

Cuvée Instant
Le Cran 2005

17/20 ■ ■ ■■ ══ ▪▪ ➕ IP
★★★✦

🐷 🐷 🐷

Nez de poire et de fenouil, puis de peau de noix de Grenoble à l'aération. L'attaque se montre plus classique dans les arômes d'acacia et de brioche peu beurrée, l'effervescence est impeccable : les bulles sont menues, nouées, persistantes, elles apportent une grande richesse qui transporte les parfums initialement captés. Sans doute plus mature que le millésime 2004, ce 2005 démontre une fois de plus que les Berèche jouent dans la cour des grands.

BESSERAT DE BELLEFON

En 1843, Edmond Besserat fonde sa maison de champagne à Aÿ et élabore une production d'environ 30 000 bouteilles. Son petit-fils épouse dans les années 1920 Yvonne de Méric de Bellefon et décide alors que le champagne sera commercialisé sous le nom Besserat de Bellefon. Les conséquences de la Seconde Guerre mondiale obligent la famille à céder leurs actifs au groupe Dubonnet-Cinzano, qui décide de transférer le siège social tout en faisant construire des bâtiments qui permettent, grâce à des innovations technologiques, le renouveau de la marque. Celle-ci entre dans le groupe Marne et Champagne en 1991 avant d'intégrer Boizel Chanoine Champagne en 2006 pour être toujours aujourd'hui dans le groupe Lanson-BCC. Les vins ne font pas de fermentation malolactique, ils peuvent se révéler incisifs dans leur jeunesse, c'est pourquoi même les Brut sans année de Bessarat de Bellefon gagnent à être gardés deux à trois ans après leur achat, notamment le Blanc de Blancs.

www.besseratdebellefon.com
www.besserat.com
Lieu : 22, rue Maurice Cerveaux – BP 138 – 51205 Épernay
Téléphone : 03 26 78 50 50

Cuvée « Cuvée des Moines » Extra-Brut

15/20 ▮▮ ▮ ▮▮ ▭ ▬ ▮▮ ✚ IP
★★☆

🐷 🐷 🐷

Nez net, parfumé et biscuité (sablé au beurre) très charmeur, jolies notes de rancio presque praliné à l'aération. Attaque vive, très fraîche, bulles moyennes dans une texture dense aux arômes de fruits blancs acidulés qui contrôlent le comportement mordant jusqu'en finale. Un champagne d'ouverture d'appétit qui fera honneur à un plat d'huîtres, par exemple.

Cuvée « Cuvée des Moines » – Brut

15/20 ▮▮ ▮▮ ═ ▪▪ ✚
★★✦

🐖 🐖 🐖

Nez de fleurs et de poires, rehaussé de notes de bonbons acidulés. L'expression des bulles de calibre moyen en bouche est vive, le vin est à la fois soyeux et charpenté, axé d'abord sur des fruits provençaux, puis noisetté. La finale file vers des notes de farine, voire de champignons. Une cuvée de repas qui dévoile un discret rancio pour un plat de volaille en sauce.

Cuvée « Cuvée des Moines » Blanc de Blancs – Brut

16/20 ▮▮ ▮▮ ═ ▪▪ ✚ IP
★★★

🐖 🐖 🐖

Un crescendo aromatique très délicat (pain blond, acacia, pamplemousse, sablé) qui permet à la fraîcheur de s'exprimer tout au long de la dégustation dans une effervescence à la fois crémeuse et légère. Je préconise de laisser le vin s'aérer quelques minutes dans le verre afin d'apprécier au mieux les accents pâtissiers des flaveurs finales. Un B de B efficace et soigné.

Cuvée « Cuvée des Moines » Rosé – Brut

14/20 ▮▮ ▮▮ ═ ▪▪ ✚
★★

🐖 🐖 🐖

Un rosé d'assemblage dont une partie vient du village Les Riceys où la maison a quelques vignes. Onctueux en bouche grâce à des bulles fines, vives curieusement fugaces, nerveux dans le comportement, délicat dans les flaveurs de petits fruits rouges, c'est un rosé de facture classique, plus léger et plus apéritif qu'étoffé et riche.

BILLECART-SALMON

Fondée en 1818 par Nicolas-François Billecart et sa femme Élisabeth Salmon, encadré par le frère de cette dernière, Louis Salmon, cette maison basée à Mareuil-sur-Aÿ a toujours conservé un aspect artisanal dans l'élaboration perfectionniste de ses champagnes, très appréciés des connaisseurs. Profitant d'environ 200 hectares pour l'élaboration de ses vins, son rosé d'assemblage est comme le dit son responsable du vignoble et des chais Denis Blée « le cœur de métier » de la maison.

www.champagne-billecart.fr
Lieu : 40, rue Carnot – 51160 Mareuil-sur-Aÿ
Téléphone : 03 26 52 60 22

Cuvée Brut Réserve

15/20 ▮ ▮ ▮▮ ══ ▪▪ ✚ IP
★★☆

🐷 🐷

Un champagne qui a du corps, très expressif en bouche à travers des arômes qui pinotent (noyaux, canneberges, cerises) sans gommer la tension générale et les accents plus délicats d'amandes. C'est une cuvée gourmande grâce à son effervescence moelleuse, peu longue et soutenue en finale par un léger caractère épicé.

Cuvée Blanc de Blancs – Brut

16/20 ▮ ▮ ▮▮ ══ ▪▪ ✚
★★★

🐷 🐷 🐷

Incisif et puissant, ce pur chardonnay a des accents d'eau-de-vie de poire et de mirabelle. Il est à la fois fin et solide, présente des bulles d'une finesse extrême qui pourtant ne provoquent pas de l'onctuosité, mais une texture enveloppante et longue en bouche grâce à une fraîcheur exemplaire, sans doute apportée par la vinification. On le privilégiera sur une entrée de crustacés ou simplement à l'apéritif.

Cuvée Brut Rosé

16/20 ■ ■ ■ ■ ═ ═ ═ ■
★★★
🐷 🐷 🐷

Le Rosé de Billecart-Salmon fait partie des références champenoises dans la catégorie. Un style plus subtil que racé et plus délicat que corsé. Rien n'est exubérant au nez, tout est dans la suggestion et la discrétion : on décèle des notes de groseilles et de cake aux cerises. Le pinot noir est bien présent en bouche, par ses arômes de fruits rouges des champs, d'agrumes et de musc, la silhouette est plus tranchante que tapissante, les bulles sont fines, sans pour autant donner un volume crémeux. C'est un vin que les amateurs de rosés élégants et aériens apprécieront.

Cuvée Vintage 2004 – Extra-Brut

17/20 ■ ■ ■ ■ ═ ═ ═ ■ IP
★★★✦
🐷 🐷 🐷 🐷

Tout apparaît très frais et croquant dans ce champagne, ses arômes comme son comportement. On file d'un fruité blanc de paniers de pommes et de poires à celui plus cuit d'une tarte aux abricots en passant par les inévitables notes d'amandes fraîches. Les bulles de calibre moyen sont nouées, le volume qu'elles construisent se fait aérien et rafraîchissant, il se dégage une grande pureté jusqu'à la finale encore saline qui titille les papilles. Un champagne intense pour apéritif de luxe à base d'huîtres.

Cuvée Brut Sous Bois

17/20 ■ ■ ■ ■ ═ ═ ═ ■ IP
★★★✦
🐷 🐷 🐷 🐷

Le dernier né des vins de la maison a été dégusté en mai 2012, il se montre expressif, confit dans les arômes de fruits, subtilement grillé dans les arômes d'élevage, dans tous les cas charmeur et plein, et pourtant minéral dans l'expression de son enveloppe en bouche. La texture est satinée, construite par une effervescence soignée et onctueuse qui distille des notes tantôt exotiques, tantôt épicées pour finalement finir sa course sur une sensation gourmande. Un champagne taillé pour la table à la longueur aromatique remarquable.

BOIZEL

Méconnue du grand public, cette maison a été créée en 1834 par Auguste Boizel. Au sein du groupe Lanson-BCC, elle est toujours administrée par ses descendants. La maison Boizel reflète concrètement ce qu'est la Champagne viticole : elle ne possède pas de raisins, ses vins sont tous issus de récoltes de vignerons sous contrat. C'est un vrai rapport de confiance entre ceux qui ont la matière et ceux qui la transforme, et pour ces derniers, il est à noter la remarquable constance de qualité et de style quelles que soient les cuvées.

www.champagne-boizel.fr
Lieu : 46, avenue de Champagne – 51200 Épernay
Téléphone : 03 26 55 21 51

Cuvée Brut Réserve

16/20 ■■ ■ ■■ ▬▬ ▬ ▪▪ ✛

★★★

Très représentative du style de la maison, cette cuvée au nez légèrement grillé offre en bouche à la fois la délicatesse de bulles fines et la richesse fruitée des pinots qui dominent l'assemblage. C'est une cuvée polyvalente au niveau culinaire dont la finale discrète dans son rancio, peu persistante, sera mise en valeur par des préparations beurrées (feuilleté, gratin, sauce, etc.). La cuvée qu'on peut avoir en réserve chez soi, de façon permanente.

Cuvée Chardonnay – Brut

15/20 ■■ ■ ■■ ▬▬ ▪▪ ✛ IP

★★★

Un vin au nez de confiseries de luxe : notes de nougat, de dragées et de guimauve qui se prolongent en bouche à travers des bulles vraiment fines, très distinguées et persistantes malgré un volume qui apparaît vaporeux, comme de la dentelle balayée par le vent. Davantage minéral et mûr que profond et toasté, voici un chardonnay sobre et frais.

Cuvée Rosé – Brut

14/20 ▊ ▊ ▊▊ ═ ▪▪ ▊

★★

🐷 🐷 🐷

De discrètes notes de baies rouges et de fumaison chatouillent d'abord les narines, puis s'effacent dès la première gorgée pour offrir des notes de fleurs (amamélis, chèvrefeuille). Grande finesse de l'effervescence qui transporte l'acidité du fruit et cette pointe fumée en finale qui permet un accord osé avec du saumon fumé, voire de l'anguille fumée. Aérien à l'attaque et puissant en finale.

Cuvée Sous Bois 2000 – Brut

18/20 ▊ ▊ ▊▊ ═ ▪▪ ▊ IP

★★★★

🐷 🐷 🐷 🐷

Parfumée, épicée, riche et profonde, cette cuvée est un grand vin de table grâce à sa texture veloutée construite par une effervescence compacte, aux bulles fines et serrées. Les parfums décelés entremêlent les pâtisseries au miel, les fruits secs et – déjà – quelques accents de sous-bois (champignons frais) avec une pointe de peau de noix en finale de dégustation. Le volume en bouche est imposant, toutefois enveloppé d'une fine acidité qui apporte la fraîcheur attendue des grands champagnes élevés sous bois. Définitivement pour un plat très soigné de grande réception.

BOLLINGER

Maison basée à Aÿ depuis 1829, Bollinger est entrée dans le fleuron des grandes marques de champagne grâce à « Tante Lily », l'épouse de Jacques Bollinger, qui a su, pendant 30 ans, après la Seconde Guerre mondiale, dynamiser l'entreprise familiale dans tous les secteurs, depuis la sélection des vignes jusqu'à la commercialisation des vins. La marque avait été créée de l'association de Paul Joseph Renaudin et Joseph Jacob Placide Bollinger, d'une part, et d'Athanase Louis Emmanuel Hennequin, comte de Villermont, d'autre part. Le pinot noir, l'utilisation de la futaille et le long repos sur lies de ses vins avant le dégorgement restent la signature de la maison Bollinger qui offre toujours des champagnes à la texture veloutée, aux arômes profonds et toastés, qui se comportent davantage comme les grands vins de la Bourgogne. À ce titre, les cuvées millésimées gagnent à être consommées quelques années après leur commercialisation afin d'apprécier leur saveur. On peut s'initier au style de la maison en commençant par la « Spécial Cuvée », plus minérale et moins opulente que les vins d'une seule année. Champenois d'origine, Jérôme Philipon dirige depuis 2007 cette maison au capital familial.

www.champagne-bollinger.com
Lieu : 16, rue Jules-Lobet – 51160 Aÿ
Téléphone : 03 26 53 33 66

Cuvée Spécial Cuvée – Brut

16/20 ▮▮ ▮▮ ▬▬ ▪▪ ✚

★★★

🐷 🐷 🐷

La vinosité de la maison est bien là au nez, mais elle est voilée par des arômes de fleurs fanées, de toasts blonds et la texture en bouche est plus tapissante que profonde. L'effervescence est fine, soutenue par la puissance vinique qui transporte des arômes de compotes de fruits (poires et pêches blanches), de pâtisseries beurrées et de pralines. C'est un excellent champagne pour les amateurs de vins corsés et finement parfumés, qui s'harmonisera confortablement avec un tartare de thon rouge épicé, par exemple. Ce vin dont le flacon a changé de silhouette en 2012 a une constance de goût et de style remarquable.

Cuvée Rosé – Brut

15/20 ▮▮ ▮▮ ▬ ▪▪ ✚

★★★⌁

🐖 🐖 🐖

Alors qu'on s'attendrait à un rosé très expressif, à la vinosité marquée comme la Special Cuvée, on découvre un champagne qui joue sur l'élégance et la pureté du fruité. Axé sur des arômes de cerises et de fraises des bois au nez comme en bouche, on déguste une effervescence pleine et onctueuse qui transporte tout de même un certaine puissance plus typique de la maison. Un champagne rosé au caractère élégant et soigné qui complétera facilement, par exemple, une entrée de carpaccio de homard avec un filet de balsamique à l'orange.

Cuvée La Grande Année 2002 – Brut

20/20 ▮▮ ▮▮ ▬ ▪▪ ✚

★★★★★

🐖 🐖 🐖 🐖

Sans doute l'une des meilleures cuvées de la dernière décennie chez Bollinger, elle dégage aujourd'hui un rancio qu'ont habillé les huit années passées sur lies et qui s'exprime à travers un crescendo saisissant : poire pochée, fenouil grillé, pain grillé blond, beurre frais, kouglof, lait au miel, tiramisu. Le temps a su habiller l'effervescence avec autant de volupté, on déguste davantage un frizzante qu'un spumante dont les perles perdurent lentement tout en conservant la fraîcheur qui signe les grands champagnes matures. Un grand moment.

Cuvée La Grande Année 2002 – Rosé Brut

19/20 ▮▮ ▮▮ ▬ ▪▪ ✚

★★★★⌁

🐖 🐖 🐖 🐖

Élégant et fin au premier nez, il s'oriente à l'aération comme à l'attaque en bouche sur des arômes de cerises et de poivre rose pour présenter ensuite une texture impressionnante de suavité à tel point que si on le dégustait sans le voir, on pourrait penser être en présence d'un vin blanc. Seuls quelques accents de brandy et d'épices en finale de dégustation rappellent sa couleur et sa vinification. Les bulles ne sont que perles qui s'allongent à l'infini, elles construisent une effervescence d'une amplitude et d'une finesse déconcertante. C'est un champagne de prestige, remarquable dans son attitude et qui devrait nous envoûter définitivement d'ici 2016.

Cuvée La Grande Année 2004 – Rosé Brut
18/20 ■ ■ ■ ■ ━ ∷ ∎
★★★★

🐷 🐷 🐷 🐷

Il s'agit du même vin que La Grande Année 2004 (en blanc) avec le vin rouge d'une parcelle nommée la Côte aux Enfants dont Bollinger tire aussi un coteaux-champenois. Et comme souvent avec La Grande Année, le blanc se montre fermé dans sa jeunesse, tandis que le rosé se montre plus avenant et plus rapidement prêt à boire. Riche, tannique (petite amertume de noyaux de cerise en finale de dégustation), encore plus épicée que la 2002, cette cuvée taillée pour la table reste toutefois d'une grande fraîcheur légèrement citrique (note de zeste d'orange). Le fruité est rouge, axé sur la groseille et la cerise, l'effervescence est riche, nouée et enveloppante, ces deux éléments permettraient facilement un accord avec un plat de gibier en sauce, toutefois, je préconise actuellement ce grand champagne sur une entrée chaude de poisson à cause du caractère anisé qu'on y décèle en finale, signe d'une jeunesse solide et typiquement agéenne.

BOURDAIRE-GALLOIS

Presque 5 hectares plantés où domine le pinot meunier sur une surface totale de 8 hectares, exploitée depuis les années 1950, décennie où le grand-père de David Bourdaire fonda avec des collègues vignerons la coopérative de Pouillon. 40 ans plus tard, après avoir suivi un BTS en viticulture et œnologie au lycée viticole de la Champagne à Avize, son petit-fis monte l'entreprise Bourdaire-Gallois en louant quelques vignes sur d'autres communes qui intègrent celles du patrimoine familial.

Lieu : 28, rue Haute 51220 Pouillon
Téléphone : 03 26 03 02 42

Cuvée Prestige – Brut
15/20 ■ ■ ■ ■ ━ ∷ ∎ IP
★★★〉

🐷 🐷 🐷

Notes pâtissières de crème légèrement vanillée au premier nez, un fruité qui rappelle les arômes de poires, de pommes chaudes et de coings, une structure solide en bouche où pointent quelques accents de fruits rouges, le tout enrobé d'une effervescence soignée et persistante en bouche, voici un très bon champagne d'apéritif où les canapés variés seront de mise.

BRICE

Pendant de nombreuses années, la famille Brice a vendu ses raisins, issus de 7 hectares de vignes en propriété, aux grandes maisons de Champagne. En 1994, Jean-Paul Brice décide d'élaborer ses propres champagnes en mettant l'accent sur les crus, une décision ambitieuse au niveau commercial lorsqu'on connaît la complexité de l'identité du champagne et les stratégies pour sa promotion. Pari réussi puisqu'en moins de 10 années, la famille Brice s'est fait reconnaître internationalement et exporte aujourd'hui 65 % de sa production, dont plus des deux tiers est issu d'approvisionnement auprès de vignerons.

www.champagne-brice.com
Lieu : 3, rue Yvonnet – 51150 Bouzy
Téléphone : 03 26 52 06 60

Cuvée Cramant Grand Cru – Brut

15/20 ■ ■ ■ ■ ═══ ▪▪ ▪▪ ✚

★★★↓

🐷 🐷 🐷

À la fois minérale grâce au terroir du village qui a vu naître les raisins (notes de sels marins et d'agrumes) et profonde grâce à l'apport de vin de réserve (mie de pain), c'est une cuvée linéaire en bouche : plus vive, droite et longue que tapissante et opulente. À déguster à l'apéritif ou avec une entrée froide de poisson blanc en gelée.

Cuvée Aÿ Grand Cru – Brut

16/20 ■ ■ ■ ■ ═══ ▪▪ ▪▪ ✚ IP

★★★

🐷 🐷 🐷

Avec la cuvée Bouzy, c'est sans doute la cuvée la plus puissante des quatre crus présentés chez Brice. Légèrement anisé dans son ensemble tant au nez qu'en bouche, le fruité rappelle tout de même les fruits rouges un peu cuits. Un léger rancio se dégage en finale qui apporte de la profondeur à un ensemble toujours frais. L'effervescence assez riche confère à ce champagne une stature corsée qui s'apprêtera à table sur des mets de viandes blanches grillées, sans sauce.

BRUNO PAILLARD

Créée en 1981 par Bruno Paillard, cette maison est résolument moderne, tant dans ses bâtiments et sa cuverie que dans le style de ses vins : audacieux, déterminé, contemporain, perfectionniste. Depuis plus de 30 ans, Bruno Paillard s'évertue à travailler en famille sur plusieurs appellations de vins français, le champagne étant sa signature de prestige.

www.champagnebrunopaillard.com
Lieu : avenue de Champagne – 51100 Reims
Téléphone : 03 26 36 20 22

Cuvée Première Cuvée – Brut

16/20 ▌ ▌ ▐▌ ═ ▪▪ ✚

★★★

🐷 🐷 🐷

Immédiatement porté sur les agrumes au nez (pamplemousses, mandarines), on perçoit à l'aération de subtiles notes de fruits tropicaux, puis de pain grillé. C'est pourtant un vin axé davantage sur les fruits et la fraîcheur que sur les pâtisseries et les notes d'évolution, comme le confirment les flaveurs en bouche transportées élégamment par une effervescence très pure et fine. C'est un champagne d'un équilibre toujours constant qui garantit le sourire à l'apéritif. La mention de dégorgement sur les contre-étiquettes permet au consommateur qui connaît son palais de déguster ce champagne en fonction de l'évolution de ses arômes et de sa texture. La cuvée dégustée a été dégorgée en septembre 2011. Une idée pour les amateurs ? Une fois acheté et quel que soit son dégorgement, laissez ce champagne au moins 7 années dans votre cellier avant de le consommer, vous découvrirez alors un vin remarquable aux arômes d'oranges confites, de flancs pâtissiers, de galette des rois, puis de café au lait; des caractéristiques de cuvée de prestige qui signent le travail remarquable de l'entrée de gamme des champagnes B. Paillard.

Cuvée Première Cuvée – Brut Rosé

15/20 ▰ ▰ ▰ ▰ ▰ ▰ ▰ ⬛
★★★⸝

🐖 🐖 🐖

À la fois floral et fruité au nez, c'est un rosé puissant, moelleux et raffiné, ses flaveurs de fraises, de framboises font agréablement écho à un feuilleté aux fruits d'été. Les bulles se comportent comme des perles légères, elles permettent une belle longueur finale en bouche. Un vin qui a suffisamment de corps pour supporter un plat exotique, mais peu relevé, ou un fromage aux saveurs affirmées.

Cuvée Blanc de Blancs – Réserve Privée – Brut

17/20 ▰ ▰ ▰ ▰ ▰ ▰ ▰ ⬛ IP
★★★★⸝

🐖 🐖 🐖

Le vin dégusté a été dégorgé en avril 2011, il présente d'abord un nez de poivre gris, de zeste de citron, puis de beurre frais fouetté après quelques minutes dans le verre. L'attaque est vive et parfumée, minérale sans être tranchante. Elle précède une texture satinée aux bulles de calibre moyen, toutefois nouées, procurant une sensation de richesse et de longueur en bouche (note de frangipane et de toast blond). Un impeccable équilibre tout au long de la dégustation. L'apéritif de grande classe par excellence.

Cuvée N. P. U 1996 – Brut
Dégorgement en janvier 2009

20/20 ▰ ▰ ▰ ▰ ▰ ▰ ▰ ⬛
★★★★★

🐖 🐖 🐖 🐖

Un nez subtil, finement pâtissier (sablé breton, praline peu grillée), très légèrement réglissé, puis à l'aération, la jeunesse parle encore à travers des accents de baies noires (cassis) qu'on perçoit davantage en bouche. Tout est suave et frais, les bulles sont foisonnantes, très serrées, très tapissantes, elles portent en finale un caractère iodé qui titille les papilles. Le volume est à la fois plein et aérien, on est face à une puissance contenue, une élégance racée. C'est un champagne exceptionnel, commercialisé au bon moment, à qui on a laissé le temps de s'imprégner des arômes du temps qui passe. Remarquable.

CANARD-DUCHÊNE

Grâce à l'amour et au mariage entre Victor Canard, issu d'une famille de tonneliers, et Léonie Duchêne, dont les parents élaboraient du vin grâce aux vignes familiales, la marque Canard-Duchêne est créée en 1868, dans le petit village de Ludes, situé sur la Montagne de Reims. Leur fils Edmond va assurer la renommée internationale de la maison en obtenant un marché prestigieux, celui de la cour impériale russe. L'aigle à deux têtes, emblème de la famille du tsar Nicolas II qui décore les étiquettes des bouteilles, est un hommage à cet ancien client. En 1968, la cuvée Charles VII est lancée pour fêter le centenaire de la Maison. Dix ans plus tard, Canard-Duchêne s'associe à Veuve Clicquot-Ponsardin, puis à Louis Vuitton Moët Hennessy. La marque est alors très populaire, largement distribuée, elle souffre finalement d'une image flolklorique, la qualité s'en trouve affectée. Fin 2003, Alain Thiénot incorpore Canard-Duchêne aux autres marques de son groupe, un lent travail de renouveau qualitatif s'amorce alors... Les résultats sont palpables aujourd'hui.

www.canard-duchene.fr
Lieu : 1, rue Edmond Canard – 51500 Ludes
Téléphone : 03 26 61 11 60

Cuvée Rosé – Brut

14/20 ■ ■ ■ ■ ▬▬ ▬ ◫◫ ✚ IP
★★

🐷 🐷

Un rosé qui se distingue au nez comme en bouche par sa fraîcheur fruitée orientée vers les petites baies rouges qu'on aurait légèrement poivrées. L'effervescence est en parfaite harmonie avec les arômes décelés, elle est aérienne, légère, non fugace grâce à un dosage sensible en finale qui retient les parfums. Un rosé classique bien contruit pour les apéritifs.

Cuvée Léonie – Brut

14/20 ■ ■ ■ ■ ▬ ▬ ▬ ▬ ■

★★

🐖 🐖

Une cuvée discrètement axée sur les arômes de fenouil, d'ananas, de sucre roux, enfin d'épices douces, avant de s'exprimer à travers une effervescence abondante de bulles fines, aériennes et fuyantes. Délicate et parfumée, elle présente une heureuse pointe d'amertume en milieu de bouche (peau de pomme brune) qui lui donne du caractère, avant une finale courte où le dosage sensible s'exprime par des notes de pâte d'amandes. Un champagne abordable et surtout mieux structuré qu'autrefois.

Cuvée Charles VII – Brut
Grande Cuvée Le Victorieux

16/20 ■ ■ ■ ■ ▬ ▬ ▬ ▬ ■

★★★

🐖 🐖 🐖

Une cuvée supérieure qui ne privilégie pas le millésime, mais la tradition de l'assemblage des vins issus des belles récoltes. Les deux pinots dominent, conférant une certaine puissance, une vinosité toutefois peu marquée avec davantage de fruité (pommes chaudes, fruits exotiques) que de profondeur et de subtil rancio. Les bulles sont fines, elles dessinent en bouche un volume léger et tendre qui transporte néanmoins de légères flaveurs de torréfaction. C'est une cuvée haut de gamme peu complexe dans les parfums et le comportement, mais d'un grand équilibre que je préconise, par exemple, pour une entrée chaude de poisson.

Cuvée Charles VII – Blanc de Noirs Brut – Grande Cuvée de Beauté

17/20 ▮▮ ▮ ▮▮ ▬▬ ▬▬ ✚

★★★★⌐

🐷 🐷 🐷 🐷

Les arômes rappellent les arômes de pommes chaudes et de coings, puis de crème pâtissière à l'aération pour finalement, après quelques minutes dans le verre, révéler des notes de chausson aux pommes. L'effervescence en bouche est satinée grâce à des bulles abondantes et nouées, elle est donc très réussie. La vinosité est subtile, la puissance est présente, mais contenue, on perçoit le pinot noir à travers de très légers accents de fruité rouge et de biscuits « spéculoos » en finale. C'est un vin qui gagne à être laissé en cave plusieurs années après son achat afin qu'il se présente avec plus de profondeur et de richesse aromatique. Les amateurs de champagne axé sur le fruité et plus gourmand que minéral seront très satisfaits.

Cuvée Charles VII – Blanc de Blancs Brut – Grande Cuvée des Lys

17/20 ▮ ▮ ▮ ▮▮ ▬▬ ▬▬ ✚

★★★★⌐

🐷 🐷 🐷 🐷

Le nez est très fin, d'abord axé sur la poire chaude, les agrumes confits, puis les pâtisseries aux fruits blancs et jaunes (pommes, poires, abricots). L'aération offre des arômes d'amandes, de fruits secs et de tarte au citron qu'on retrouve davantage en bouche au sein d'une texture satinée, aux bulles fines et nouées. L'enveloppe est d'une belle fraîcheur citrique que de légères notes beurrées (sablés bretons) viennent occulter après plusieurs minutes dans le verre. C'est un chardonnay construit avec élégance et sobriété que je préconise sur une entrée froide comme un cake au fromage de chèvre et courgettes.

Cuvée Charles VII – Rosé – Brut
Grande Cuvée de la Rose

16/20 ▮ ▮ ▮▮ ▭ ▪▪ ➕

★★★

🐷 🐷 🐷 🐷

Nez très frais, d'abord floral, puis rappelant les arômes de groseilles et de cerises qu'on retrouve dès l'attaque en bouche, couronnés de notes citriques très agréables (pamplemousse, citron confit). L'effervescence présente des bulles de calibre moyen qui foisonnent en paquet, donnant l'impression d'un volume compact en bouche; elles apportent de la consistance à un caractère assez linéaire. La finale est également finement acidulée (peau de pamplemousses roses), elle équilibre un dosage quelque peu sensible. Après quelques minutes d'aération, on perçoit des parfums plus complexes de pain d'épices grillé qui illustrent davantage le temps passé pour construire ce champagne; un champagne rosé néanmoins plus apéritif qu'opulent qui nécessitera une entrée saline, de type fruits de mer.

CATTIER

Propriétaire de vignobles depuis 1763, la famille Cattier a commercialisé du champagne sous son propre nom après la Première Guerre mondiale. Les caves de Jean-Jacques Cattier qui dirige la maison, ont la particularité de se répartir sur trois niveaux déclinant trois styles de voûtes architecturales : gothique, roman et renaissant. Son fils Alexandre est aujourd'hui l'œnologue de la maison. Méconnue du grand public hors de l'hexagone, mais reconnue par les amateurs de champagne du monde entier, la maison Cattier a soudainement vu son nom se multiplier et se populariser sur la planète grâce au lancement de la cuvée de prestige Armand de Brignac qu'elle élabore. Une cuvée hissée au rang des meilleurs champagnes à l'instar de celles des grandes maisons.

www.cattier.com
Lieu : 6 et 11, rue Dom Pérignon – BP 15
51500 Chigny-les-Roses
Téléphone : 03 26 03 42 11

Cuvée Blanc de Blancs – Premier Cru – Brut

14/20 ▌▌▌▌ ══ ▰▰ ✚

★★

🐷 🐷

Axée sur les agrumes, la tisane et quelques notes beurrées, elle demeure aérienne dans son comportement en bouche, plus minérale que profonde. C'est un Blanc de Blancs apéritif qui gagne à être laissé en cave quelques années après son achat afin qu'il s'arrondisse et se livre plus intensément.

Cuvée Brut Rosé – Premier Cru

15/20 ▌▌▌▌ ══ ▰▰ ✚ IP

★★★

🐷 🐷 🐷

Ferme, un soupçon vineux à l'attaque, c'est un bon champagne au fruité marqué par les agrumes et la fraise dans une effervescence abondante et vaporeuse qui procure de la fraîcheur. Attrayant, simple, bien élaboré.

Cuvée Clos du Moulin – Brut

18/20 ▌▌▐▌ ▭▭ ▪▪ ✚

★★★★

🐷 🐷 🐷 🐷

Ce clos de 2,2 hectares appartient à la famille depuis 1951 et offre une cuvée (20 000 bouteilles en moyenne), toujours issue de 3 millésimes. Le nom actuel provient d'un moulin de bois détruit par un incendie durant la révolution en 1789. Un moulin en pierre le remplaça, mais ce dernier fut également détruit lors des deux conflits mondiaux du XXᵉ siècle. Axée sur les agrumes, l'ananas grillé et les pommes au nez, cette cuvée se montre plus pâtissière, presque torréfiée après plusieurs minutes d'aération, puis une fois en bouche. C'est un champagne soyeux, gourmand grâce à une effervescence compacte et riche en bulles qui présente toujours une qualité exceptionnelle pour son prix.

CHANOINE

Depuis 1994 et la formation du groupe Boizel Chanoine Champagne, la marque Chanoine qui en fait partie a vécu une réelle renaissance en devenant plus populaire grâce à sa commercialisation sur les grands marchés. Jacques-Louis et Jean-Baptiste Chanoine avaient établi leur maison de négoce de champagne en 1730, à Épernay, en obtenant notamment le droit d'y faire creuser des caves pour l'élevage des vins. Le siège social est aujourd'hui à Reims, le groupe s'appelle désormais Lanson-BCC suite à l'intégration de la marque Lanson.

www.champagnechanoine.com
Lieu : allée du Vignoble – 51100 Reims
Téléphone : 03 26 36 61 60

Cuvée Grande Réserve – Brut

15/20 ▌▌▐▌ ▭▭ ▪▪ ✚

★★★✦

🐷 🐷

Structuré, ferme, parfumé, très « champagne » dans le style olfactif et gustatif grâce à un crescendo aromatique typé (foin, fenouil, agrumes, poivre blanc, nougatine, brioche), ce champagne présente une effervescence travaillée, plus vaporeuse que savoureuse, elle perdure le temps nécessaire à un apéritif gourmand où les canapés lui tiendront tête.

Cuvée 1er Cru – Brut

14/20 ▮ ▮ ▮▮ ▬▬ ▪▪ ✚ IP

★★

🐷 🐷

Toujours expressif et charmeur au nez grâce à des notes de fruits confits (écorces d'oranges), d'abricot et de nougat, ce champagne aux bulles légères, toutefois persistantes, s'exprime par sa puissance et son dosage sensible. Tapissant donc, un peu abrupt en finale, il conviendra très bien sur une entrée chaude à base de crevettes.

Cuvée Tsarine – Tête de cuvée – Brut

16/20 ▮ ▮ ▮▮ ▬▬ ▪▪ ✚ IP

★★★

🐷 🐷 🐷

Tsarine est le champagne haut de gamme de la maison, commercialisée comme une marque à part entière. Je confirme mes écrits de 2007, des quatre cuvées Tsarine, celle-ci est la plus démonstrative des qualités constantes et du caractère de la marque. Les bulles sont bien construites, la texture ainsi créée est satinée, les flaveurs rappellent les parfums du Moyen-Orient (pâtisseries à base de miel, de fleurs d'orangers, d'amandes, de raisins). C'est une belle cuvée à boire dès sa commercialisation.

CHARLES DE CAZANOVE

Depuis quatre ans au sein du groupe Rapeneau, cette maison a connu ses heures de gloire dès sa création en 1811 par Charles-Nicolas de Cazanove dont la famille travaillait alors dans la verrerie en champagne. Elle aurait pu s'appeler Bigeault, patronyme initial de la famille, mais à la suite d'un voyage professionnel du père de Charles-Nicolas en Italie, dans l'industrie du verre, il en revint pour fonder une maison de champagne qu'il appela Casanova (maison neuve).

www.champagnedecazanove.com
Lieu : 8, place de la République - 51100 - Reims
Téléphone : 03 26 88 53 86

Cuvée Brut Azur – 1ᵉʳ Cru

14/20 ■ ■ ■ ■ ≡ ≡ ▪▪ ▪▪ ✚ IP

★★

🐷 🐷

Le nom de cette cuvée Azur n'a ici aucun lien avec le ciel, puisque ce terme désignait autrefois, dans l'ancienne langue champenoise, un grain de raisin noir qui avait atteint sa maturité. Très floral et léger au nez, ce vin en bouche a des flaveurs expressives de noix de coco et de miel tout en restant axé sur les agrumes en finale. L'effervescence est souple, peu onctueuse et courte. Parfait à l'apéritif.

CHARLES HEIDSIECK

La vie de Charles Heidsieck fut si pittoresque qu'elle fut portée au cinéma ! Issu d'une famille installée en Champagne depuis plusieurs décennies, il fonde sa maison en 1851 avec son beau-frère Ernest Henriot. Élégant, diplomate et ambitieux, il a su conquérir le marché de la jeune Amérique d'alors, puis celui de l'Europe de l'Est. Aujourd'hui propriété du groupe EPI, l'élaboration des vins a été confiée à Régis Camus en 2002 qui collectionne les prix de meilleur chef de cave. Trop longtemps occultée par la marque sœur Piper-Heidsieck, le nouvel habillage en 2012 des flocons Charles Heidsieck devrait lui donner une seconde jeunesse.

www.charlesheidsieck.com
Lieu : 4, boulevard Henry Vasnier – BP 129 – 51055 Reims
Téléphone : 03 26 84 43 50

Cuvée Brut Réserve

16/20 ■ ■ ■ ■ ≡ ≡ ▪▪ ▪▪ ✚

★★★

🐷 🐷 🐷

Délicatement parfumé (biscuit sablé, pêches chaudes, ananas grillé, toast blond) au premier nez, plus grillé, presque épicé à l'aération, il se montre plein, gras, pénétrant en bouche grâce à une effervescence crémeuse et longue. C'est un champagne expressif, vineux et charpenté, un champagne de gourmand qui peut s'apprécier facilement à table sur un plat où les champignons poêlés seront les bienvenus. Ce champagne est parmi les meilleurs « Brut Sans Année » des grandes maisons.

Cuvée Rosé Réserve – Brut

15/20 ■ ■ ■ ■ ══ ▪▪ ✚ IP
★★⌐

🐷 🐷 🐷

Sur les fruits rouges acidulés et les épices, ce champagne est moins consistant que les autres cuvées de la maison. Frais dans son comportement effervescent, les bulles au calibre moyen terminent rapidement leur course en bouche, transportant quelques atouts grillés discrets. Un champagne rosé pour ouvrir l'appétit.

Cuvée Brut 2000

19/20 ■ ■ ■ ■ ══ ▪▪ ✚ IP
★★★★⌐

🐷 🐷 🐷 🐷

Les arômes qui rappelaient il y a un an les pâtisseries moyen-orientales se détournent à présent vers ceux de sous-bois et de champignons qu'on aurait quelque peu grillés, on décèle toutefois quelques notes de miel au premier nez. La texture est toujours aussi suave et crémeuse grâce à une effervescence désormais imprégnée par le temps. Tout est riche, puissant et long. On déguste un très grand vin blanc qui rappelle ceux de la Côte de Beaune à leur apogée. Un champagne magnifique pour soirées inoubliables.

CHARLES MIGNON

Bruno Mignon représente la troisième génération d'une famille de vignerons qui a créé sa marque en 1995. Négociant-manipulant, propriétaire de 6,5 hectares dans la Vallée de la Marne, à Festigny, la maison Charles Mignon dispose aussi d'une quarantaine d'hectares d'approvisionnement de raisins dans les principaux crus (Cumières, Ambonnay, Bouzy, Trépail, Louvois, Tauxières, Mareuil-sur-Ay). En 2003, la famille a acheté une autre maison de Champagne, Léon Launois, qui n'élabore que du Blanc de Blancs issu du village de Mesnil-sur-Oger dont la production confidentielle tourne autour de 30 000 bouteilles par an.

www.champagne-mignon.fr
Lieu : 7, rue Irène-Joliot-Curie – 51200 Épernay
Téléphone : 03 26 58 33 33

Cuvée Tradition – Brut

14/20 ▮ ▮ ▮ ▮ ▬ ▬ ▪▪ ▪▪ ✚ IP
★★
🐷 🐷

Très traditionnel, plus floral et fruité au nez que biscuité, c'est un champagne facile, équilibré, peu profond et à l'effervescence abondante. Si on le laisse aérer un bon quart d'heure dans le verre, il présente des notes de foin et de sous-bois très agréables et prolongées en bouche sur un corps plus charnel. À boire à l'apéritif.

Cuvée Comte de Marne – Brut Grande Cuvée

16/20 ▮ ▮ ▮ ▮ ▬ ▬ ▪▪ ▪▪ ✚ IP
★★★
🐷 🐷 🐷

Parfumée de notes de fruits jaunes (abricots, pêches), un peu cuite à l'aération, cette cuvée garde le style de la maison qui privilégie la fraîcheur conjuguée à une ossature solide. L'effervescence en bouche est onctueuse, enveloppante, un peu disparate. L'acidité marque sans trancher et dispose le vin à une garde profitable. À goûter dès maintenant sur une entrée de poisson grillé.

CHARTOGNE-TAILLET

Agriculteurs et vignerons avant même que le champagne ne « pétule », les Chartogne-Taillet cultive aujourd'hui leur dizaine d'hectares autour du village de Merfy, sur le massif de Saint-Thierry. Chaque vin est travaillé comme en orfèvrerie : les cuvées sont toutes issues de compositions parcellaires, dont certaines plantées en foule comme autrefois afin d'obtenir une authenticité réellement paysanne. Attachant, passionné et déterminé, Alexandre Chartogne va assurément faire parler de lui dans les prochaines années.

Lieu : 37, Grande Rue 51220 Merfy
Téléphone : 03 26 03 10 17

Cuvée Fiacre – Tête de Cuvée Brut

16/20 ▮ ▮ ▮▮ ▬ ▬ ▬ ⚐ IP
★★★

🐷 🐷

Expressif au nez, très champenois (craie, tilleul, anis), axé sur des arômes d'amandes fraîches, de thé et d'agrumes à l'ouverture qu'on retrouve dès l'attaque en bouche, juste assez acidulée et mordante pour ouvrir l'appétit. L'effervescence est complète : bulles fines, nouées, tapissantes et persistantes. Sans doute un BSA de vigneron-récoltant parmi les plus aboutis actuellement.

Cuvée Orizeaux – Extra-Brut

17/20 ▮ ▮ ▮▮ ▬ ▬ ▬ ⚐ IP
★★★⌐

🐷 🐷 🐷

Un pinot noir déroutant et accrocheur qui offre au nez des notes de confiture de fruits jaunes puis des parfums de miel très nets et très intenses qu'on retrouve dès l'attaque en bouche, heureusement rafraîchie par des bulles au calibre moyen et légères qui forment un volume aérien. Le dosage est bien intégré, l'ensemble est sec et digeste, c'est un champagne original, parfumé et frais.

CHASSENAY D'ARCE

C'est le Château de Chacenay, sur la vallée de l'Arce, qui a donné son nom au Champagne Chassenay d'Arce, une coopérative qui va bientôt fêter ses soixante ans d'existence et qui est toujours dirigée par une descendante de l'un des fondateurs, Sandrine Girardot. Le raisin (90 % de pinot noir) provient de 325 hectares de la Côte des Bar que se partagent 130 vignerons-adhérents.

www.chassenay.com
Lieu : 11, rue du Pressoir 10110 Ville Sur Arce
Téléphone : 03 25 38 34 75

Cuvée Première – Brut

16/20 ▮ ▮ ▮▮ ▬ ▪▪ ✛
★★★

🐷 🐷

Du pinot noir qui domine le chardonnay, et qui pinote un peu… On perçoit de subtiles notes de noyaux de cerises jusqu'à la finale subtilement torréfiée. L'effervescence est serrée et pourtant, l'ensemble est plus croquant et frais que crémeux. C'est une belle cuvée pour un Brut sans année, très abordable.

Cuvée Rosé Brut

15/20 ▮ ▮ ▮▮ ▬ ▪▪ ✛
★★⯪

🐷 🐷 🐷

Les arômes au nez sont discrets, ils rappellent ceux d'un sorbet aux fraises où les notes de réfrigération dominent parfois celles du fruit. Le dosage en bouche est sensible, mais le volume est léger et les bulles sont fines et nouées. La finale est fraîche, c'est un rosé de facture classique, bien élaboré.

Cuvée Confidences de Chassenay d'Arce Brut

17/20 ⫼ ⫼⫼ ═ ⸬ ✚

★★★⫽

🐖 🐖 🐖

Nez exotique, toutefois discret, axé sur la carambole, la mangue et l'ananas. Plus disert en bouche au niveau aromatique, un peu toasté, ce champagne présente des bulles fines et nouées qui engendrent une texture satinée que le dosage légèrement appuyé rend crémeux. C'est un bon « champagne du sud », gourmand et parfumé.

CLAUDE CAZALS

La petite maison familiale Cazals installée au Mesnil-sur-Oger depuis 1897, dispose de 3,7 hectares de vignes clôturées à Oger, le village voisin. Les murs entouraient déjà cette surface particuliè-rement ensoleillée au point où le raisin de chardonnay qui y fut planté dans les années 1950 offre toujours une sucrosité supérieure à celui planté à l'extérieur de l'enceinte. Jusqu'au décès de Claude Cazals survenu en 1996, ce chardonnay emmuré servait les assemblages des différentes cuvées de la maison. En la reprenant, Delphine Cazals décide de créer un nouveau vin, aidé par Laurent Fresnet (aujourd'hui chef de caves chez Henriot). 2 000 bouteilles furent tirées du premier millésime 1995. Ce chiffre a doublé depuis, selon les récoltes déclarées.

www.champagne-claude-cazals.net
Lieu : 28, rue du Grand Mont 51190 Le Mesnil-sur-Oger
Téléphone : 03 26 57 52 26

Cuvée Vive – Extra-Brut – Grand Cru

16/20 ⫼ ⫼⫼ ═ ⸬ ✚ IP

★★★

🐖 🐖 🐖

Une cuvée qui porte bien son nom, car tout est effectivement vif sans être mordant. Un peu anisé, surtout floral au nez, la perception est curieusement plus rouge en bouche (groseilles, canneberges) et légèrement réglissé en finale. Il faut laisser ce vin se reposer dans le verre un bon quart d'heure pour enfin déceler des notes plus pâtissières (miel, pain au lait) et séductrice, davantage en harmonie avec l'effervescence satinée. Un bon vin qui a autant de corps que de personnalité.

COUCHE

L'un des rares domaines champenois convertis à la biodynamie (depuis 2008) situé près de Montgueux, aux portes de Troyes, dans cette région « pouilleuse » qui aujourd'hui, se révèle être la plus dynamique et la plus convoitée de la Champagne viticole. Vincent Couche y bichonne 13 hectares de vignes où domine le pinot noir qui, ici, est planté dans l'argile et non dans la craie.

www.champagne-couche.fr
Lieu : 29, Grande Rue 10110 Buxeuil
Téléphone : 03 25 38 53 96

Cuvée Dosage Zéro

16/20 ▓ ▓ ▓▓ ═ ▄▄ ➕ IP
★★★

🐷 🐷 🐷

Pour amateurs de pureté et d'intensité, ce champagne se montre d'abord raide à l'attaque, mais il se fait rapidement onctueux grâce à une effervescence veloutée où l'on décèle des arômes de pommes, de bergamotte, puis de tarte au citron. Vif, minéral, accrocheur, un séducteur d'apéritif.

Cuvée Bulles de Miel – Demi-sec

16/20 ▓ ▓ ▓▓ ═ ▄▄ ➕ IP
★★★

🐷 🐷 🐷

Un champagne dosé qui ne tombe pas dans la facilité du sucre racoleur. Il reste croquant, axé sur des arômes de prunes, d'eau-de-vie de mirabelle qui filent à travers une effervescence légère et soignée, aux bulles plus aériennes que consistantes qui offrent – comme le mentionne l'étiquette – un idéal pour vos desserts.

CUILLIER

Une modeste maison familiale riche de 6,5 hectares dans le Massif de Saint-Thierry qui a fêté son siècle d'existence en 2004.

www.champagne-cuillier.com
Lieu : 14, place d'Armes 51220 Pouillon
Téléphone : 03 26 03 18 74

Cuvée Brut Sélection

14/20 ▮▮▮▮ ▬ ▦ ✚

★★

🐖 🐖

Nez propre et classique de pommes, d'agrumes et de fenouil à l'aération. Texture grasse, tapissante, conduite par des bulles de calibre moyen qui forment une effervescence efficace. Un champagne soigné à la typicité discrète.

Cuvée Grande Réserve Brut

15/20 ▮▮▮▮ ▬ ▦ ✚ IP

★★★

🐖 🐖 🐖

Les arômes sont délicatement pâtissiers (beurre, brioche) au nez, ils se font plus insistants au point d'occulter l'effervescence, toutefois bien travaillée. On perçoit des flaveurs de fruits blancs et de toasts blonds dans une texture veloutée. Un bon champagne abordable.

Cuvée Rosé Brut

15/20 ▮▮▮▮ ▬ ▦ ✚ IP

★★★

🐖 🐖 🐖

Un rosé qui accroche, qui a de la matière, plus masculin que délicat grâce à une note amère qui englobe les flaveurs de baies rouges qu'on décèle au nez comme en bouche. L'effervescence est réussie, les bulles foisonnent sans s'éparpiller et perdurent très agréablement. Pour amateurs de champagne autoritaire.

DE CASTELNAU

De Castelnau est un général qui s'est illustré durant la Première Guerre mondiale et qui, dit-on, aimait à dire : « qui s'y frotte, s'y pique ». Maison sparnacienne fondée en 1916, De Castelnau a connu son essor et ses heures de gloire dans les années 1930 avant de tomber dans l'oubli à cause de la Deuxième Guerre mondiale. En 2003, elle a été rachetée par la Coopérative Régionale des Vins de Champagne (CRVC), sise à Reims qui depuis, grâce à l'apport de vins des meilleurs crus issus de 905 hectares de 744 vignerons (144 crus), dynamise l'image et la qualité de la marque. Les étiquettes ont d'ailleurs été modifiées en 2011 en proposant une image sobre et stylisée.

www.champagne-de-castelnau.eu
Lieu : 5, rue Gosset – 51100 Reims
Téléphone : 03 26 77 89 00

Cuvée Brut

15/20 ■ ■ ■ ■ ▬ ▬ ■■ ■■ ✚ IP
★★★✦

🐷 🐷

Pinot noir et pinot meunier s'additionnent dans cette cuvée créée en 2003 lors de la renaissance de la coopérative. Nez discret, très légèrement épicé, le vin tapisse la bouche tout en présentant une effervescence légère et vaporeuse, de tenue toutefois excellente. Le dosage est sensible en finale, il ne couvre pas les arômes de fruits blancs qui perdurent tout au long de la dégustation.

Cuvée Brut Réserve

15/20 ■ ■ ■■ ═══ ■■ ✚ IP
★★✦

🐷 🐷

Très proche de la cuvée Brut de la maison avec du chardonnay et 20 % de vins de réserve en plus, cette Réserve se montre expressive au nez autour d'accents pâtissiers et même vineux (croissants sucrés, tarte à l'abricot, kirsch). Cette puissance est allégée en bouche grâce à une effervescence aérienne qui apporte de la fraîcheur. Peu complexe, c'est un bon champagne au dosage toutefois appuyé, plus gourmand que minéral, que je préconise sur une entrée chaude de poisson.

Cuvée Blanc de Noirs

14/20 ■ ■ ■■ ═══ ■■ ✚ IP
★★

🐷 🐷

Premier nez de levures, de farine saupoudrée sur une baguette, puis dès l'ouverture, la minéralité champenoise se laisse capturer (craie, fenouil). L'effervescence est volumineuse et vaporeuse, elle transporte de discrètes notes d'agrumes. C'est un champagne de facture légère en bouche qui parle davantage aromatiquement, en finale, grâce au fruité mordant des pinots.

Cuvée Brut Rosé

14/20 ■ ■ ■■ ═══ ■■ ✚ IP
★★

🐷 🐷

Un rosé à la fois dodu et nerveux en bouche grâce à l'harmonie d'une mousse fine, toutefois vaporeuse, et de flaveurs de fenouil et de fruits rouges à l'acidité tranchante, confirmée en finale. Quelques notes terreuses lui donnent de l'originalité. Beau bouquet apporté par le pinot meunier après quelques minutes dans le verre.

Cuvée Brut Blanc de Blancs 1999

16/20 ▮ ▮ ▮▮ ▬ ▪▪ ➕ IP
★★★

🐷 🐷 🐷

D'une belle élégance au nez, les arômes sont nets et légers et tout y apparaît blanc : meringue, riz au lait, crème pâtissière et amandes douces. Le volume en bouche est aérien, la texure est toutefois tapissante grâce aux bulles nouées qui conduisent les parfums initialement perçus. Ce champagne est mature, il faut le laisser s'aérer quelques minutes dans le verre afin d'apprécier son onctuosité et sa longueur.

Cuvée Brut 2000

16/20 ▮ ▮ ▮▮ ▬ ▪▪ ➕ IP
★★★

🐷 🐷 🐷

Plusieurs fois dégustée entre 2009 et 2012, j'ai pu constater l'évolution de cette cuvée, aujourd'hui prête à boire. L'effervescence est est toujours jeune et foisonnante, je conseille d'ailleurs de laisser le vin se reposer quelques minutes dans le verre afin que la texture soit en adéquation avec les arômes pâtissiers (frangipane, miel, sucre roux). C'est un champagne plus riche que minéral, impeccable à table sur un plat consistant de poisson.

DEHOURS & FILS

Il faut bien connaître la Champagne et le champagne pour aborder les vins de Jérôme Dehours, car avec une quarantaine de parcelles répartie sur 15 hectares, ce vigneron entreprenant s'amuse à multiplier les cuvées pour le plaisir de tous, au risque cependant de perdre le consommateur. Du travail d'orfèvre dont la spécialité est le pinot meunier et des dosages minimes. J. Dehours fait partie de ces récoltants qui nivellent par le haut, saison après saison, pour le meilleur de la promotion du terroir champenois.

www.champagne-dehours.fr
Lieu : 2, rue de la Chapelle – Cerseuil 51700 Mareuil-le-Port
Téléphone : 03 26 52 71 75

Cuvée Trio – Brut

14/20 ▉ ▉ ▉ ▉ ▬▬ ▬▬ ▪▪ ▪▪ 🇨🇭 IP
★★
🐷 🐷

Le pinot meunier domine l'assemblage, il parfume (notes de prunes et de poires chaudes) et apporte le fruité à un assemblage plutôt iodé dès qu'on l'aère. Tendu, un peu agressif à l'attaque en bouche. L'effervescence particulièrement maîtrisée offre la rondeur et atténue le caractère très minéral de ce vin qui déconcerte par sa personnalité à la fois sobre et pleine. Je le conseille davantage sur un plat qu'à l'apéritif.

Cuvée Les Vignes de la Vallée – Brut

16/20 ▉ ▉ ▉ ▉ ▬▬ ▬▬ ▪▪ ▪▪ 🇨🇭 IP
★★★
🐷 🐷 🐷

Coup de cœur pour ce champagne au dosage remarquablement faible grâce à des vins de réserve qui apporte un rancio élégant si on laisse son verre respirer un bon quart d'heure. D'abord axé sur des notes de farine et de pain frais, il dévoile progressivement des parfums légers de raisins frais, de pommes jaunes et de quetsches qu'on retrouve dès l'attaque en bouche. Les bulles sont de calibre moyen, un peu fugaces, elles sont effacées par une amertume de peau de pommes en finale qui donne du caractère à l'ensemble.

DELAMOTTE

Curieusement méconnue, cette marque a pourtant été fondée en 1760 par François Delamotte, ce qui la place au cinquième rang des maisons de champagne par ordre d'ancienneté. Maison-sœur du champagne Salon, leurs bâtiments communiquent, dans le petit village de la Côte des Blancs, Le Mesnil-sur-Oger. Lorsque les raisins des différents crus n'approvisionnent pas l'unique cuvée de la maison Salon, ils profitent à celles de la maison Delamotte.

www.salondelamotte.com
Lieu : 5 et 7, rue de la Brèche d'Oger – BP 3
– 51190 Le Mesnil-sur-Oger
Téléphone : 03 26 57 51 65

Cuvée Brut

15/20 ▮ ▮ ▮▮ ▬ ▪▪ ➕

★★☽

🐷 🐷 🐷

Régulièrement axée sur les agrumes, les zestes et le pain frais au niveau aromatique, cette cuvée est tendue, tonique, presque tranchante ; elle offre toutefois une consistance grâce à son effervescence aux bulles nouées et persistantes qui apporte un caractère sensuel à la dégustation.

Cuvée Brut Rosé

15/20 ▮ ▮ ▮▮ ▬ ▪▪ ➕

★★☽

🐷 🐷 🐷

Champagne délicat au fruité léger et acidulé, à la fois sur des arômes de griottes, de groseilles, de fraises et des notes discrètement poivrées. Les bulles sont fines et nouées, toutefois transportées dans un volume évanescent. En correspondance parfaite avec le style de la maison, ce rosé offre sveltesse et sobriété.

Cuvée Blanc de Blancs

16/20
★★★

À la fois plus ample et plus ciselée que la cuvée traditionnelle Brut, elle garde cependant le style domestique dans les effluves : agrumes, silex et craie. Les bulles sont fines, plutôt dociles, et terminent leur course en bouche sur de légères notes de biscuits belges « spéculoos ». Sa fraîcheur conjuguée à sa tendreté s'acoquinera essentiellement à des poissons peu gras et grillés ou à des desserts légers à base de meringue.

Cuvée Blanc de Blancs
Brut 2002

17/20 ■ ■ ■■ ▬ ▪▪ ✚
★★★⸔

Commercialisé à point, ce champagne n'en demeure pas moins sur des arômes de jeunesse et de minéralité qu'on perçoit facilement au nez comme en bouche dans un crescendo charmeur : zeste de citron, pêche blanche, baguette fraîche, tarte au citron, lait d'amande. L'effervescence se montre plus mature, les bulles sont fines, nouées et persistantes, elles apportent l'onctuosité qui équilibre la dégustation. C'est un champagne qui a quelques années de garde devant lui pour révéler ses inévitables accents pâtissiers, je le préconise aujourd'hui sur un plateau de fruits de mer.

DE SAINT-GALL

Peu médiatisée, cette marque est celle qui appartient à la cave coopérative Union Champagne qui est un regroupement de 12 coopératives. Celles-ci offrent leurs vins et leurs services à d'autres marques en Champagne. De Saint-Gall présente des cuvées aussi abordables que remarquables. Située dans la Côte des Blancs, elle privilégie le chardonnay dans l'élaboration des vins de sa gamme.

wwww.union-champagne.fr
www.desaintgall.com
Lieu : 7, rue Pasteur – 51190 Avize
Téléphone : 03 26 57 94 22

Cuvée Blanc de Blancs – Grand Cru – Extra-Brut

15/20 ▌▌ ▌▌ ══ ▄▄ ✚ IP
★★★

Grâce à de superbes arômes de pain frais et de crème pâtissière au nez, ce champagne charme immédiatement. Très pur en bouche, son volume est léger, ses bulles un peu grossières s'éclipsent rapidement, mais sa nervosité conjuguée à des notes d'agrumes (citron, bergamote) permet une finale mordante et rectiligne, rafraîchissante. En apéritif.

Cuvée Blanc de Blancs – Premier Cru – Brut

15/20 ▌▌ ▌▌ ══ ▄▄ ✚ IP
★★★

Assez délicat dans ses arômes (graphite, muguet, mie de pain, pommes), toujours aussi minéral, il se révèle plus vaporeux que crémeux dans l'expression de son effervescence en bouche, moins racé et moins austère que l'Extra-Brut, plus rond aussi, il se prêtera à des apéritifs plus gourmands comme des canapés à base de fruits de mer. Particulièrement abordable pour la qualité.

DE SOUSA & FILS

Quelle magnifique entreprise familiale que celle des De Sousa ! Après 20 ans de patience et de travail rigoureux, Érick de Sousa a accédé au rang des marques de champagne les plus cotées. Adepte de la biodynamie, il exploite 9,5 hectares de vignes familiales dans la Côte des Blancs et depuis 2004, grâce à sa nouvelle société Zoémie de Sousa, il peut disposer d'autres parcelles de raisins dans la même région. Les vins en propriété sont exclusivement dans les cuvées De Sousa. Les raisins provenant d'achat servent la marque Zoémie de Sousa.

www.champagnedesousa.com
Lieu: 12, place Léon-Bourgeois – 51190 Avize
Téléphone : 03 26 57 53 29

Cuvée Brut Précieuse – Zoémie de Sousa Grand Cru – Dégorgé en juin 2011

15/20 ∎ ∎ ∎∎ ══ ▪▪ ✚ IP

★★⌐

🐷 🐷

Nez expressif et net, d'abord axé sur des arômes de levure de boulanger, puis de poire qu'on détecte très légèrement à l'attaque en bouche. La texture est soyeuse, les bulles sont très fines, toutefois fuyantes, elles transportent des notes de biscuit sec tout au long de la dégustation pour finir leur course sur une minéralité très légèrement saline. Un champagne pour ouvrir l'appétit.

Cuvée Tradition – Brut Dégorgé en décembre 2011

15/20 ∎ ∎ ∎∎ ══ ▪▪ ✚ IP

★★⌐

🐷 🐷

Nez frais et net de fruits blancs (pommes, poires), puis de fleurs blanches à l'aération, avec une petite note de tilleul qu'on décèle également en bouche. L'effervescence est bien conduite, les bulles sont fines et nouées, elles transportent les arômes initialement perçus. C'est un champagne de facture classique qui répond aisément aux attentes de la catégorie.

Cuvée 3 A – Extra-Brut
Dégorgé en novembre 2010

17/20 ▊▊ ▊▊ ═══ ▀▄ 🇨🇭 IP
★★★✦

🐖 🐖 🐖

La cuvée 3A ou triple A a été commercialisée pour la première fois en 2009, elle doit son nom à l'initiale des 3 grands crus : 50 % de chardonnay d'Avize, 25 % de pinot noir d'Aÿ et 25 % du même cépage d'Ambonnay. Le premier nez est d'une grande fraîcheur, très croquant, très panier de fruits blancs frais, puis orienté fruité rouge avec quelques notes pâtissières à l'aération. Le vin se montre ferme en bouche, le pinot semble l'emporter sur le chardonnay, le caractère est plus profond et gourmand que minéral. La maturité du fruit apparaît aboutie et le dosage minime est ici justifié. C'est un excellent champagne d'apéritif gourmand, toutefois également taillé pour la table. Une suggestion ? Filet de rouget grillé à la Toscane.

Cuvée des Caudalies
Brut Rosé

17/20 ▊▊ ▊▊ ═══ ▀▄ 🇨🇭 IP
★★★✦

🐖 🐖 🐖

Nettement plus vineux et ferme que le Brut Rosé De Sousa, ce champagne présente des arômes de fruits rouges mûrs, voire cuits, au sein d'une effervescence serrée, travaillée et persistante. C'est un champagne solide, parcouru de quelques notes boisées et d'un fin rancio en parfaite harmonie avec la texture suave. Une très agréable surprise qu'on pourra conjuguer à table sur une volaille brune.

Cuvée des Caudalies – Blanc de Blancs Brut Réserve

16/20 ▮▮▯▮▮ ▬▬ ▪▪ 🇨🇭 IP
★★★
🐖 🐖 🐖

Vin expressif et charmeur, axé sur des arômes légers de pâtisseries aux fruits blancs qu'un délicat rancio grillé vient compléter après aération. C'est ce dernier qu'on retrouve en bouche au sein d'une effervescence au volume aérien qu'une fine minéralité finale vient couronner. Le dosage est réussi, il soutient le fruité blanc de l'ensemble. C'est un champagne élégant qui a suffisamment de structure pour passer à table sur une entrée froide de poisson, par exemple.

Cuvée des Caudalies – Brut 2006 Dégorgé en novembre 2011

18/20 ▮▮▮▮▮ ▬▬ ▪▪ 🇨🇭 IP
★★★★
🐖 🐖 🐖

C'est un champagne dosé à 3 grammes, il pourrait donc être vendu en tant qu'Extra-Brut. Le nez est d'abord minéral, pour immédiatement dégager des notes de fenouil, de réglisse, puis de brioche aux fruits confits. Les bulles sont fines et nouées, la texture est ronde, la dégustation se fait à la fois pure et vineuse. C'est un champagne d'une grande tension minérale, déjà excellent à boire, qui pourra toutefois se glisser sur les clayettes jusque 2016.

Cuvée Le Mesnil 2005 – Extra-Brut Dégorgé en juin 2012

16/20 ▮▮▮▮▮ ▬▬ ▪▪ 🇨🇭 IP
★★★
🐖 🐖 🐖 🐖

Un champagne qui a un comportement aromatique curieux, car on passe d'arômes de jeunesse très nets comme l'anis et la poire pour aller jusqu'à ceux de champignons frais et de léger rancio grillé, en passant par des notes florales. L'effervescence abonde dans un volume aérien, léger, digeste, jeune. Erick de Sousa aime jouer sur des dosages différents avec cette cuvée (0, 3 ou 6 grammes). Pour avoir testé les 3 options, la cuvée dosée à 3 grammes présentait, selon moi, un meilleur équilibre entre la pureté du fruité et l'apport de la liqueur qui la soutenait. C'est un champagne toutefois adolescent, à la fois ferme et versatile, qu'on doit attendre quelques années.

DEUTZ

Fondée en 1838 par William Deutz et Pierre-Hubert Geldermann, deux jeunes Allemands visionnaires et passionnés, la maison Deutz fut l'une des marques les plus prestigieuses pendant le Second Empire. Ayant subi des désagréments structurel et commercial à la suite des deux conflits mondiaux du XXe siècle, elle a su se redresser au cours des années 1970 avant d'entrer dans le groupe Louis Roederer au tournant des années 1990. Présidée depuis 20 ans par Fabrice Rosset, la maison au presque 2 millions de bouteilles a avantageusement imposé sa réputation de haute qualité au sein des meilleures marques de champagnes.

www.champagne-deutz.com
Lieu : 16, rue Jeanson BP9 51160 Aÿ
Téléphone : 03 26 56 94 00

Cuvée Brut Classic

16/20 ■ ■ ■ ■ ═ ▪▪ ▪▪ ✛

★★★

🐷 🐷 🐷

Une cuvée symbole de fraîcheur et d'onctuosité qui présente toujours une grande pureté de fruit. Une trentaine de crus composent ce vin équitablement partagé des 3 cépages classiques de la Champagne. Assez fin dans son effervescence, il est axé sur des flaveurs d'agrumes, de raisins mûrs, puis de fruits jaunes, rafraîchis par des notes de fenouil et de tisane mentholée. Ce n'est pas un champagne puissant, toutefois il présente une vinosité élégante, légèrement briochée. Toujours fiable et exquis si l'on aime les champagnes au caractère printanier.

Cuvée Brut Rosé

16/20 ■ ■ ■ ■ ═ ▪▪ ▪▪ ✛

★★★

🐷 🐷 🐷

Rosé d'assemblage, pimpant et léger, ce champagne offre des notes de petites baies rouges acidulées (groseilles, canneberges). L'effervescence est maîtrisée, les bulles sont de calibre moyen, elles terminent rapidement leur course en bouche avant d'offrir un volume aérien, très digeste. C'est un vin peu corsé, plus athlétique que charnu, que je préconise à l'apéritif.

Cuvée Brut 2006

17/20 ▌▌ ▌▌ ▬ ▪▪ ✚
★★★✦

🐖 🐖 🐖

Nez expressif, très légèrement torréfié, toutefois pâtissier : on y décèle de façon très nette des accents de palmier et de croissant qui, une fois en bouche, se montrent subtilement grillés. Le volume est aérien, délicat, il porte la signature de la maison dans son comportement digeste et élégant. C'est un champagne qui arrivera à maturité rapidement, et qui devrait présenter des parfums de sous-bois avant 2015.

Cuvée Brut 2007

16/20 ▌▌ ▌▌ ▬ ▪▪ ✚
★★★

🐖 🐖 🐖

Le premier nez est expressif et frais, d'abord orienté sur des arômes de fenouil, puis sur ceux de raisins secs à l'aération qu'on retrouve dès l'attaque en bouche, rehaussés de notes de fruits jaunes très mûrs. L'effervescence est caressante, soignée, habillée par des bulles menues et nouées qui, malgré une puissance notable du vin, permet une impression aérienne dans son comportement. C'est elle qui apporte la fraîcheur dans la dégustation. Après quelques instants dans le verre, les parfums sont davantage pâtissiers (cake aux fruits, croissant à la frangipane), seule l'enveloppe acidulée de la matière nous rappelle la jeunesse du millésime qui devrait atteindre sa maturité rapidement, autour de 2017. C'est un champagne au caractère affirmé, plein et charmeur qu'un apéritif gourmand saura facilement mettre en valeur, même si je préconise idéalement une rencontre à table. Une idée de plat ? Une darne de marlin bleu grillé au chutney d'abricots.

Cuvée Brut Rosé 2006

16/20 ▮▯▮▮ ▬▬ ▰▰ ✚
★★★

🐷 🐷 🐷

Un rosé qui s'exprime sur un fruité rouge très présent, au nez comme en bouche. Le crescendo aromatique est net et plaisant : pomme, rose, cerise, grenade, framboise avec une pointe de menthe poivrée en finale qui apporte tonicité et originalité au sein d'une puissance contenue. Le calibre des bulles est moyen, la texture est plus aérienne que compacte, c'est un rosé pour une belle entrée chaude.

Cuvée William Deutz 1999 – Brut

20/20 ▮▯▮▮ ▬▬ ▰▰ ✚
★★★★★

🐷 🐷 🐷 🐷

Dégustée en juin 2012, cette cuvée est aboutie, elle présente davantage qu'en 2011 des arômes chaleureux de maturité (tabac blond, chocolat blanc, brioche aux raisins) au sein d'une structure solide, toutefois élancée et élégante. Après quelques minutes dans le verre, quelques arômes plus tertiaires se laissent capturer (capuccino, tiramisu), ils sont nets et s'immiscent dans l'effervescence crémeuse et gourmande. Un champagne tout simplement accompli, aujourd'hui prêt à boire.

Cuvée Amour de Deutz 2003 Brut

19/20 ▮▯▮▮ ▬▬ ▰▰ ✚
★★★★✦

🐷 🐷 🐷 🐷

Discret au nez, on y décèle des arômes de pâtisseries peu beurrées aux fruits blancs. L'attaque est vive, intense, fraîche, axée sur un fruité de raisins blancs acidulés, aussitôt arrondi par l'effervescence compacte et riche, qu'illustrent des bulles d'une extrême finesse. C'est un champagne très pur, encore jeune, toutefois moins tendu et plus gourmand que les millésimes précédents de la même cuvée. Elle devrait arriver rapidement à maturité (2017).

DE VENOGE

Reprise en 1998 par le groupe BCC (Boizel Chanoine Champagne) aujourd'hui Lanson-BCC, cette maison fut fondée en 1837 par Henri-Marc de Venoge, dont le fils Joseph a su, au XIXᵉ siècle, promouvoir la marque sur les plus grands marchés d'Europe. Présidée depuis 2005 par le dynamique Gilles Morisson de la Bassetière, la marque De Venoge semble retrouver un nouveau souffle en étant davantage présente sur les grands marchés populaires sans pour autant négliger les puristes du champagne. La création en 2006 d'une cuvée Extra-Brut et d'une nouvelle cuvée de prestige nommée Louis XV – la première était le Grand Vin des Princes – a déjà conquis ces derniers.

www.champagnedevenoge.com
Lieu : 46, avenue de Champagne – BP 103 – 51200 Épernay
Téléphone : 03 26 53 34 34

Cuvée Cordon Bleu
Extra Brut

16/20 ▋▋▋▋ ▬ ▬ ▪▪ ✚ IP
★★★

🐷 🐷

L'engouement public pour les champagnes faiblement dosés a incité la maison à créer cette cuvée en 2006. Le fait qu'elle contienne plus de deux tiers de pinot apporte beaucoup de fruits, de corps à ce vin qui est incisif en finale. Pure, légère, la sensation de mousse n'est pas vaporeuse et complète parfaitement le dosage infime pour offrir une vraie dentelle. La bouteille testée pour cette édition s'est montrée plus expressive, plus puissante aussi, que celles testées précédemment. Une réussite pour des apéritifs rafraîchissants.

Cuvée Cordon Bleu – Brut

15/20 ■ ■ ■ ■ ═ ∷ ✚
★★★

Ronde grâce à une effervescence serrée et impétueuse en bouche, aérée par des flaveurs d'agrumes confits, cette cuvée se révèle onctueuse sans être trop riche avec une sensation mielleuse en finale qui en fait un champagne plus profond et complexe que les cuvées similaires des autres marques. Une grande et agréable surprise, digne d'un plat de poisson en feuilleté, par exemple.

Cuvée Blanc de Noirs – Brut

14/20 ■ ■ ■ ■ ═ ∷ ✚
★★

Un champagne qui pinote, qui sent les noyaux de fruits, démonstratif de sa puissance même si les arômes de levures au premier nez, présentent la fraîcheur du terroir. Les bulles sont de calibre moyen, elles transportent dans leur légèreté quelques accents grillés séduisants. Je le préconise davantage sur un apéritif gourmand qu'un service à table.

Cuvée Louis XV – Brut 1996

18/20 ■ ■ ■ ■ ═ ∷ ✚ IP
★★★★

Une cuvée de prestige lancée en 2007, qui présente un flacon superbe en hommage au monarque éponyme qui permit aux maisons de champagne de commercialiser leur vin en bouteille en 1728. La plaque du muselet est une réplique d'un « Louis d'or », l'unité monétaire d'alors. Le premier nez rappelle la pâte à tarte, la farine, la levure de boulanger, puis le lait aux amandes. L'aération offre des arômes plus séduisants de tartes amandines. L'attaque en bouche est encore tendue, le vin est étonnamment minéral, toujours axé sur les agrumes (citron et bergamote). Seul le comportement de l'effervescence signe son âge : les bulles sont fines et nouées, elles filent vers une finale peu nerveuse aux accents de noix de coco. C'est un champagne qui présente encore une grande tension et qui devrait surprendre agréablement dans quelques années.

DIEBOLT-VALLOIS

C'est dans les années 1980 que la famille Diebolt-Vallois, vigneronne depuis le XIXe siècle, prend de l'expansion en modernisant ses installations et en élargissant sa gamme de vins. Domaine familial riche de 13 hectares de vignes, Jacques et Nadia Diebolt-Vallois sont depuis quelques années assistés par leurs enfants dans toutes les étapes de l'élaboration de leurs cuvées.

www.diebolt-vallois.com
Lieu : 84, rue Neuve 51530 Cramant
Téléphone : 03 26 57 54 92

Cuvée Prestige Brut – Blanc de Blancs

16/20 ▋▋ ▋▋ ▬▬ ▪▪ ✚ IP
★★★

🐖 🐖 🐖

Une belle cuvée toujours tendue et briochée, riche et intense, à l'effervescence d'une remarquable finesse, fondante et longue. Le crescendo aromatique est classique (fruits secs, fenouil, pâtisseries, rancio d'élevage), le dosage n'occulte pas l'aspect sec et frais du vin qui termine sa course sur une finale grillée séduisante. Grand champagne.

DOM PÉRIGNON

Champagne de prestige du groupe Moët-Hennessy, il est depuis une décennie développé séparément de la maison mère Moët & Chandon, tant au niveau de la vinification qu'au niveau commercial et promotionnel. Marque à part entière, c'est justement cette indépendance qui fait son succès commercial et qui a permis d'en faire un mythe dans l'univers du vin. Mythe solidement ancré et fondé, car quelles que soient les années, on reste ébahi par autant de plénitude.

www.domperignon.com
Lieu : 20, avenue de Champagne – 51200 Épernay
Téléphone : 03 26 51 20 00

Cuvée Brut – Vintage 2003

18/20 ▮ ▮ ▮▮ ▮ ▬ ▬ ▪▪ ▪▪ ▇

★★★★

🐷 🐷 🐷 🐷 🐷

Nez discret, voire fermé, qui met beaucoup de temps à s'ouvrir pour enfin révéler des arômes atypiques de thé blanc, de réglisse, puis enfin de notes plus habituelles de fruits jaunes très mûrs, toutefois confits. L'effervescence est réussie, les bulles sont des perles nouées qui créent une texture soyeuse et longue, complètement aboutie. C'est elle qui rafraîchit la bouche par son enveloppe minérale. C'est un millésime délicat que bien des maisons n'ont pas déclaré, mais Richard Geoffroy, chef de cave de la marque, a su puiser auprès des meilleurs crus pour élaborer un 2003 intéressant qui devrait arriver rapidement à maturité. Quoique… Cette cuvée ayant souvent étonné par son endurance, même dans les millésimes de chaleur.

Cuvée Brut – Vintage 1996 Œnothèque Dégorgé en 2008

19/20 ▌▌▐██ ══ ▪▪ ✚
★★★★✦

🐷 🐷 🐷 🐷 🐷

Dégusté en 2009 (étiquette non œnothèque), cette cuvée se montrait d'une grande énergie, presque agressive, où les accents citriques occultaient les notes pâtissières (voir Édition 2011 du guide). Cette cuvée œnothèque est aujourd'hui (juin 2012) charmeuse et onctueuse, emblématique du style Dom Pérignon. Les arômes au nez rappellent les grands crus de Bourgogne blancs (palmier, frangipane) alors qu'en bouche, on est face à une immense fraîcheur d'agrumes qui court à travers une effervescence foisonnante et accroche le palais. La finale se joue davantage sur les parfums acidulés qui perdurent que sur la texture satinée qu'apporte le temps qui passe. C'est un très grand champagne qui devrait être immense dans une décennie.

Cuvée Brut – Vintage 2000 – Rosé

18/20 ▌▌▐██ ══ ▪▪ ✚
★★★★

🐷 🐷 🐷 🐷 🐷

Dégusté une première fois fin 2011, je le retrouve presque sans changement en juin 2012. Le nez est très frais, il s'ouvre lentement, en étant d'abord axé sur des notes légères de tilleul, de rose, puis sur la mandarine, enfin la cerise. La texture est ferme à l'attaque, les bulles sont très fines, ce sont elles qui engendrent le caractère onctueux à la vinosité de l'ensemble. La finale se montre encore jeune, peu longue, avec une pointe fumée; elle apporte du caractère et de la vinosité. Un rosé de prestige qu'il va falloir attendre pour mieux apprécier son onctuosité, encore discrète.

DOSNON-LEPAGE

Située à Avirey-Lingey dans la Côte des Bar, cette jeune maison de négoce est née de deux passionnés de champagne, Davy Dosnon et Simon-Charles Lepage, le premier ayant hérité de quelques parcelles dans le sud champenois. Cinq ans à peine après s'être lancés en affaire, ils réussissent à offrir une gamme complète de belle qualité, participant ainsi à la renaissance du « grenier » de la Champagne. Une marque à l'habillage aussi élégant qu'original qu'il va falloir assurément suivre désormais...

www.champagne-dosnon.com
Lieu : 4 bis, rue du Bas de Lingey 10340 Avirey-Lingey
Téléphone : 03 25 29 19 24

Cuvée Récolte Noire

15/20 ▌▌ ▌▌ ═ ▪▪ ➕ IP
★★★

🐷 🐷 🐷

Le nez est très expressif, axé sur des arômes de sablés au beurre, de pommes chaudes à peaux brunes dont on retrouve d'ailleurs l'amertume de ces dernières en bouche au sein d'une texture onctueuse. L'effervescence est maîtrisée, les bulles sont nouées et persistantes. Le dosage est quelque peu sensible, toutefois, il ne rompt pas l'harmonie. La finale délicieusement sèche et rafraîchie par des notes d'agrumes laisse un beau souvenir de dégustation.

DOYARD

Maison familiale de la Côte des Blancs, sise à Vertus – autrefois terroir à pinot noir à cause de ses terres argileuses – elle est aujourd'hui dirigée par Yannick Doyard, arrière-petit-fils du fondateur Maurice Doyard qui fut l'un des fondateurs de la structuration de la Champagne puisqu'il dirigea le Syndicat Général des Vignerons dans les années 1930, puis le C.I.V.C. (Comité Interprofessionnel des Vins de Champagne) dont il fut avec M. de Vogüe (Moët et Chandon) le cofondateur en 1941. Une dizaine d'hectares répartis sur les meilleurs villages de la Champagne permettent l'élaboration de champagnes originaux alliant l'authenticité et le modernisme.

www.champagnedoyard.fr
Lieu : 39, avenue du Général Leclerc 51130 Vertus
Téléphone : 03 26 52 14 74

Cuvée La Libertine – Doux

17/20 ■ ■ ■ ■ ■ ▬ ▬ ▪▪ ✚ IP
★★★✫

🐷 🐷 🐷

Un vin champenois marginal qui présente les arômes et le comportement du champagne lorsque son effervescence n'était pas garantie il y a 3 siècles. Le dosage est donc élevé comme l'expression de rancio qui se dégage. On découvre des parfums du Moyen-Orient (noix caramélisées, miel, tabac, clou, cannelle, malt), des arômes qui rappellent nettement les grands vins vinés d'Andalousie subtilement agacés par une effervescence frizzante qui apporte la juste touche de fraîcheur nécessaire. Un champagne original qu'un fromage à croûte naturelle, extra-vieux et vieilli en cave saura parfaitement compléter.

DRAPPIER

Sise à Urville depuis le XVIIe siècle, la famille Drappier détient une cinquantaine d'hectares de vignes et s'approvisionne auprès de vignerons de la Côte des Bar et de la Marne. Elle dispose de caves voûtées splendides, construites au XIIe siècle par les moines de Clairvaux où dorment aujourd'hui les cuvées particulières. Locomotive des champagnes de l'Aube grâce à André Drappier qui perçut le potentiel de la région dès les années 1950, la maison Drappier est aujourd'hui dirigée par son fils Michel qui, dans les années 1990, a su intelligemment augmenter le volume et créer diverses cuvées pour frôler aujourd'hui les 2 millions de bouteilles en production annuelle.

www.champagne-drappier.com
Lieu : rue des Vignes 10200 Urville
Téléphone : 03 25 27 40 15

Cuvée Brut Nature - Sans ajout de soufre Zéro Dosage

17/20 ▮▮ ▮▮ ▬ ▰▰ ✚ IP
★★★✦

🐖 🐖

Nez très discret et très frais, orienté vers les arômes de poire et de fenouil qu'on retrouve dès l'attaque en bouche au sein d'un caractère sec et minéral. Très étonnante par son onctuosité, cette cuvée se montre curieusement plus ronde que la Zéro Dosage, élaborée en Brut. C'est un champagne marginal, à la fois enveloppant et droit, très attachant, pour puristes et connaisseurs qui sauront apprécier le travail de sélection des raisins du chef de cave. L'apéritif par excellence.

Cuvée Brut Nature – Zéro Dosage
16/20 ∎ ∎ ∎ ∎ ══ ∷ ✚
★★★

🐖 🐖

Fruité blanc et pâtisserie se dégagent au niveau aromatique de ce champagne devenu, avec le temps, un incontournable des cuvées Drappier. Vif à l'attaque, racé et puissant en bouche, persistant dans les arômes et l'effervescence, il dégage une vraie vinosité, sans rancio, un caractère de pureté et de netteté de fruit. La plupart des cuvées « sans dosage » sont souvent creuses et fuyantes, peu longues. Celle-ci offre une corpulence étonnante et riche, elle est une référence en la matière et elle a de quoi convertir bien des amateurs aux Extra-Brut.

Cuvée Rosé Brut Nature
15/20 ∎ ∎ ∎ ∎ ══ ∷ ✚ IP
★★★

🐖 🐖

Un premier nez élégant, à la fois axé sur des notes d'agrumes et de fruits rouges qu'on capture plus facilement à l'attaque en bouche. Les bulles présentent un calibre moyen, elles forment une effervescence aérienne, peu persistante qu'une petite pointe épicée en finale de dégustation vient compléter. C'est un rosé de facture classique, bien élaboré, toutefois moins représentatif de l'originalité des autres cuvées de la maison. Abordable et impeccable pour les apéritifs entre amis.

Cuvée Carte d'Or – Brut
16/20 ∎ ∎ ∎ ∎ ══ ∷ ✚
★★★

🐖 🐖

Costaud, structuré, mûr, d'une pureté de fruits rouges exemplaire, ce vin est très éclatant au nez et offre des sensations similaires en bouche. Chaleureux et satiné, épicé même, ce champagne s'affirme dans sa chair vineuse, enveloppante grâce à un dosage quelque peu sensible (sans doute autour de 9 gr), mais équilibré grâce à la fraîcheur finale. Une cuvée incroyablement abordable pour autant de qualité et d'authenticité.

Cuvée Carte d'Or – Brut Millésime 1995

18/20 ■ ■ ■ ■ ＝ ▪▪ ✚ IP
★★★★

🐷 🐷 🐷

Un champagne d'une étonnante fraîcheur au nez et en bouche que seuls quelques accents de torréfaction viennent éconduire logiquement… Les bulles sont détachées en bouche, mais le comportement tapissant qu'elles développent procure une impression de crème qui charme tout au long de la dégustation. Un rancio de noisettes grillées, puis de champignons se laisse capter après quelques minutes dans le verre, il nous rappelle l'âge du vin, on est en présence d'un champagne arrivé à maturité qu'une volaille brune, cuisinée en sauce, viendra facilement accompagner à table.

Cuvée Charles de Gaulle Millésime 2006 – Brut

15/20 ■ ■ ■ ■ ＝ ▪▪ ✚ IP
★★☆

🐷 🐷 🐷

Nez discret, légèrement axé sur les agrumes et la pomme brune. Plus convaincant au niveau aromatique une fois en bouche, il apparaît curieusement plus dosé ou moins acidulé que les autres cuvées de la maison. L'effervescence est par ailleurs aérienne, mousseuse, légère, elle rééquilibre un ensemble confit par son enveloppe frétillante. Un champagne pour apéritif gourmand où les canapés seront présents.

Cuvée Blanc de Blancs – Brut – Signature

17/20 ■ ■ ■ ■ ＝ ▪▪ ✚ IP
★★★☆

🐷 🐷 🐷

Un premier nez de fenouil et de pivoine qui s'ouvre très rapidement sur des accents beurrés et frais, plus accentués en bouche et en parfaite harmonie avec l'onctuosité de l'effervescence qui s'habille de bulles menues et persistantes. D'un très grand équilibre dans le comportement depuis l'attaque jusqu'à la finale, ce champagne charme absolument. Un vrai coup de cœur !

Cuvée Quattuor
Blanc de Quatre Blancs – Brut
16/20 ▮▮▮▮ ▭ ▦ 🇨🇭 IP
★★★

🐷 🐷 🐷

Une cuvée qui offre les 4 cépages blancs de la Champagne
(l'arbanne, le chardonnay, le petit meslier et le blanc vrai) en se
présentant d'abord avec des arômes de raisins très frais pour
rapidement s'étendre sur des notes de pommes sucrées, voire
miellées. L'effervescence et fine, soignée, persistante et vive,
elle rafraîchit une enveloppe qui s'accroche et titille le palais.
C'est un champagne original, fougueux, droit, finalement tranchant et bien construit, que les amateurs sauront apprécier.

Cuvée Millésime Exception 2004 – Brut
17/20 ▮▮▮▮ ▭ ▦ 🇨🇭 IP
★★★★

🐷 🐷 🐷

Le nez est subtil, d'abord minéral, puis axé sur les fruits blancs
et enfin quelques notes de biscuits secs, non beurrés, complétées
par une subtile touche boisée. L'attaque est fraîche, la texture
est ferme, compacte, grâce à une effervescence soignée, réussie,
complétée. C'est un champagne d'une grande tenue, à la fois sec
et nourrissant, très digeste, aisément taillé pour la table. Une idée
de plat ? Un homard au beurre blanc.

Cuvée La Grande Sendrée 2004 – Brut
18/20 ▮▮▮▮ ▭ ▦ 🇨🇭 IP
★★★★

🐷 🐷 🐷 🐷

Expressive au nez avec ses notes de coriandre, d'épices moyen-
orientales, de brioche et de palmier, elle se montre d'une étonnante
fraîcheur en bouche grâce à une minéralité qui enveloppe la texture de l'effervescence. Les bulles sont de calibre moyen, elles
sont toutefois nouées et persistantes. La finale est mature, elle
dégage un subtil rancio d'évolution qui confirme la jeune maturité
de ce vin, aujourd'hui excellent à boire pour son caractère encore
croquant qui se montrera plus crémeux pour les patients qui
l'attendront jusqu'en 2015.

DUVAL-LEROY

Fondée en 1859, la maison Duval, aujourd'hui Duval-Leroy, est parmi les 10 premières maisons de l'industrie du vin de Champagne. Lorsqu'on visite le site de Vertus, qu'on rencontre Carol « femme de Champagne » et qu'on goûte ses cuvées, on est tout de suite dans l'authenticité, la franchise et la passion des arts. Tout lui ressemble dans les vins : l'énergie, la droiture, le caractère et la sensibilité.

www.duval-leroy.com
Lieu : 69, avenue Bammental – 51130 Vertus
Téléphone : 03 26 52 10 75

Cuvée Collection Paris – Brut

15/20 ▮ ▮ ▮▮ ═ ▰▰ ✚
★★☆

🐷 🐷 🐷

À la fois élégant et généreux dans les arômes classiques de gingembre, de biscuits, de pamplemousses et d'ananas, ce champagne présente une effervescence abondante et de belle tenue. La texture est satinée, la finale est courte, toutefois parfumée et fraîche, on garde le souvenir d'une belle onctuosité qui permet des apéritifs gourmands, voire une volaille en sauce.

Cuvée Blanc de Chardonnay

15/20 ▮ ▮ ▮▮ ═ ▰▰ ✚ IP
★★☆

🐷 🐷 🐷

Discret au premier nez, plus démonstratif après quelques minutes dans le verre, il se révèle très expressif en bouche, très fruité, dosé. Les flaveurs rappellent le riz au lait, les amandes, les loukoums, elles apportent une certaine patine au vin, une vinosité à laquelle on ne s'attend pas d'un chardonnay. Les amateurs de blanc de blancs étoffés, aux flaveurs intenses seront comblés.

Cuvée Rosé de Saignée

15/20 ■ ■ ■ ■ ═ ▪▪ ✚
★★☆

🐷 🐷 🐷

Un champagne rosé construit qui offre la panoplie attendue de cette catégorie : tantôt sur les petits fruits rouges, tantôt sur les fruits estivaux (pêches, melons) au niveau des flaveurs, à la fois abondant et vaporeux dans la texture de son effervescence, plus frais que véritablement minéral, finalement dodu. Pour un pinot noir 100 %, on aurait pu s'attendre à plus de vinosité, mais il aurait été plus austère que séducteur. Un rosé efficace et fiable.

Cuvée Clos des Bouveries 2005 – Brut

17/20 ■ ■ ■ ■ ═ ▪▪ ✚
★★★☆

🐷 🐷 🐷 🐷

Ce champagne ne semble pas bouger depuis 2 ans, le premier nez reste délicat et profond, axé sur des pâtisseries aux amandes, puis dès l'aération, des notes plus fraîches de poire et de tilleul se laissent capter. Le volume en bouche est compact quoique les bulles aient un calibre moyen, on y décèle des arômes de toasts blonds, de thé vert, de pâtisserie peu sucrée. Sec et sobre, de puissance contenue et finement acidulé, ce champagne est aussi délicieux qu'en 2011. Je préconise toutefois de le laisser en cave quelques années.

Cuvée Femme de Champagne 2000 – Brut

18/20 ■ ■ ■ ■ ═ ▪▪ ✚
★★★★

🐷 🐷 🐷 🐷

Un millésime délicat qui a donné de beaux chardonnays d'où un assemblage pour cette cuvée qui leur a donné davantage la priorité (95 % chardonnay et 5 % pinot noir) que sur les deux millésimes précédents déclarés. D'abord axé au nez sur les agrumes confits (mandarines, pamplemousses), on y décèle des notes épicées à l'aération (curcuma, cannelle), puis de brioche aux fruits confits qu'on perçoit mieux dès l'attaque en bouche. La jeunesse est encore palpable, elle est illustrée par l'enveloppe acidulée que seule l'effervescence onctueuse vient enrichir. Les parfums se font pâtissiers (palmiers, croissants), ils perdurent en finale sur un long chapelet de bulles fines et nouées. C'est une cuvée de prestige travaillée, soignée, réussie.

EDMOND BARNAUT

Descendant d'Edmond Barnaut, Philippe Secondé, qui gère aujourd'hui cette modeste maison de Champagne à Bouzy, ne peut dire précisément depuis quand les Barnaut sont vignerons en Champagne, mais il sait que la maison fut fondée en 1874. Bénéficiant d'une quinzaine d'hectares de vignes classées Grand Cru, les meilleures servent les cuvées de la maison familiale.

www.champagne-barnaut.com
Lieu : 2, rue Gambetta – BP 19 – 51150 Bouzy
Téléphone : 03 26 57 01 54

Cuvée Brut – Blanc de Noirs Grand Cru

16/20

★★★

🐷 🐷 🐷

Très expressif, le pinot noir de Bouzy s'exprime ici avec opulence et vinosité. C'est une cuvée de repas, plus franche et ample que fine et élégante, qui entremêle les notes d'épices (cannelle) et de fruits rouges (framboises, fraises). Elle peut parfaitement convenir sur des fromages évolués. Un champagne abordable et constant.

ÉDOUARD BRUN

Disposant de 8 hectares en propriété et d'une quinzaine en approvisionnement, la famille Delescot Lefevre, qui a succédé à la famille d'Edouard Brun, offre aujourd'hui autour de 200 000 bouteilles réparties en 7 cuvées différentes.

www.champagne-edouard-brun.fr
Lieu : 14, rue Marcel Mailly – BP 11 – 51160 Aÿ
Téléphone : 03 26 55 20 11

Cuvée Blanc de Blancs – Brut

15/20 IP

Très pur, très minéral au nez comme en bouche, axé sur des notes de poires et de pommes qui occultent rapidement celle de foin et de fenouil, ce champagne s'exprime davantage par la fraîcheur que la profondeur. Une cuvée peu complexe, efficace et droite.

ÉGLY-OURIET

Avec une dizaine d'hectares de vignes en propriété sur des Grands Crus et des Premiers Crus, Francis Égly est devenu ces dernières années l'un des vignerons champenois les plus adulés des connaisseurs. Sa famille a su s'enrichir progressivement de ces terres à vigne au cours des 50 dernières années, le domaine ayant été fondé au sortir de la Seconde Guerre mondiale. La particularité des champagnes Égly-Ouriet étant leur dosage qui ne dépasse jamais 8 grammes de sucre. Il faut donc une maturité précise des raisins, un long repos sur lattes et un usage dosé de la futaille.

Lieu : 15, rue du Trépail – 51150 Ambonnay
Téléphone : 03 27 57 00 70

Cuvée Tradition - Grand Cru - Brut

15/20 ▮ ▮ ▮▮ ▬ ▪▪ ✚
★★☆

🐷 🐷 🐷

Ce sont les mêmes sensations perçues au fil des années, cette cuvée sent d'abord la mine de plomb, la craie, puis elle développe des notes plus populaires, plus pâtissières, de fruits secs et de sucre brun. Même impression en bouche où, après une attaque minérale, l'effervescence vive et fugace transporte des accents corsés, fumés. C'est un bon champagne, constant dans ses caractéristiques, idéal à l'apéritif.

Cuvée Blanc de Noirs Grand Cru Les Crayères

15/20 ▮ ▮ ▮▮ ▬ ▪▪ ✚ IP
★★☆

🐷 🐷 🐷

Ce vin se présente sous une robe aux reflets couleur chair, puis un nez très fin, crayeux, voire iodé, puis curieusement, des notes de baies rouges se laissent saisir. En bouche, c'est une impression de force tranquille qui se dégage : il est à la fois costaud et élégant, posé, équilibré. Il s'impose dans une grande complexité aromatique où s'entremêlent du grué de cacao, du kirsch et des épices. Déroutante et innovante, cette cuvée subtile gagne à être laissée en cave quelque temps.

Cuvée Les Vignes de Vrigny - Brut

17/20 ▮ ▮ ▮▮ ▬ ▪▪ ✚ IP
★★★☆

🐷 🐷 🐷 🐷

Composé de pinot meunier, ce champagne se présente avec des effluves automnaux frais (herbes mouillées, sous-bois, panier de fruits secs) qu'on retrouve en bouche dans une attaque vive, voire brutale, rapidement attendrie par un volume généreux et crémeux que j'aurais aimé plus pénétrant et surtout plus long. Un peu asséchant durant les phases de dégustation, il s'est révélé docile et parfumé de notes de thé fumé après une vingtaine de minutes. C'est un champagne de connaisseur déroutant, original et racé.

ÉRIC RODEZ

Agricultrice depuis 3 siècles, la famille Rodez dispose aujourd'hui de 6 hectares répartis sur 36 parcelles autour d'Ambonnay. Représentant la huitième génération, Éric Rodez signe ses propres champagnes depuis les années 1980, après un parcours d'apprentissage vitivinicole en Bourgogne, dans le Rhône et bien sûr en Champagne, notamment chez Krug. Les champagnes Éric Rodez ne sont pas certifiés bio parce que leur élaborateur ne se veut pas le pèlerin d'une conduite de travail, toutefois, aucun produit systémique n'est employé dans les vignes.

www.champagne-rodez.fr
Lieu : 4, rue de Isse 51150 Ambonnay
Téléphone : 03 26 57 04 93

Cuvée Blanc de Blancs – Brut

17/20 ▮ ▮ ▮▮ ▮ ═ ▪▪ ▪▪ ✚ IP
★★★⸗

🐷 🐷

C'est sans doute l'assemblage de plusieurs millésimes de chardonnay âgés d'une dizaine d'années en moyenne qui offre une texture veloutée et charnelle en bouche, en parfaite harmonie avec les arômes pâtissiers qu'on y décèle. L'effervescence est soignée, tapissante, persistante, elle distille des notes qui rappellent le kouglof, le baba au rhum, les orangettes, des parfums marginaux pour un blanc de blancs qui pourtant, reste tendu jusqu'en finale. C'est un champagne original qui rappelle un grand cru de Chablis d'une dizaine d'années, un champagne qu'on aura plaisir à découvrir sur un homard au beurre blanc.

Cuvée des Grands Vintages – Brut

18/20 ▮ ▮ ▮▮ ═ ▪▪ ▪▪ ✚ IP
★★★

🐷 🐷 🐷

Un champagne expressif et puissant, subtilement boisé et d'un crescendo aromatique remarquable au nez comme en bouche : raisins et abricots secs, tarte Tatin, pain de campagne grillé, orangettes, marmelade, rancio délicat de noix. D'une profonde texture, presque tannique en bouche, on ne perçoit qu'à peine l'acidité enveloppée par l'effervescence soyeuse et riche qui parcourt toute la dégustation. C'est un champagne d'une belle vinosité, d'un grand caractère aromatique qu'un fromage vieilli en cave de type tomme ou cheddar complètera aisément.

FLEURY PÈRE & FILS

Une famille installée depuis plus d'un siècle dans la Côte des Bar, région viticole autrefois méprisée par les nordistes champenois, aujourd'hui convoitée pour la maturité régulière de ses raisins. Les 25 hectares de la famille Fleury ont été très tôt convertis en bio-dynamie, désormais gérés par Morgane et Jean-Sébastien Fleury, les enfants de Jean-Pierre Fleury.

www.champagne-fleury.fr
Lieu : 43 Grande Rue, 10250 Courteron
Téléphone : 03 25 38 20 28

Cuvée Rosé de Saignée – Brut
15/20 ■ ■ ■ ■ ═ ▪▪ ✠
★★☘

🐷 🐷 🐷

À la fois léger et frais, axé sur les baies rouges et les agrumes au niveau des flaveurs, ce champagne présente une mousse abondante et fine, quelque peu vaporeuse, heureusement rattrapée par une amertume en milieu de bouche qui donne du mordant à la dégustation. Un champagne élégamment vineux pour apéritif gourmand.

Cuvée Millésime 1996 – Brut
17/20 ■ ■ ■ ■ ═ ▪▪ ✠
★★★☘

🐷 🐷 🐷

Si vous tombez encore sur ce champagne, achetez-le les yeux fermés ! Il est aujourd'hui à point, à la fois expressif au nez (agrumes confits, baklava, pain grillé blond) et riche en bouche par son effervescence crémeuse, imprégnante et parfumée. La tension minérale a laissé la place à une vinosité pointue qu'une finale légère de sucre roux vient habiller. On passe à table ? Un tartare de saumon légèrement relevé à la wasabi.

FORGET-BRIMONT

Le consommateur québécois a découvert cette maison grâce au clin d'œil de la cuvée Jean Talon créée par Michel Forget, descendant de Louis Forget qui, au XIXe siècle, distribuait son raisin aux grandes maisons avant que son petit-fils, Louis, décide d'élaborer son propre champagne dans les années 1920. 300 000 bouteilles plus tard, la maison Forget-Brimont décline une dizaine de cuvées de belle facture.

www.champagne-forget-brimont.fr
Lieu : 11, route de Louvois 51500 Craon de Ludes
Téléphone : 03 26 61 11 58

Cuvée Brut Blanc de Blancs Grand Cru

15/20 ▮▮ ▮▮ ▬ ▦ 🇨🇭 IP
★★★

🐷 🐷 🐷

Tendue, minérale et axée sur les fruits blancs acidulés au nez comme en bouche (levure, silex, citron, pamplemousse), cette cuvée gagne à être conservée au moins 3 ans après son achat afin de lui laisser le temps de s'étoffer et, surtout, d'offrir des accents plus pâtissiers, toujours trop discrets lors de sa commercialisation. L'effervescence est à l'image de ce constat : on découvre des bulles moyennes et fugaces qui s'épanouissent dans la patience et dans la bouteille après quelques années. Un beau vin qui serait encore meilleur si l'on augmentait la durée de la seconde fermentation.

Cuvée Brut Rosé 1er Cru

15/20 ▮▮ ▮▮ ▬ ▦ 🇨🇭
★★★

🐷 🐷

Expressif, axé sur les petits fruits rouges rehaussés d'une petite touche fumée, ce champagne est à la fois tendre et pointu. Les bulles sont de calibre moyen, toutefois persistantes, elles permettent un volume juste assez crémeux pour apporter une longueur qui soutient les arômes initialement perçus.

FRANCIS BOULARD

Depuis 2010, Les 3 enfants de Raymond Boulard, Francis, Hélène et Dominique ont construit leur propre « marque » de champagne. Le champagne Raymond Boulard est ainsi devenu pour un tiers champagne Francis Boulard : les trois enfants de Raymond Boulard ont en effet choisi de se séparer pour suivre chacun leur chemin professionnel. Francis Boulard est assisté de sa fille Delphine qui est à ses côtés depuis 2003 aussi bien à la vigne qu'aux chais. Très impliqué sur le net, on peut suivre les échanges de ce vigneron, toujours disponible à communiquer sur divers sites.

www.vigneron-champagne.com
Lieu : Route nationale RD 944 51220 Cauroy-les-Hermonville
Téléphone : 03 26 61 52 77

Cuvée Les Murgiers – Brut Nature

16/20 ■ ■ ■ ■ ▬▬ ▪▪ ✚ IP
★★★

🐷 🐷 🐷

Nez discret, d'abord orienté vers des arômes de levure de boulanger, puis de poire et de citron à l'aération. La vinosité s'affirme en bouche à travers une grande pureté de fruit, une minéralité habillée de notes d'acacia et de miel. L'effervescence présente un volume léger et aérien, elle signe un champagne qui apparaît jeune et qui gagnera en profondeur à le laisser quelques années sur les clayettes après son achat.

Cuvée Blanc de Blancs – Les Vieilles Vignes Extra-Brut

16/20 ■ ■ ■ ■ ▬▬ ▪▪ ✚ IP
★★★

🐷 🐷 🐷

Nez de fruits jaunes, de poires et d'anis qu'on retrouve dès l'attaque en bouche dans un volume léger, illustré par des bulles de calibre moyen, toutefois nouées et persistantes. Le fruité blanc de l'ensemble se montre acidulé, presque tranchant sans toutefois agresser. Après quelques instants dans le verre, la texture se fait plus caressante, moins fuyante, elle retient des arômes d'amandes fraîches. C'est un champagne à la minéralité iodée, l'hôte évident d'un plateau d'huîtres.

Cuvée Petraea – Brut Nature – 1997 / 2007 Dégorgée en février 2012

19/20 ▌▌▐▌ ▬ ▬▬ ✚ IP

★★★★✦

🐷 🐷 🐷 🐷

Les cuvées Petraea de F. Boulard demandent une grande patience lorsqu'on les verse dans le verre, un peu comme celle que celui-ci doit avoir pour les engendrer puisqu'elles sont issues du « système de solera ». Elles se révèlent au moins 20 minutes après aération. Le nez comme la bouche sont plus expressifs, plus puissants et plus boisés (cèdre) qu'habituellement. Comme souvent sur cette cuvée et quels que soient les assemblages d'années, la tension est immense, elle rappelle immanquablement certains vins jaunes du Jura sans les notes de noix trop marquées qui les habillent, l'effervescence est suave, serrée, maîtrisée. On découvre un crescendo d'arômes fascinant : fruits confits, baklava, orangette, cappuccino, peau de noix. C'est un champagne marginal et rare, au rancio expressif, un vin effervescent pour grand amateur de champagnes.

FRANCK PASCAL

Propriétaires de 4 hectares, Isabelle et Franck Pascal représentent cette nouvelle génération de vignerons soucieux de leur environnement (Ecocert 2005) et de l'éveil au goût du champagne des consommateurs. Plusieurs cuvées aux dosages multiples où le pinot meunier domine généralement les assemblages sont ainsi élaborées (30 000 bouteilles en production), garantissant le plaisir de ces derniers.

www.franckpascal.com
Lieu : 1 bis, rue Valentine Régnier 51700 Baslieux sous Châtillon
Téléphone : 03 26 51 89 80

Cuvée Sagesse – Brut Nature

16/20 ▮ ▮ ▮ ▮ ═ ▪▪ ✚
★★★

🐷 🐷 🐷

L'échantillon testé a été dégorgé en mars 2010, il n'a absolument pas été dosé. Les pinots dominent l'assemblage (95 %). Le crescendo aromatique de jeunesse est net, toutefois discret : Xérès, levures, poires et citron, bref une grande minéralité saline qu'on retrouve en finale une fois le vin en bouche. Entre ces deux instants, on découvre une effervescence maîtrisée, illustrée par des bulles menues et abondantes. Plus rond, plus équilibré que l'échantillon de l'édition 2010, dégorgé en 2009, ce vin à la base 2006 semble être mature aujourd'hui et donne beaucoup de plaisir.

Cuvée Tolérance – Brut Rosé

16/20 ▮ ▮ ▮ ▮ ═ ▪▪ ✚
★★★

🐷 🐷 🐷

Nez iodé, très frais, très original, qui s'ouvre délicatement sur des notes de fruits rouges qu'on retrouve en bouche dès l'attaque, au sein d'une amertume qui donne du corps à l'ensemble avantageusement crémeux. Un champagne rosé bien taillé, à la fois droit et solide.

Cuvée Quinte Essence – Extra-Brut 2004

18/20 ▮ ▮ ▮ ▮ ═ ▪▪ ✚ IP
★★★★

🐷 🐷 🐷 🐷

Dégusté une première fois fin 2011, je pensais alors que ce champagne pouvait se montrer plus endurant, car il présentait des contours acidulés; il se présente presque mature en juin 2012, avec un nez subtil de pâtisseries, une attaque en bouche intense qui rappelle les grands vins blancs de Bourgogne au niveau aromatique (poires chaudes, mie de pain, noisettes au miel), une texture satinée, dense, onctueuse, illustrée par une effervescence soignée et nouée. Ses caractéristiques signent un grand champagne aujourd'hui délicieux à boire et pour ceux qui préféreront les subtils rancio, patientez jusque 2015.

FRANÇOISE BEDEL

Conduits dans l'esprit de la biodynamie, les 8,5 hectares de Françoise Bedel dont les ¾ sont plantés en pinot meunier offrent des champagnes très mûrs dont toutes les étapes d'élaboration sont réalisées au domaine. Certaines cuvées commercialisées en catégorie Brut peuvent être offertes en catégorie Brut Nature.

www.champagne-bedel.fr
Lieu : 71, Grande Rue 02310 Crouttes-sur-Marne
Téléphone : 03 23 82 15 80

Cuvée Origin'Elle – Brut

15/20 ▮ ▮ ▮ ▮ ▬ ▬ ▪▪ ▪▪ ✚
★★⟩

🐖 🐖 🐖

Nez net et expresif de levure, de pain frais, puis d'agrumes légèrement confits. Le volume est léger en bouche, les bulles sont nouées, toutefois un peu fugaces, elles sont enveloppées d'un caractère plus citrique que toasté qui illustre un vin axé davantage sur la fraîcheur et la minéralité que la profondeur et la complexité. Un champagne abordable et pur.

Cuvée Dis, « Vin Secret » – Brut

17/20 ▮ ▮ ▮ ▮ ▬ ▬ ▪▪ ▪▪ ✚
★★★⟩

🐖 🐖 🐖

Nez fin, légèrement lacté (notes de chocolat au lait), plus axé sur les fruits jaunes confits à l'aération, qu'on retrouve en bouche dès l'attaque, au sein d'une effervescence foisonnante, plus crémeuse qu'autrefois. La petite pointe d'amertume en finale offre un caractère mordant, c'est un champagne de pinot meunier dominant abordable, charmeur et charnu, bien construit.

Cuvée Entre Ciel et Terre – Brut

16/20 ▐ ▌ ▐▐ ▬ ▪▪ ⊞

★★★

🐷 🐷 🐷

Nez très expressif au fruité blanc, puis de fruits secs et enfin confits après quelques instants dans le verre. On les retrouve à l'attaque en bouche dans un volume léger, aux bulles aériennes, toutefois nouées qui apportent de la fraîcheur, de l'élégance. Le dosage apparaît appuyé, il n'entrave pas la minéralité qui perce en finale. Un champagne plus gourmand que tendu, impeccable sur un apéritif aux canapés variés.

Cuvée L'Âme de la Terre
Millésime 2003 – Extra-Brut

17/20 ▐ ▌ ▐▐ ▬ ▪▪ ⊞

★★★★

🐷 🐷 🐷

Des arômes de fruits confits se laissent facilement capter au premier nez, l'aération se fait plus torréfiée, elle est confirmée dès l'attaque en bouche par des accents aromatiques de pains grillés bruns, de malt et de fruits cuits. C'est un champagne puissant où pointe une fine amertume en finale, un champagne solide qui nourrit, très symbolique du millésime, finalement mature et construit pour la table. Une idée ? Cailles aux cerises et petits oignons caramélisés.

GAUTHEROT

18 hectares de vignes permettent à François Gautherot et Christophe Fumey d'élaborer une gamme complète de champagnes issus de la Côte des Bar, cette région « grenier » qui, depuis quelques années, fait bouger l'appellation, la marque Gautherot étant parmi les meilleures et les plus dynamiques de la région.

www.champagne-gautherot.com
Lieu : 29, Grande Rue 10110 Celles Sur Ource
Téléphone : 03 25 38 50 03

Cuvée Millésime 2006 – Brut

16/20 ■ ■ ■ ■ ▬ ▬ ▪▪ ▪▪ ✚ IP
★★★

🐷 🐷 🐷

Le premier nez est biscuité, puis les arômes s'axent sur les fruits jaunes très mûrs. L'aération présente un léger rancio d'évolution, fin et charmeur, qu'on décèle en bouche au sein de bulles fines et nouées qui forment un beau volume. La texture est satinée, dense et longue, le dosage apparaît appuyé, mais il n'enraye pas la fraîcheur et l'équilibre général. C'est un très bon champagne, mature et gourmand.

GEORGES GARDET

Une famille qui a déménagé plusieurs fois le long de la Marne, selon les vicissitudes de la société au cours du XXe siècle. Disposant de 3 hectares en propre situés sur des villages classés Premier Cru, cette maison fondée en 1895 s'approvisionne aussi auprès d'autres vignerons (100 hectares en contrats). Administrée pendant 15 ans par François Lizardo suite au départ à la retraite de Pierre Gardet, la maison Gardet est aujourd'hui dirigée par le Groupe Prieux qui détient aussi le champagne Ployez-Jacquemart.

www.champagne-gardet.com
Lieu : 13, rue Georges Legros 51500 Chigny Les Roses
Téléphone : 03 26 03 42 03

Cuvée Spécial – Brut

16/20 ▮ ▮ ▮▮ ══ ▪▪ ✚ IP
★★★

Dégusté en magnum, ce champagne s'est montré discret à l'ouverture, axé sur des arômes de pâtisseries au beurre pour ensuite développer, et au nez et en bouche, de savoureux arômes d'amandes grillées, de frangipane et de torréfaction. L'effervescence est soignée, les bulles sont menues, elles persistent peu et laissent place à une légère amertume en finale qui rappelle la peau de pomme brune pour signer un champagne expressif et de belle tenue.

GASTON CHIQUET

Huit générations se sont succédées depuis que Nicolas Chiquet planta son premier cep de vigne en 1746. En 1935, Gaston Chiquet crée sa propre marque. A partir des années cinquante, Claude Chiquet et son père étendent le domaine familial sur les terroirs d'Aÿ et d'Hautvillers, apportant de nouvelles possibilités d'assemblage. Aujourd'hui, Antoine et Nicolas Chiquet assurent la continuité dans le respect des règles ancestrales : « Notre but essentiel est de maintenir les exigences de qualité dont nous sommes les héritiers; les techniques se sont améliorées, la tradition demeure. »

www.gastonchiquet.com
Lieu : 912 , avenue du Général Leclerc 51530 Dizy
Téléphone : 03 26 55 22 02

Cuvée Tradition Brut

15/20 ▮ ▮ ▮▮ ▬ ▪▪ 🇨🇭 IP
★★☆

🐖 🐖

Bien construit, ce champagne présente des notes d'anis, de prunes et de toast blond légèrement couronnées par un rancio de maturité. L'effervescence est aérienne quoique les bulles se montrent serrées et abondantes prédisposant à une dégustation à table, sur un plat de viande blanche grillée. Classique, abordable et constant.

GEORGES VESSELLE

Implantée dans la « capitale » du pinot noir champenois, classée Grand Cru dès 1895, la famille Vesselle a quadruplé la surface de ses vignes en cinquante ans. Les fils de Georges Vesselle, Bruno et Éric, perpétuent une tradition où le raisin rouge a sa raison !

www.champagne-vesselle.fr
Lieu : 16, rue des Postes 51150 Bouzy
Téléphone : 03 26 57 00 15

Cuvée Grand Cru – Brut

14/20 ▮ ▮ ▮ ▮ ▬ ▬ ▪▪ ▪▪ ✚ IP

★★

🐷 🐷

Attaque sur des notes d'agrumes confits (citron), puis de baies rouges, on décèle de la vinosité à l'aération (vins de réserve), les bulles sont d'une extrême finesse en bouche, cependant fugaces, elles permettent un comportement rond et enveloppant, appuyé en finale par un dosage marqué. C'est une effervescence de frizzante, elle donne un vin riche, charpenté grâce au pinot noir. Un vin plus robuste qu'élégant, signé par son terroir.

G.H. MUMM & CIE

Fondée en 1827, cette maison, devenue emblématique grâce au fameux cordon rouge qui croise certaines de ses étiquettes, appartient aujourd'hui au groupe Pernod Ricard. Sa cuvée de prestige « René Lalou » est, à mon avis, trop méconnue et perdue parmi les grandes cuvées d'autres marques, alors qu'elle offre une grande somptuosité lorsqu'on la déguste une quinzaine d'années après sa commercialisation.

www.mumm.com
Lieu : 34, rue du Champ de Mars – 51100 Reims
Téléphone : 03 26 49

Cordon Rouge – Brut

15/20 ▮▮ ▮▮ ▬▬ ▪▪ ✚
★★⌐

🐷 🐷 🐷

Cette cuvée, qui existe depuis 1875, est d'une vivacité exemplaire grâce à des accents d'agrumes marqués tant au nez qu'en bouche. Croquante et légère, l'effervescence est évanescente, peu riche, et apporte de la pureté dans une trame aromatique biscuitée, voire mielleuse. Peu complexe, mais constante dans ses atouts, c'est une cuvée toujours équilibrée et franche.

Cuvée Cordon Rouge – Rosé Brut

16/20 ▮▮ ▮▮ ▬▬ ▪▪ ✚
★★★

🐷 🐷 🐷

Classique dans ses arômes de baies rouges et de mandarines, puis d'eau-de-vie, cette cuvée se montre pourtant plus originale que les rosés des autres maisons par sa petite touche d'amertume en finale qui lui apporte un caractère presque corsé au sein d'une effervescence satinée. Un atout lui permettant d'être présentée sur un plat plutôt que dans le traditionnel cocktail dînatoire.

Cuvée Mumm de Cramant – Blanc de Blancs Brut Grand Cru

16/20 ▮▮▮▮▮ ▬▬ ▪▪▪ ➕ IP
★★★

🐷 🐷 🐷 🐷

Subtile et minérale au nez, tendue et pourtant épanouie en bouche, cette cuvée est dominée par des effluves de foin, puis d'agrumes (zestes de citron, pamplemousses) et enfin de biscuits sablés après quelques minutes d'attente. La texture est tendre grâce à des bulles très fines dont la fuite forme un voile caressant et long, que des flaveurs de pâtisserie viennent enrichir. Un peu citrique en finale, on peut facilement la laisser quelques années en cave après son achat.

Cuvée R. Lalou – Brut 1999

19/20 ▮▮▮▮▮ ▬▬ ▪▪▪ ➕
★★★★⭐

🐷 🐷 🐷 🐷

Déjà bien notée dans l'édition 2012 où elle apparaissait encore jeune et nerveuse, elle a gagné un point pour cette édition 2013. Dégustée en juin 2012, elle offre de façon expressive au nez des arômes de brioche, de baklava et d'orangettes qu'on décèle en bouche au sein d'une effervescence crémeuse et longue, aux bulles nouées par le temps. Un soupçon de rancio (peau de noix) se laisse capter, toutefois, la fraîcheur acidulée qui enveloppe la texture prédispose ce champagne à une garde en cave encore généreuse. Un grand champagne qui joue aujourd'hui sur l'élégance et la profondeur.

Cuvée Mumm de Verzenay
Blanc de Noirs – Brut Grand Cru

17/20 ▌▌▐▌▌ ▭ ▪▪ ✚ IP
★★★✦

🐷 🐷 🐷

Dégusté en juillet 2012, ce vin est pâtissier sous tous les angles, depuis le nez d'un Paris-Brest jusqu'à la finale de nougat en passant par une effervescence onctueuse et enveloppante qui rappellerait presque la texture d'une crème chiboust. Le fruité n'est pas gommé, il est jaune (pamplemousse confit, pêche) et exotique, il s'accompagne d'un subtil rancio (toast brun) qui pointe jusqu'en finale. Les amateurs de grand champagne pour la table ont ici un flacon de choix que je préconise sur des ris de veau grillés avec une sauce au foie gras.

Cuvée Brut Sélection – Grand Cru – Brut

16/20 ▌▌▐▌▌ ▭ ▪▪ ✚ IP
★★★

🐷 🐷 🐷

La minéralité est bien présente au premier nez, elle est accompagnée d'arômes de salade d'agrumes qu'on aurait sucrée au miel. Dès l'attaque en bouche, on déguste cette richesse aromatique, complétée par des notes exotiques et épicées; l'effervescence abonde en perles fines et nouées qui, plutôt que d'aérer le vin, soutiennent sa puissance et sa longueur. C'est un champagne étoffé, expressif et charmeur qui accompagnera aisément, par exemple, un plat de cailles aux raisins et oignons caramélisés.

GOSSET

« La plus ancienne Maison des Vins de la Champagne », fondée à Aÿ en 1584, a été reprise par la famille Cointreau en 1993 pour être dynamisée de façon remarquable par Béatrice Cointreau. En mars 2007, elle a cédé sa place à son frère Jean-Pierre Cointreau qui dispose d'un vignoble de 140 hectares en approvisionnement. 2012 a marqué une nouvelle étape pour ce champagne qui a installé sa cuverie dans l'ex-Château Malakoff. En effet, ayant acquis en avril 2008 les locaux du champagne Jeanmaire (groupe Laurent-Perrier) à Épernay, la corbeille comprenait un terrain de deux hectares sur lequel est érigé le Château Malakoff (ancienne demeure de la famille Trouillard, auparavant celle de Félix-Potin) et sous lequel des caves sont creusées à une profondeur atteignant 30 mètres, pouvant abriter 2,5 millions de bouteilles; l'ensemble jouxtant une cuverie à la pointe du modernisme d'une capacité de 26 000 hectolitres.

www.champagne-gosset.com
Lieu : 69, rue Jules-Blondeau – BP 7 – 51160 Aÿ
Téléphone : 03 26 56 99 56

Cuvée L'Excellence
15/20 ★★★

Le premier nez est discret, d'abord floral, puis exotique pour revenir sur le jasmin et le chèvrefeuille. Les bulles apparaissent nouées en bouche, toutefois moyennes dans leur calibre et finalement fugaces. Le dosage semble plus appuyé que sur les autres cuvées de la maison, il accentue l'aspect tropical des arômes qui se font subtilement boulangers (pain grillé) en finale de dégustation. C'est un bon champagne d'apéritif où les canapés seront variés.

Cuvée Grande Réserve - Brut
16/20 ★★★

Un nez aussi intense que délicat qui rappelle la pêche blanche et la chair de noix de coco râpée, puis la mie de pain, les pommes brunes et la pâte d'amandes à l'aération. Corsé et fin en bouche, c'est un vin de repas parfumé qui présente des flaveurs un peu mielleuses tendant parfois vers la praline. La tension finale lui confère de l'élégance ; il termine sa course de façon imposante, sans rien déséquilibrer. Un grand vin effervescent de repas du dimanche.

Cuvée Grand Blanc de Blancs – Brut

17/20 ▌▌ ▌▌ ══ ▪▪ 🇨🇭 IP

★★★☆

🐷 🐷 🐷

Nez très expressif d'abord iodé au premier nez, on y distingue ensuite des arômes de guimauve, de meringue, de fenouil, de fruits blancs confits (pêche), puis le pain au lait beurré à l'aération. Très grande finesse en bouche, de vraies perles au niveau de l'effervescence, le dosage est peu appuyé et pourtant on ressent une grande maturité du raisin. Très marqué Gosset, l'enveloppe est ample et riche, c'est un blanc de blancs non tranchant, très gourmand, idéal pour la table.

Cuvée Grand Rosé Brut

16/20 ▌▌ ▌▌ ══ ▪▪ 🇨🇭

★★★

🐷 🐷 🐷

Épicé, racé, à l'image du style de la maison, c'est un champagne rosé vineux qui ne manque pas de raffinement. Les flaveurs sont celles d'une salade de fruits rouges un peu acidulés, l'effervescence est plus vaporeuse, moins concentrée que celle des cuvées blanches. Beaucoup de goût pour un apéritif gourmand ou un dessert fruité.

Cuvée Grand Millésime 2004 – Brut

18/20 ▌▌ ▌▌ ══ ▪▪ 🇨🇭

★★★★

🐷 🐷 🐷 🐷

Un millésime sorti à point en 2012 et qui, grâce à l'absence de fermentation malolactique, présente la juste enveloppe de fraîcheur - et d'endurance – qu'on perçoit autour d'arômes de foin, de tarte au citron, de brioche peu beurrée, puis de baklava après plusieurs minutes dans le verre. L'effervescence s'est habillée de perles foisonnantes, encore pointues, elles s'accrochent à une structure jeune et rigide que le temps va façonner d'une onctueuse texture. C'est un champagne très réussi, impeccable aujourd'hui sur une entrée de fruits de mer, mais je préconise la patience pour qu'il abuse davantage de son élégance d'ici 2016.

GREMILLET

Il a fallu attendre les années 1980 pour que la famille Gremillet, qui vendait autrefois ses raisins aux maisons de Champagne, élabore ses propres cuvées issues de 33 hectares de vignes en propriété. Basé dans le sud de la champagne, ce domaine exporte ses vins dans plus de 70 pays.

www.champagnegremillet.fr
Lieu : Envers de Valeine 10110 Balnot-sur-Laignes
Téléphone : 03 25 29 37 91

Cuvée Grande Réserve – Brut

15/20 ▮ ▮ ▮▮ ▬ ▪▪ ✚ IP
★★✦

🐷 🐷

Un champagne accessible qui se distingue surtout au nez comme en bouche par des accents de miel et de fruits secs. L'efferves- cence est satinée, conduite par des bulles de calibre moyen qui persistent agréablement avant d'éclater et d'exhaler des notes florales. Le dosage apparaît sensible, il n'occulte en rien la fraî- cheur générale d'un pinot noir plus délicat que corsé. Une belle recette de poisson et le tour est joué !

Cuvée des Dames 2007 – Brut

16/20 ▮ ▮ ▮▮ ▬ ▪▪ ✚ IP
★★★

🐷 🐷 🐷

Nez élégant axé sur des arômes de fenouil, d'eau-de-vie de mi- rabelle, puis de pâtisseries aux fruits à l'aération. L'attaque en bouche est fraîche et croquante, l'effervescence est aérienne. Son volume est léger, il présente toutefois une enveloppe acidulée qui rehausse la minéralité du vin. Une belle cuvée de chardonnay pour un homard grillé.

GUY CHARLEMAGNE

Une exploitation familiale au cœur de la Côte des Blancs où le chardonnay est évidemment dominant dans les cuvées élaborées. La futaille employée pour certains vins apporte une onctuosité bénéfique à la tension qui caractérise le terroir, offrant ainsi équilibre et finesse.

www.champagne-guy-charlemagne.com
Lieu : 4, rue de la Brèche d'Oger 51190 Le Mesnil-sur-Oger
Téléphone : 03 26 57 52 98

Cuvée Brut Nature

15/20 ▮ ▮ ▮▮ ═ ▀▀ ✚ IP
★★★

🐷 🐷

Un peu comme son étiquette de couleur bleu métallique, cette cuvée apparaît océane à tous les niveaux. Les arômes rappellent l'appel du large, la fraîcheur marine, la minéralité au premier nez comme à l'attaque en bouche. Il faut attendre plusieurs minutes avant d'y déceler des accents pâtissiers peu beurrés. L'effervescence est tout aussi aérienne, elle signe un champagne très apéritif.

Cuvée Réserve Brut – Grand Cru

16/20 ▮ ▮ ▮▮ ═ ▀▀ ✚ IP
★★★

🐷 🐷 🐷

Un champagne qui offre toujours une belle harmonie en bouche, quelles que soient les années assemblées, fidèle aux arômes expressifs de fleurs et de tisanes, voire de thé aux agrumes qui donnent une structure aromatique originale. Le dosage sensible n'enraye pas le fruité naturel, il soutient l'effervescence, la rend plus onctueuse. Un champagne représentatif du calcaire local.

Cuvée Rosé Brut

14/20 ▌▌▌▌ ▬ ▦ ✚ IP
★★

Un rosé qui présente une matière légère, plus fruitée que minérale, plus rustique que les autres cuvées blanches de la maison. L'acidité rappelle celle de la groseille, le fruité rappelle la griotte et la framboise soutenues par des notes de kirsch. L'effervescence est simplement construite, les bulles sont moyennes, elles illustrent un champagne peu imposant, dans un style plus populaire que signé, efficace et fiable.

Cuvée « Mesnilléssime 2004 » – Brut

18/20 ▌▌▌▌ ▬ ▦ ✚ IP
★★★★

Le nez est très expressif, doté d'un délicat rancio d'évolution qui couronne les notes d'agrumes confits et de baklava. Un subtil boisé légèrement épicé se laisse capter une fois le vin en bouche. L'effervescence est soignée, grasse, longue, le temps l'a habillée d'une grande onctuosité où pointe en finale un soupçon de minéralité qui rappelle l'origine du chardonnay. Tout simplement un grand champagne.

GUY LARMANDIER

Une modeste production d'à peine 100 000 bouteilles issue par ailleurs d'un terroir d'exception, celui de la Côte des Blancs.

www.champagne-larmandier-guy.fr
Lieu : 30, rue du Général Koenig 51130 Vertus
Téléphone : 03 26 52 12 41

Cuvée Cramant – Brut – Grand Cru

15/20 ▪ ▪ ▪▪ ▬ ▪▪ 🇨🇭 IP
★★☆

🐖 🐖 🐖

Un vin qui exprime son terroir : minéral, léger, sec en bouche, pointu en finale. Les flaveurs rappellent le citron, la meringue, puis les sablés après quelques minutes dans le verre. De facture classique, bien travaillé, c'est un champagne apéritif pour amateur de chardonnay plus fin qu'intensément aromatique.

HENRI ABÉLÉ

Fondée à Reims en 1757 par Théodore Van der Veken, cette marque appartient depuis 1985 au groupe espagnol Freixenet. Elle possède 2 km de couloir souterrain au cœur de Reims et l'on notera qu'elle fut la première maison à utiliser le dégorgement à la glace.

www.henriabele.com
Lieu : 50, rue de Sillery – 51051 Reims Cedex
Téléphone : 03 26 87 79 81

Cuvée Brut Traditionnel

15/20 ▆ ▆ ▆▆ ▬ ▗▖ 🇨🇭
★★★⌐

🐷 🐷 🐷

Nez expressif et biscuité, où pointe un léger rancio de maturité très charmeur. Attaque tendre, un peu dosée, bulles au calibre moyen, toutefois abondantes et nouées formant une savoureuse effervescence. Peu complexe au niveau aromatique (fruits jaunes, toasts blonds), ce champagne de facture classique, plus concentré que minéral, est bien construit.

Cuvée Soirées Parisiennes – Brut 2004

16/20 ▆ ▆ ▆▆ ▬ ▗▖ 🇨🇭 IP
★★★

🐷 🐷 🐷

Nez expressif, pâtissier et épicé (frangipane, cannelle, biscuit au beurre), très charmeur. L'attaque et le comportement du vin en bouche sont démonstratifs, plus axés sur des notes confites que minérales (orangettes, sucre de canne) dans le style riche et sensiblement dosé de la maison. L'effervescence présente des bulles de calibre moyen, toutefois nouées et persistantes, qui construisent une texture ample et satinée. C'est un bon champagne de repas, au délicat rancio déjà présent, impeccable sur une entrée chaude de poisson.

Cuvée Blanc de Blancs 2002
Brut

17/20 ▐▌ ▐ ▐▌▌ ▬▬ ▪▪ 🇨🇭 IP
★★★↲

🐷 🐷 🐷

Une cuvée qui n'a pas bougé depuis 2011, toujours aussi à point, et curieusement plus axée sur des notes confites de fruits blancs avec une touche vanillée que des arômes pâtissiers auxquels on s'attendrait sur un vin millésimé qui a dix ans. Satinée et sensiblement dosée en bouche, elle reste fine grâce à une effervescence soignée et nouée. Un léger rancio de maturité (miel, noisettes fraîches) se laisse capter après quelques minutes dans le verre, ce vin de champagne est prêt à boire, c'est un blanc de blancs gourmand, plus fruité que minéral, qui saura agréablement compléter un plat de poisson en sauce blanche.

Cuvée Sourire de Reims
Brut Rosé 2002

17/20 ▐ ▐ ▐▌ ▬▬ ▪▪ 🇨🇭
★★★↲

🐷 🐷 🐷 🐷

Un champagne au nez délicat d'arômes de fraises aux poivres, puis de fruits macérés à l'aération. L'attaque se montre épicée, puis tendue. Curieusement plus élégant et moins tanique en bouche que les précédents millésimes, il présente une texture satinée et légère, illustrée par une effervescence aérienne. L'ensemble présentant une minéralité inhabituelle pour du pinot noir, c'est un champagne original et soigné, au rancio encore peu marqué, signe qu'il peut être encore placé sur les clayettes de la cave.

HENRI GIRAUD

En épousant Madeleine Hémart au début du XXᵉ siècle, Léon Giraud entre dans la famille Hémart, sise à Aÿ depuis le XVIIᵉ siècle. Au retour de la Grande Guerre, il reconstruit le vignoble de la famille qui avait été dévasté 20 ans plus tôt par le phylloxéra. Son fils Henri Giraud complétera ce travail avant de transmettre les rênes de la maison à Claude Giraud, qui décide, à la fin des années 1980, de créer une cuvée en hommage à son père où la tradition de la futaille champenoise, celle de la forêt d'Argonne, interviendra dans son élaboration.

www.champagne-giraud.com
Lieu : 71, boulevard Charles de Gaulle – 51160 Aÿ
Téléphone : 03 26 55 18 55

Cuvée Esprit – Brut

15/20 ▌▐ ▌▌▐ ━ ▐▐ 🇨🇭 IP

★★☆

🐷 🐷

Intense au nez avec de multiples parfums comme la poire vanillée, le poivre ou la frangipane, c'est une cuvée ensorceleuse, déroutante, à la fois onctueuse et puissante en bouche, où l'on retrouve la touche de tartelette amandine initialement décelée. Un champagne « spiritueux », à la fois dense et poreux, à l'image du sol d'Aÿ qui fait naître le raisin.

Cuvée François Hémart
Grand Cru Aÿ – Brut

16/20 ▌▐ ▌▌▐ ━ ▐▐ 🇨🇭 IP

★★☆

🐷 🐷 🐷

Costaude et racée, cette cuvée garde le style de la maison où les accents de miel, de fruits cuits, d'épices et d'élégant rancio sont enveloppants. Pourtant, on perçoit ici une certaine minéralité, une sensation de grain en bouche une fois la fine effervescence diffusée, qui assèche tout en rafraîchissant les papilles. Plus aérienne que les autres cuvées, elle s'apprêtera sur une entrée chaude de vol-au-vent de fruits de mer, par exemple, ou au dessert, sur une tarte aux abricots caramélisés.

Cuvée Code Noir – Brut

16/20 ▮ ▮ ▮▮ ▭ ▪▪ 🇨🇭 IP
★★★

🐷 🐷 🐷

Même si ce champagne se veut plaisant et gustativement abordable pour Claude Giraud, on perçoit immédiatement la signature vineuse et intense de la maison, les flaveurs d'abord florales, sont cuites et épicées (abricots, pêches, pommes brunes, poivre, cannelle), la texture est dense, veloutée, sensuelle, c'est un vin où les saveurs anisées du pinot noir d'Aÿ sont ici masquées par l'élevage sous bois, un vin plus puissant que minéral, fait pour la table.

Cuvée Fût de Chêne 2000 – Brut

18/20 ▮ ▮ ▮▮ ▭ ▪▪ 🇨🇭 IP
★★★

🐷 🐷 🐷 🐷

Un champagne solaire, toutefois aérien dans le comportement. Les notes d'acacia, de miel et de léger rancio sont nettes dès le premier nez. On les retrouve en bouche, liées à celles de fruits jaunes très mûrs, voire confits et sucrés que l'effervescence crémeuse vient exacerber. Après quelques instants dans le verre, il nous rappelle son terroir crayeux par des accents anisés et frais, il bouge, charme et nourrit. C'est un champagne gourmand qui ne manque pas d'élégance, déjà mature, à associer à table sur un mets de poisson gras.

HENRIOT

Si la maison vend ses propres champagnes depuis 1808, la famille Henriot est dans l'univers de la vigne champenoise depuis le XVIIᵉ siècle. Plusieurs cours royales d'Europe ont permis à la maison de se développer en tant que négociante et propriétaire de vignes. Joseph Henriot, homme d'affaires et visionnaire, a dynamisé la marque au cours des années 1960, tout en s'occupant d'autres maisons prestigieuses. Henriot est toujours une maison familiale, elle a été présidée jusqu'en 2010 par Stanislas Henriot, année où l'habillage des flacons a changé.

www.champagne-henriot.com
Lieu : 81, rue Coquebert – 51100 Reims
Téléphone : 03 26 89 53 00

Cuvée Brut Souverain

13/20 ▋▋▋▋ ▬▬ ▰▰ ✚
★☆

🐷 🐷 🐷

Texture ronde, presque grasse, le dosage est sensible, les bulles sont de calibre moyen, les arômes sont plus exotiques et confits que toastés et élégants. La fraîcheur est apportée par quelques notes de levures. C'est une entrée de gamme qui surprend par son caractère facile pour une maison à la signature si dessinée.

Cuvée Blanc Souverain – Pur Chardonnay

16/20 ▋▋▋▋ ▬▬ ▰▰ ✚
★★★

🐷 🐷 🐷

Très frais, d'abord axé sur des arômes de tarte au citron, puis éclatant d'amandes fraîches qu'on perçoit également une fois en bouche, ce vin se comporte comme un frizzante d'une superbe vivacité, tellement les bulles sont fines ! Sa nervosité se conjugue aux notes de bergamote, de gingembre, et, de façon plus classique, à des notes de pain grillé blond en finale. Il porte magnifiquement son nom, la pureté est au rendez-vous.

Cuvée Brut Rosé

16/20 ■ ■ ■■ ═ ▪▪ ✚

★★★

🐷 🐷 🐷

Nez de fraises des bois et de cerises avec une petite note grillée. L'attaque en bouche est très fruitée, développant les mêmes arômes perçus initialement, on est immédiatement séduit par la finesse extrême de l'effervescence qui s'éternise. La finale au caractère épicé marque la distinction de ce rosé très convaincant.

Cuvée Demi-Sec

16/20 ■ ■ ■■ ═ ▪▪ ✚ IP

★★★

🐷 🐷 🐷

Nez très net de pain au lait grillé, puis de mirabelles à l'aération. L'attaque en bouche est vive, elle est rapidement enrichie par le dosage et l'effervescence dont les bulles sont particulièrement nouées et menues. Un léger rancio de maturité s'entremêle aux arômes de fruits secs qui parcourent toute la dégustation. L'ensemble se montre torréfié, toutefois la fine amertume finale n'occulte pas la sucrosité sensible qui rappelle davantage un champagne de catégorie Doux, très peu dosé. Je le préconise sur un dessert à base de zestes d'agrumes.

Cuvée Millésimé 2003 – Brut

16/20 ■ ■ ■■ ═ ▪▪ ✚

★★★

🐷 🐷 🐷

Henriot surprend en déclarant un millésime qui n'a pas fait l'unanimité en Champagne. Pari réussi puisque cela dépend de la provenance des approvisionnements ! Et Laurent Fresnet, le chef de cave, démontre son talent d'assembleur de crus en nous offrant un style plus ferme qu'à l'accoutumée, mais qui ne manque pas de charme, au contraire. Le premier nez est discret, axé sur de petites baies rouges, puis il se fait pâtissier, plus « Henriot » à l'aération. Les bulles en bouche sont particulièrement nouées, elles apportent une heureuse onctuosité dans une trame encore rigide, de grande tenue et bienvenue sur un plat consistant de volaille sauvage, par exemple. Un champagne millésimé qui devrait arriver rapidement à maturité (2016) et puisqu'il est commercialisé, profitons-en maintenant !

Cuvée des Enchanteleurs 1996 Brut

20/20 ▌▌▐▐ ══ ▐▐ ⊞
★★★★★

🐷 🐷 🐷 🐷

Un champagne de prestige qui tient aisément son rang grâce à un crescendo d'arômes qui signe le travail du temps : zestes de pamplemousse confits, orangettes, amandes grillées, sablés bretons, miel, cappuccino, tiramisu. L'ensemble apparaît consistant et puissant, il est parcouru d'un subtil rancio au sein d'une effervescence confondante de richesse et de longueur. Aujourd'hui parmi les meilleurs vins à boire, selon moi, issus de ce millésime; toutefois, pour les amateurs de rancio plus appuyé, ils pourront facilement patienter jusque 2016, car une fine tension enveloppe encore toute la dégustation, confirmant ainsi son endurance. Un champagne pour les grands événements.

H. GOUTORBE

Depuis bientôt un siècle, la famille Goutorbe excerce passionnément le métier de vigneron à Aÿ, forte d'une ascendance de pépiniériste et d'une exploitation de 22 hectares. René et Nicole Goutorbe dirigent aujourd'hui leur maison sise dans la capitale du pinot noir avec leurs enfants Étienne, Bertrand et Élisabeth – dont le mari Jean-Marie Egrot élabore ses propres cuvées issues de 6,5 hectares. Ils ont restructuré d'anciens bâtiments pour les convertir en hôtel luxueux de 17 chambres. On peut facilement leur rendre visite et être hébergé au Castel Jeanson.

www.champagne-henri-goutorbe.com
Lieu : 9 bis, rue Jeanson 51160 Aÿ
Téléphone : 03 26 55 21 70

Cuvée Tradition – Brut

15/20 ▌▌▐▐ ══ ▐▐ ⊞ IP
★★★◗

🐷 🐷

L'attaque est franche sans être mordante, elle précède des arômes de fruits blancs déjà décelés au premier nez. La texture se fait plus satinée en bouche grâce à des bulles fines et nouées qui pointent jusqu'en finale, accompagnées de légères notes biscuitées. Un champagne efficace, propre et droit.

Cuvée Prestige
15/20 ▪ ▪ ▪▪ ═ ▪▪ 🇨🇭 IP
★★�

🐷 🐷

Nez très frais, axé sur les fruits blancs et jaunes, plus biscuité, voire beurré dans les arômes une fois le vin en bouche. L'effervescence est soignée, elle forme un beau volume compact qui donne une impression de matière. Le dosage est réussi, le vin apparaît très sec et minéral jusqu'en finale. Un champagne particulièrement apéritif qui accompagnera facilement des canapés variés.

Cuvée Millésime 2005 – Grand Cru
16/20 ▪ ▪ ▪▪ ═ ▪▪ 🇨🇭 IP
★★★

🐷 🐷 🐷

Un champagne autoritaire qui s'affirme dans des arômes de fruits rouges et de biscuits plus grillés que beurrés qu'on retrouve dès l'attaque en bouche. Les bulles présentent un calibre moyen, elles sont toutefois nouées et persistantes. Le comportement général reste fougueux et jeune, voire citrique dans le volume perçu. C'est un champagne qui peut aisément se glisser sur les clayettes jusque 2015. Impatient ? Testez-le sur un plat chaud de fruits de mer, l'effet est garanti.

Cuvée Spécial Club 2004
17/20 ▪ ▪ ▪▪ ═ ▪▪ 🇨🇭 IP
★★★�

🐷 🐷 🐷

Expressif par ses arômes de beurre, d'amandes fraîches, puis de croissant, ce vin démontre sa maturité en bouche à travers le comportement de son effervescence : les bulles sont nouées, elles forment un volume compact d'une belle densité. Riche et parfumé, légèrement grillé (étonnant pour un 2004) toutefois toujours crayeux, l'ensemble se montre à la fois sec et onctueux. À boire dès aujourd'hui.

Cuvée Rosé Brut

15/20 ▮ ▮ ▮▮ ▬ ▪▪ ✚ IP
★★★╸

🐷 🐷

De facture classique, axé sur des arômes de griottes et de noyaux de fruits, voire d'eau-de-vie, l'effervescence est maîtrisée, les bulles de calibre moyen enveloppent la bouche et finissent leur course rapidement sur une note d'amertume qui apporte du mordant et une certaine originalité.

J. DUMANGIN FILS

Représentant la cinquième génération de vignerons installée à Chigny-les-Roses, Gilles Dumangin bichonne aujourd'hui les 5,5 hectares de vignes familiales et travaille à la sélection des meilleures vignes issues d'une dizaine d'hectares d'autres récoltants, voisins du village. Passionné par son métier, il multiplie les cuvées, parfois déroutantes pour le consommateur non averti. Je retiens surtout l'intelligence dans la commercialisation sans précocité, sans précipitation des vins millésimés afin qu'ils soient à point lorsqu'on les consomme. Une façon de démontrer que oui (!), les grands champagnes gagnent à être gardés en cave.

www.champagne-dumangin.com
Lieu : 3, rue de Rilly – BP 23 - 51500 Chigny-les-Roses
Téléphone : 03 26 03 46 34

Cuvée Brut 17

14/20 ▮ ▮ ▮▮ ▬ ▪▪ ✚ IP
★★

🐷 🐷

Nez net de pomme verte, de fenouil, puis d'accents citriques à l'aération. Attaque très vive, voire agressive, heureusement polie par une effervescence veloutée grâce à des bulles peu volumineuses et persistantes. Un champagne plus frais que profond, un peu autoritaire. On gagnera à l'attendre un peu dans le verre avant de le déguster.

Cuvée Grande Réserve – Brut – 1er Cru

15/20 ■ ■ ■ ■ ═ ▪▪ ✚ IP
★★✦

🐷 🐷 🐷

45 % de vin de réserve et 1/3 de chaque cépage champenois. Nez discret de bonbon anglais, attaque tendue, légèrement végétale, et comme dans la cuvée 17, corrigée par une effervescence onctueuse, bien menée. Les vins de réserve apportent également une patine agréable en bouche, le dosage est accompli, c'est un bon champagne non millésimé, de facture aromatique classique.

Cuvée Blanc de Blancs – Brut Premium

15/20 ■ ■ ■ ■ ═ ▪▪ ✚ IP
★★✦

🐷 🐷 🐷

Nez discret (blanc en neige, meringue, anis), délicat à l'attaque en bouche, la fraîcheur est surtout perçue dans le comportement de l'acidité qui tapisse les papilles sans les agresser. La légèreté du volume formé par des bulles vaporeuses signe le caractère délicat de l'ensemble, peut-être un peu trop frêle. C'est une bonne cuvée pour ouvrir l'appétit avant de passer à table.

Cuvée Premium – Rosé – Brut

15/20 ■ ■ ■ ■ ═ ▪▪ ✚ IP
★★✦

🐷 🐷 🐷

Un rosé de saignée à l'élaboration atypique puisqu'il a la particularité de présenter les trois cépages champenois, assemblés en cuve et saignés en même temps. Le nez est d'abord discrètement vineux, puis immédiatement axé sur le bonbon anglais et la pivoine à l'aération. Le volume est léger, « féminin », digeste, axé sur des arômes de fraises, agréable et simple. Pour un vin de saignée, il est curieusement plus apéritif que robuste, je préconiserais plutôt les canapés que le plat d'entrée.

Cuvée Extra-Brut – Premier Cru

17/20 ▮ ▮ ▮▮ ▬ ▪▪ 🇨🇭 IP

★★★★

🐷 🐷 🐷

Il s'agit en fait du même vin que le Grande Réserve, ici dosé à 2 grammes. Le nez est délicatement aromatique, axé sur des notes d'orties, puis de kirsch. Cette originalité se retrouve dès l'attaque en bouche, magnifiée par un volume compact, des bulles nouées qui rendent honneur à la vinosité de l'ensemble. Je l'ai préféré à l'autre cuvée au dosage plus élevé, car il démontre davantage la pureté du vin. C'est un excellent champagne très peu dosé pour amateur averti.

JACQUART

La façade de cette coopérative, qui a vu le jour dans les années 1960, est une splendide mosaïque qui présente les étapes de l'élaboration du champagne. Toutes les cuvées en sont un vibrant hommage. Dans le top 10 des marques de champagne, Jacquart est au sein d'Alliance Champagne depuis 12 ans et récolte aujourd'hui, à travers des cuvées de qualité, le fruit des investissements considérables entrepris dans les années 1990 dans ses cuveries et le positionnement de son image. Elle a été installée pendant 50 ans rue de Mars à Reims dans le Cellier d'expédition de Reims dont la façade présente de célèbres mosaïques sur l'élaboration du champagne. L'habillage des bouteilles a été modifié depuis mai 2011, un an après le déménagement du siège social dans l'hôtel de Brimont, boulevard Lundy à Reims.

www.jacquart-champagne.fr
Lieu : 34, boulevard Lundy 5110 Reims
Téléphone : 03 26 07 88 40

Cuvée Brut Mosaïque

15/20 ▮ ▮ ▮▮ ▬ ▪▪ 🇨🇭

★★★

🐷 🐷 🐷

Autrefois plus minéral et axé sur des arômes d'agrumes, le champagne BSA (brut sans année) de Jacquart apparaît désormais plus beurré, plus pâtissier et charmeur. Droit dans le comportement, net au niveau aromatique, très agréable dans l'ensemble, le dosage est sensible, c'est un champagne classique et efficace.

Cuvée Brut – Mosaïque Rosé

15/20 ■ ■ ■ ■ ═ ▄▄ ▄▄ ✚ IP
★★★✦

🐖 🐖 🐖

D'abord axé sur des arômes de petits fruits rouges au premier nez, l'aération de ce champagne délivre ensuite des notes de fruits à noyaux. Ce sont ces derniers qu'on retrouve en bouche, ils apportent un caractère légèrement vineux au sein d'une effervescence moins vaporeuse qu'il y a quelques années. Il semble que l'habillage de la bouteille n'ait pas été le seul changement apporté et c'est tant mieux.

Cuvée Brut – Blanc de Blancs 1999

18/20 ■ ■ ■ ■ ═ ▄▄ ▄▄ ✚
★★★★

🐖 🐖 🐖

Les chanceux qui en ont encore en cave seront ravis, ce champagne est arrivé à sa maturité. Dégustée en mai 2012, cette cuvée se révèle aérienne dans le comportement de son effervescence, la texture est plus vaporeuse que consistante en bouche, elle signe une belle élégance. Quant aux arômes perçus, ils témoignent d'une évolution bien conduite où s'entremêlent les biscuits et les toasts blonds et beurrés, la frangipane et le cappuccino après quelques minutes dans le verre. Un excellent champagne qui conjugue fraîcheur et sobre rancio.

Cuvée Brut de Nominée

18/20 ■ ■ ■ ■ ═ ▄▄ ▄▄ ✚
★★★★

🐖 🐖 🐖 🐖

Une cuvée qui présente toujours un excellent rapport qualité/prix grâce à l'apport d'un grand millésime dans chaque assemblage précisé sur la contre-étiquette de la bouteille. Si vous êtes en présence d'une dominance de 1996, le vin n'a pas bougé depuis un an, il est puissant et tendu, exotique dans ses arômes, légèrement toasté et fumé, néanmoins encore minéral en finale, il peut se garder facilement jusqu'en 2016. Si vous êtes en présence d'une dominance de 1999, le vin est encore nerveux, toutefois ses arômes sont mûrs. Il est moins compact que la précédente cuvée, axé sur les agrumes confits et le pain grillé. Prête à boire (les amateurs de style oxydatif pourront l'attendre 3 à 4 ans), pâtissière dans ses arômes, le rancio de la maturité est présent, cette cuvée est très réussie.

JACQUES LASSAIGNE

Situé près de Troyes, le vignoble de Montgueux était considéré comme le Montrachet de la Champagne, selon feu Daniel Thibault, chef de cave des maisons Piper-Heidsieck et Charles-Heidsieck. Composée à 85 % de chardonnay, la moitié des 185 hectares des vignes de Montgueux est exploitée par des vignerons, pour les grandes maisons. Avec ses deux fils Emmanuel et Ludovic, Jacques Lassaigne disposent de plusieurs hectares pour leurs propres cuvées, confidentielles et surtout disponibles dans le secteur de la restauration.

www.montgueux.com
Lieu : 7, chemin du Coteau – 10300 Montgueux
Téléphone : 03 25 74 84 83

Cuvée Les Vignes de Montgueux
Extra-Brut – Blanc de Blancs

17/20 ■ ■ ■■ ▬ ▬ ▪▪ ▪▪ ✚ IP
★★★✦

🐏 🐏 🐏

Nez d'une grande pureté de fruit (mirabelle, pomme) et d'une vinosité « tranchante » dès l'attaque en bouche, on découvre un vin d'un grand équilibre, à la fois minéral et riche dans son comportement où l'on perçoit à la fois des arômes toastés blonds et la fraicheur d'une pomme jaune. Du plaisir à l'état pur.

JACQUES SELOSSE

Voilà maintenant près de 30 ans qu'Anselme Selosse cajole les quelques hectares familiaux. Depuis plus de 10 ans, il travaille sa terre et ses vins de Champagne de la façon la plus naturelle qui soit, c'est-à-dire dans le respect de la nature tant à la vigne qu'à la cuverie. Il faut donc bien connaître la Champagne et la complexité de son terroir pour apprécier les vins d'Anselme Selosse, tributaires et témoins des cycles végétatifs. Convoitées par les plus grands connaisseurs, les cuvées Selosse sont d'abord perçues comme des grands vins blancs secs et tranquilles, anoblis par l'effervescence champenoise.

Lieu : 22, rue Ernest Vallé – 51190 Avize
Téléphone : 03 26 57 53 56

Cuvée Blanc de Blancs
Extra Brut – Version Originale

16/20 ■ ■ ■ ■ ═ ▪▪ ▪▪ ✚ IP
★★★

🐷 🐷 🐷 🐷

Intense, complexe dans les arômes de fruits, grillé (bois et pain) tant au nez qu'en bouche après un certain temps dans le verre, ce vin a une attaque pourtant retenue, puis se révèle d'un seul coup en tapissant richement les papilles et en poursuivant son empreinte boisée. Puissant, voire costaud, l'équilibre entre l'acidité mordante et la maturité du fruit révèle un vin naturellement imposant. À découvrir en apéritif avec des canapés chauds et travaillés.

Cuvée Blanc de Blancs Grand Cru– Brut Initial

17/20 ■ ■ ■ ■ ═ ▪▪ ▪▪ ✚ IP
★★★↗

🐷 🐷 🐷 🐷

Peut-être plus savoureuse, car moins incisive que la cuvée VO, celle-ci est tout aussi complexe et multi-aromatique au nez comme en bouche (boisé fin, noix, fumée et sous-bois). À la fois tendre et tendue en bouche, l'effervescence est plus proche du frizzante que du spumante, elle est onctueuse, serrée, mûre, boisée et longue, comme un grand vin blanc de Bourgogne dense et solennel. Bref, savoureux.

Cuvée Substance – Brut

18/20 ▌▌▐█ ══ ▀▀ ➕ IP

★★★★

🐖 🐖 🐖 🐖

Du chardonnay d'Avize qui conjugue pureté du cru et rancio du temps qui passe grâce à un élevage façon Soléra (1/3 des vins de réserve est soutiré et remplacé par le vin le plus jeune, issu du dernier millésime). Ce vin peu charmeur au premier nez offre d'abord des effluves de vinaigre de Xérès et de citron. Sa minéralité iodée est perceptible à l'aération, il faut absolument le laisser s'oxygéner dans le verre au moins 20 minutes, il dégage alors un caractère complexe et épicé (curcuma) au nez comme en bouche. C'est à ce moment que se produit la séduction grâce à une complexité de parfums au subtil rancio. La texture est compacte et dense grâce à des bulles vives et fines, elle est presque comparable dans le comportement à un grand Bourgogne blanc. Un champagne de connaisseur.

JACQUESSON & FILS

Jean-Hervé et Laurent Chiquet, les propriétaires actuels, ont su redonner à cette ancienne maison fondée en 1798 la notoriété et la grandeur d'antan. Le premier s'occupe de l'aspect commercial, mais la viticulture et l'élaboration des vins n'ont aucun secret pour lui, tandis que le second en a la charge conséquente. Certes, le nom des cuvées nécessite l'effort pour le consommateur de connaître à la fois le terroir champenois et l'histoire de la maison. Cependant, dès les vins dégustés, les adeptes se multiplient. Adolphe Jacquesson, qui était d'une créativité éblouissante, breveta, entre autres, le muselet en 1844. Une anecdote : Napoléon 1er transportait toujours des bouteilles de Jacquesson lors de ses campagnes militaires.

www.champagnejacquesson.com
Lieu : 68, rue du Colonel Fabien – 51530 Dizy
Téléphone : 03 26 55 68 11

Cuvée 734 – Brut

17/20 ■ ▮ ▮▮ ▬ ▪▪ ✚

★★★⭒

🐷 🐷 🐷

Le millésime 2006 constitue la majorité de ce vin aujourd'hui plus axé sur les fruits blancs (pêche et pomme cuite) qu'il y a un an où il se montrait encore sur une acidité mordante. Plus beurré et biscuité également, l'ensemble se présente toutefois jeune et fougueux, seule l'effervescence onctueuse et persistante vient équilibrer le caractère très pur et minéral du volume. Un champagne à la tension palpable qui peut facilement se glisser sur les clayettes, mais également excellent aujourd'hui sur un plat de poisson à chair blanche légèrement perlé de citron.

Cuvée 735 – Brut

16/20 ■ ▮ ▮▮ ▬ ▪▪ ✚

★★★

🐷 🐷 🐷

Plus de 2/3 de ce champagne est constitué du millésime 2007 qui présente d'abord un nez qui rappelle les fins rancios du Xérès, pour ensuite offrir un caractère minéral plus classique (iode, silex). L'aération rappelle les agrumes mûrs, on les retrouve en bouche dans une effervescence particulièrement veloutée qui distille quelques notes pâtissières de beurre très léger. Plus compact et davantage axé sur un fruité blanc que la cuvée 734, c'est un champagne qui met encore du temps à s'ouvrir et dont le caractère citrique le prédispose à une garde avantageuse. Comme toujours avec cette maison, on est en présence d'un vin d'une solide structure qui conviendra parfaitement à table.

JANISSON-BARADON

Tous les deux ouvriers pour des grandes maisons de champagnes, Georges Baradon s'associe à son gendre Maurice Janisson en 1922 pour créer leur propre marque. 90 ans et 9,5 hectares de vignes plus tard, Cyril Janisson et son frère Maxence se partagent le travail quotidien pour engendrer des vins authentiques dans un esprit d'ouverture sur le monde, digne des nouvelles générations qui naissent en Champagne. Si, depuis dix ans, l'on perçoit une recherche de style à travers toutes les cuvées, deux facteurs importants sont arrêtés dans la famille : la fermentation malolactique est retenue pour les champagnes Brut sans année et elle est écartée pour les champagnes millésimés.

www.champagne-janisson.com
Lieu : 2, rue des Vignerons 51200 Épernay
Téléphone : 03 26 54 45 85

Cuvée Extra-Brut

16/20 ▮▮▮▮ ▬ ▬▬ 🇨🇭 IP
★★★
🐷 🐷

Nez discret et net de levure, puis de poire, plus appuyé et plus fruité lorsque le vin attaque en bouche. Sec dans le comportement, très agréablement onctueux grâce à une effervescence suave et bien conduite par des bulles menues et nouées, ce champagne présente une finale plus citrique que minérale, toutefois cristalline, adéquate à l'apéritif. Un champagne pour amateurs de dosage très léger et onctueux.

Cuvée Non Dosé

17/20 ▮▮▮▮ ▬ ▬▬ 🇨🇭 IP
★★★✦
🐷 🐷

Ce sont sans aucun doute les deux années de seconde fermentation et l'apport d'un tiers de vin issu d'un élevage sous bois qui signent l'onctuosité et les arômes d'acacia de ce champagne sans dosage ajouté. Nouées et fines, les bulles persistent tout en conduisant une belle pureté de fruit (raisins très mûrs). Une belle surprise abordable dans cette catégorie de champagne.

Cuvée Brut Sélection

15/20 ▮ ▮ ▮▮ ▭▭ ▪▪ ✚ IP
★★↗

🐷 🐷

Nez expressif, axé sur des arômes boulangers (baguette, brioche, sablé) qui curieusement se font plus timides à l'aération. L'attaque en bouche est vive, peu mordante, assez classique dans ses arômes de pain grillé blond qui parcourent une effervescence veloutée. La finale est subtilement plus axée sur les fruits jaunes et le sucre roux. Un champagne appétissant.

Cuvée Grande Réserve

17/20 ▮ ▮ ▮▮ ▭▭ ▪▪ ✚ IP
★★★↗

🐷 🐷

Nez expressif de fruits confits et de notes plus toastées que grillées qu'on retrouve dès l'attaque en bouche dans une remarquable onctuosité effervescente. À la fois croquant dans son comportement et mature dans les arômes, ce champagne est simplement délicieux.

JEAN LACROIX

Avec près de 100 000 bouteilles commercialisées, issues de 13 hectares d'un domaine familial qui va bientôt fêter ses 40 années d'existence, trois générations de Lacroix ont patiemment vu leur exploitation et leur production augmenter depuis les années 1970.

www.champagne-lacroix.com
Lieu : 14, rue des Genêts 51700 Montigny-sous-Châtillon
Téléphone : 03 26 58 35 17

Cuvée Tradition – Brut

15/20 ▮ ▮ ▮▮ ▬ ▪▪ ✚ IP
★★☆

🐷 🐷

Un très bon champagne « de tous les dimanches » qui se caractérise davantage par un fruité de salade de fruits rouges et jaunes que par des élans pâtissiers et beurrés. L'effervescence est bien construite, les bulles de calibre moyen sont nouées, elles construisent une sensation veloutée en bouche qui file jusqu'à une finale originale de pain d'épices, comme l'offre souvent le bouquet du pinot meunier lorsqu'il est bien dosé. Une agréable surprise abordable.

JEAN MILAN

Tous les deux ouvriers pour des grandes maisons de champagnes, Depuis 1864, la famille Milan exploite ses terres d'Oger, 5 générations de vignerons se sont succédées depuis le XIXe siècle. Aujourd'hui, Caroline et Jean-Charles Milan suivent les pas de leurs parents où le chardonnay signe de multiples cuvées toutes aussi originales les unes que les autres, issues de 5,5 hectares en propriété.

www.champagne-milan.com
Lieu : 6, rue d'Avize 51190 Oger
Téléphone : 03 26 57 50 09

Cuvée Grand Cru Brut – Blanc de Blancs Spécial

14/20 ▮ ▮ ▮▮ ▬ ▪▪ ✚ IP
★★

🐷 🐷

Bulles fines, nez minéral, plus acide que iodé, proche du vinaigre de Xérès, il s'ouvre sur la pomme verte à l'aération puis, après 15 minutes dans le verre, il retrouve le rancio délicat et charmeur des vins mutés andalous. Onctueux dans le comportement en bouche grâce à une mousse riche et crémeuse, il reste vif, court et citronné en finale, c'est un champagne un peu acidulé que je préconise en apéritif.

Cuvée Grand Cru Blanc de Blancs Brut Réserve

16/20 ▌▌▐█▐ ▬ ▀▀ ✚ IP
★★★

🐷 🐷 🐷

Une minéralité très champenoise se présente au nez (anis, mie de pain grillée, foin, beurre), elle se fait plus intense à l'aération, un boisé élégant se laisse capturer, on le retrouve dès la première gorgée au sein d'une mousse serrée et onctueuse, très maitrîsée. Plus charmeuse que la cuvée « Spécial » grâce aux notes d'élevage, plus corpulente aussi, celle-ci accompagnera facilement une entrée gourmande et chaude de fruits de mer.

JEAUNAUX-ROBIN

Le domaine va bientôt fêter ses 50 ans. Thierry Jeaunaux a reçu le soutien de ses parents Michel et Marie-Claude Jeaunaux qui, partis de 1 hectare en propriété dans les années 1960, ont su développer l'exploitation pour aujourd'hui bénéficier de 5 hectares de vignes qui offrent 6 cuvées authentiques. Il a transmis son savoir-faire à son fils Cyril qui aujourd'hui s'occupe de la vinification.

www.champagne-jr.fr
Lieu : 1, rue de Bannay 51270 Talus-Saint-Prix
Téléphone : 03 26 52 80 73

Cuvée Sélection – Extra-Brut

16/20 ▌▌▐█▐ ▬ ▀▀ ✚ IP
★★★

🐷 🐷

Parfumé et délicat au premier nez, axé sur les fruits blancs comme le pamplemousse et la poire, puis l'anis à l'aération, ce champagne impressionne surtout par son équilibre en bouche - les extra-brut présentant souvent des vins squelettiques et tranchants – qui, depuis l'attaque jusqu'à la finale, présente une onctueuse effervescence qui transporte des notes très légèrement beurrées. De la pureté taillée pour l'apéritif.

JOSEPH PERRIER

Autrefois, quand le champagne était sucré et plus perlant que mousseux, le cœur social de la Champagne était la ville de Châlons-sur-Marne, aujourd'hui Châlon-en-Champagne, où est implanté le dernier siège social d'une grande maison : Joseph Perrier. Jean-Claude Fourmon, descendant direct de la famille Pithois à qui Gabriel Perrier, petit-fils du fondateur, céda la marque en 1888, la préside toujours. Propriétaire d'une vingtaine d'hectares, cette maison très discrète dispose de caves de plain-pied où 3 km de galeries abritent les flacons dont des jéroboams, toujours dégorgés manuellement. 700 000 bouteilles sont produites.

www.josephperrier.com
Lieu : 69, avenue de Paris BP 31 – 51000 Châlons-en-Champagne
Téléphone : 03 26 68 29 51

Cuvée Royale – Brut

15/20 ▮ ▮ ▮ ▮ ▬ ▬ ▬ ▪▪ ▪▪ 🇨🇭
★★☆
🐷 🐷 🐷

D'abord iodée, puis axée sur les zestes d'agrumes et les pommes chaudes saupoudrées de cannelle, cette cuvée est parfaitement équilibrée dans ses flaveurs et son comportement en bouche. La rondeur semble pourtant apportée par un dosage sensible qui n'occulte pas la finale originale, presque paradoxale, à la fois fraîche grâce aux bulles pimpantes et matures en raison du rancio délicat.

Cuvée Royale – Brut Rosé

15/20 ▮ ▮ ▮ ▮ ▬ ▬ ▬ ▪▪ ▪▪ 🇨🇭 IP
★★☆
🐷 🐷 🐷

Aussi classique dans ses flaveurs de fruits rouges et noirs (framboises, cassis, groseilles) que les rosés compétiteurs, celui-ci a cependant une touche zestée et une finale de zan, voire de vanille, qui le distingue. L'effervescence est juste assez abondante en bouche, le volume est tendre, le corps qu'il enveloppe est ferme, c'est un rosé mi-corsé, à la fois éclatant et sensuel, très fiable, et, comme toujours avec Joseph Perrier – c'est mon avis –, trop discret sur les marchés.

Cuvée Blanc de Blancs – Brut 2004

17/20 ▮ ▮ ▮▮ ═ ▪▪ ✚ IP

★★★☆

🐷 🐷 🐷

Dégustée en juillet 2012, cette cuvée se montre encore jeune dans ses arômes qui rappellent une salade de fruits blancs dans laquelle on aurait versé un peu de miel. L'attaque en bouche est très fine, minérale et croquante, on perçoit davantage des notes de tisanes, voire de thé aux fruits jaunes plutôt que des accents pâtissiers, confirmant son adolescence. L'effervescence se montre plus mature, elle développe des perles nouées, ciselées, qui tapissent généreusement les papilles. C'est un chardonnay encore axé sur la tension, un champagne au potentiel de garde évident qui pourra aisément se glisser en cave jusque 2016. Impatient ? Essayez-le sur un carpaccio de pétoncles qu'on aura délicatement citronné.

KRUG

Fondée en 1843 par Joseph Krug, cette maison est aussi modeste dans sa production que prestigieuse dans sa réputation. Elle possède une vingtaine d'hectares de vignes (soit le tiers de son approvisionnement annuel). On ne parle pas de hiérarchie dans la gamme des cuvées, même si le « Grande Cuvée », digne d'une cuvée de prestige, représente 85 % de la production. Krug a assis sa réputation en élaborant des vins soignés, précis, à l'assemblage important de vins de réserve qui ont fermenté en petits fûts. Les champagnes millésimés sont plus représentatifs de l'année que du style Krug, même si celui-ci les pénètre. Les champagnes de la gamme Collection, confidentiels, au rancio toujours pénétrant, offrent le goût inoubliable du temps qui passe. Quant aux cuvées Clos du Mesnil et Clos d'Ambonnay, elles présentent, lorsque la famille Krug les juge optimales, l'année parfaite d'un chardonnay ou d'un pinot noir, issu d'une parcelle exceptionnelle.

www.krug.com
Lieu : 5, rue Coquebert – 51100 Reims
Téléphone : 03 26 84 44 20

Cuvée Grande Cuvée

18/20 ▌ ▌ ▌▌ ▬ ▬ ▫▫ ✚

★★★★

🐷 🐷 🐷 🐷

Comme toujours, c'est la constance du comportement et des arômes qui est remarquable avec cette cuvée qui présente une dizaine de millésimes assemblés : il faut la découvrir avec patience quelques minutes après avoir versé le vin dans le verre (température autour de 11 degrés). On perçoit alors des arômes qui rappellent le pain de campagne, les toasts blonds, les céréales du matin entremêlées de raisins secs, puis en bouche, on perçoit des notes de thé à la bergamotte qui entourent une sphère compacte de perles fines, conférant la fraîcheur attendue. Tout est mûr, épanoui, suave, biscuité. Ce champagne s'impose à nous comme une force tranquille dont on ne peut qu'accepter la somptuosité. L'effet Krug.

Cuvée 1998 – Brut

20/20 ▌ ▌ ▌▌ ▬ ▬ ▫▫ ✚

★★★★★

🐷 🐷 🐷 🐷 🐷

Encore axée sur des notes de céréales, d'agrumes confits (voir l'édition 2012), cette cuvée est d'une grande fraîcheur dans son enveloppe et pourtant, elle présente un crescendo aromatique où pointe un subtil rancio toujours aussi profond et charmeur : zestes d'oranges, sablé au beurre, nougatine, lait au sirop d'orgeat, puis noix fraîche. L'effervescence plus frizzante que spumante – comme souvent chez Krug - véhicule les accents d'un boisé délicat (acacia, tabac blond, pain d'épices) qui habille les arômes initialement décelés. À la fois imposant tout en étant sobre, c'est un champagne d'une vinosité exquise qui ne peut que séduire.

Cuvée 2000 – Brut

19/20 ▌ ▌ ▌▌ ▬ ▬ ▫▫ ✚

★★★★★

🐷 🐷 🐷 🐷 🐷

Nez de poire chaude, de fruits secs, de sablés beurrés, légèrement couronnés de notes torréfiées (moka) et déjà de bolets. L'attaque en bouche au niveau aromatique est plus grillée que le millésime 1998, elle est immédiatement atténuée par l'effervescence caressante qui apporte des notes pâtissières, puis l'on retrouve une petite touche d'amertume en finale qui rappelle les flaveurs de grains de café initialement perçues. C'est un champagne plus vineux que minéral, complexe dans ses parfums, qui saura facilement accompagner un plat de gibier à plumes à table.

LAHERTE FRÈRES

Un domaine familial depuis 1889, aujourd'hui conduit par Thierry et Christian Laherte, soutenus par Aurélien, fils de Thierry. Propriétaires d'une dizaine d'hectares acquise au cours du XXᵉ siècle, la famille Laherte s'attèle à présenter la diversité et l'authenticité du terroir champenois à travers des cuvées typées, dans le respect de l'environnement.

www.champagne-laherte.com
Lieu : 3, rue des Jardins 51530 Chavot
Téléphone : 03 26 54 32 09

Cuvée Blanc de Blancs Brut Nature

16/20 ▮▮ ▮▮▮ ▬▬ ▪▪ ➕ IP
★★★
🐷 🐷

Nez discret, axé sur des notes minérales (craie, iode) et de citron confit. Un boisé très délicat se laisse percevoir si on laisse le temps au vin de se reposer plusieurs minutes dans le verre. Des arômes d'acacia sont logiquement offerts en bouche, toutefois c'est une pureté tranchante dans une effervescence aérienne qui s'impose en finale. À la fois vif et rond, c'est un très bon champagne d'apéritif.

Cuvée Les 7 – Extra-Brut

16/20 ▮▮ ▮▮▮ ▬▬ ▪▪ ➕ IP
★★★
🐷 🐷 🐷

Les 7 pour les sept cépages qu'on trouve en Champagne (10 % Fromenteau, 8 % Arbanne, 14 % Pinot Noir, 18 % Chardonnay, 17 % Pinot Blanc, 18 % Pinot Meunier et 15 % Petit Meslier.) Les arômes se font discrets au nez et curieusement très expressifs en bouche ! D'abord axés sur des notes de salades de fruits blancs, on les retrouve dès l'attaque dans un volume léger, toutefois tapissant, grâce à des bulles au calibre moyen qui s'accrochent tout au long de la dégustation. Quelques accents d'eau-de-vie de mirabelle se laisse capturer en finale. C'est un champagne original qu'on offrira dès l'apéritif, ne serait-ce que pour parler de ses cépages méconnus !

Cuvée Millésime Récolte 2005 – Extra-Brut

17/20 ▌▐ ▐▌ ══ ▐▌ ▐▌ IP

★★★⟨

🐷 🐷 🐷

Le nez est très fin, il rappelle d'abord le tilleul et le foin, pour rapidement s'orienter vers des arômes plus classiques d'agrumes et d'anis une fois aéré. En bouche, l'effervescence est d'une précision accomplie, les bulles sont serrées et nouées, elles forment un volume dense, toutefois léger et digeste. Le fruité général est intense, on y perçoit un soupçon d'acacia, de boisé qui rappelle certains chablis qui ont connu un court élevage en fût. C'est un champagne très bien construit qui a devant lui un potentiel de garde estimable (2017), mais qu'on pourra déguster dès aujourd'hui, par exemple, sur un plat de poisson à chair blanche à la crème d'estragon.

LALLIER

5 générations de vignerons se sont succédées avant que René-James Lallier, administrateur de la maison, décide en 1995 (en acquérant le vignoble de la maison René Brun) de se lancer dans le négoce du champagne avec ses propres cuvées issues des 12 hectares familiaux. En 2003, la maison Tribaut-Schloesser rachète les titres du champagne Lallier, le destin de la marque est depuis placé sous la direction de Francis Tribaut qui a su en quelques années la revaloriser et la positionner sur les meilleurs marchés.

www.champagne-lallier.fr
Lieu : 4, place de la Libération 51160 Aÿ
Téléphone : 03 26 55 43 40

Cuvée Zéro Dosage – Grand Cru

14/20 ▌▐ ▐▌ ══ ▐▌ ▐▌ IP

★★

🐷 🐷

Voisine dans les arômes et le comportement de la cuvée Grande Réserve, elle se montre plus mordante, voire incisive, et laisse échapper quelques notes de farine et de silex. Le fruité est jaune (poire, citron, cerise de terre), l'effervescence est ciselée, en harmonie avec l'absence de dosage. Seuls les amateurs de champagnes tendus et sobres apprécieront.

Cuvée Grande Réserve – Brut Grand Cru

15/20 ◼◼◼◼ ▬ ▬ ▦▦ ◼

★★★◗

🐖 🐖

Nez d'abord anisé, un peu citrique, puis axé sur les fruits rouges et légèrement brioché à l'aération, c'est un champagne à l'effervescence un peu fugace, toutefois riche et crémeuse grâce à des bulles menues et nouées. La fraîcheur est apportée par une acidité qui rappelle celle des mêmes petits fruits rouges décelés à l'analyse olfactive, une petite pointe amère en finale nous offre un caractère mordant, c'est un bon champagne, particulièrement abordable pour un Grand Cru.

Cuvée Blanc de Blancs – Brut – Grand Cru

15/20 ◼◼◼◼ ▬ ▬ ▦▦ ◼ IP

★★★◗

🐖 🐖 🐖

Un chardonnay qui joue davantage la carte plus fruitée que minérale où les notes d'agrumes, puis d'abricots gagnent rapidement sur celles de foin et de pain grillé au nez comme en bouche. La texture est dense, flatteuse et mielleuse sans pour autant trop révéler le dosage, elle assure une finale courte et fruitée.

LAMIABLE

Un domaine indépendant et familial qui a bientôt 60 ans, géré par Jean-Pierre Lamiable et ses filles. C'est grâce à des terrains appartenant autrefois à la maison Laurent-Perrier qui ont été achetés dans les années 1950, en pleine crise, par le père et les 3 oncles de Jean-Pierre que l'aventure a commencé : les parcelles furent en effet plantées et classées par l'INAO.

www.champagnelamiable.com
Lieu : 8, Rempart Est 51150 Tours-sur-Marne
Téléphone : 03 26 58 92 69

Cuvée Extra-Brut – Grand Cru

15/20 ◼◼◼◼ ▬ ▬ ▦▦ ✚ IP

★★★◗

🐖 🐖 🐖

Intense, vif, axé sur un fruité plus rouge que jaune (cerises, groseilles), ce champagne présente une enveloppe charnue grâce à des bulles nouées qui atténuent le caractère autoritaire de l'ensemble. Pour apéritifs gourmands.

Cuvée Brut - Grand Cru
15/20 ■ ■ ■■ ▬▬ ▪▪ ➕ IP
★★☆

Les mêmes sensations aromatiques sont perçues que dans la cuvée Extra-Brut, au nez comme en bouche, toutefois, le dosage apporte ici plus de profondeur et surtout, une note épicée originale qui parcoure toute la dégustation. C'est un bon champagne BSA, droit, fin et abordable.

LANSON
PÈRE & FILS

Aujourd'hui dans le groupe Lanson-BCC, après avoir été rachetée par BCC en 2006, la maison Lanson fondée en 1760 par François Delamotte a fêté ses 250 ans. Elle propose un nouvel habillage depuis 2008 et une belle gamme de cuvées dont les dernières, nées en 2010, portant le nom d'Extra-Âge, signent une renaissance de qualité. La maison a lancé un Extra-Âge Blanc de Blancs en 2012.

www.lanson.fr
Lieu : 66, rue de Courlancy - 51100 Reims
Téléphone : 03 26 78 50 50

Cuvée Black Label - Brut
15/20 ■ ■ ■■ ▬▬ ▪▪ ➕
★★☆

Au niveau olfactif, les agrumes laissent rapidement la place à des notes de miel, de dragées, de vanille, pour mieux se laisser capturer de nouveau lorsque le vin glisse en bouche à l'attaque. L'effervescence gourmande et compacte est peu tapissante et s'efface pour laisser des saveurs d'oranges confites et de nougat. On retrouve donc les sensations perçues au nez dans le même crescendo. Équilibré, simple et généreux.

Cuvée Rosé Label – Brut Rosé

16/20 ■ ■ ■ ■ ▬ ▬ ▪▪ ▪▪ ✚

★★★

🐷 🐷 🐷

Cette cuvée sent d'abord la fraise de façon très nette, puis elle tourne vers le fenouil, la compote de pommes, les raisins secs et le moût de raisin après quelques minutes dans le verre. Très expressif à l'attaque en bouche grâce aux pinots qui dominent l'assemblage, ferme dans sa texture, ce vin présente des flaveurs plus vineuses que minérales illustrées par un discret rancio aux arômes de confiture de fruits rouges en train de cuire. Plus corsé que bien d'autres rosés pétulants, c'est un champagne à goûter comme un vin rosé légèrement tannique, conduit par une effervescence compacte, digne d'un plat d'entrée de crustacés, légèrement épicés.

Cuvée Extra-Âge – Brut

17/20 ■ ■ ■ ■ ▬ ▬ ▪▪ ▪▪ ✚ IP

★★★★⟨

🐷 🐷 🐷

Un champagne puissant, expressif, aromatique (beurre, amande, crêpe de sarrasin, pain d'épices) à la vinosité établie, toutefois aérée par une enveloppe citrique et une effervescence aérienne qui apportent l'équilibre et la fraîcheur nécessaire pour ne pas tomber dans l'excès de la sur-maturité. Un vrai champagne de repas ou de cocktail gourmand et luxueux.

Cuvée Extra-Âge – Brut Blanc de Blancs

17/20 ■ ■ ■ ■ ▬ ▬ ▪▪ ▪▪ ➕ IP

★★★★⟨

🐷 🐷 🐷 🐷

La dernière née de la maison – lancée en 2012 – nous oriente vers un crescendo d'arômes qui entremêlent pâtisseries et agrumes : pamplemousse, zestes d'oranges confits, brioche aux raisins et croissant aux amandes. L'effervescence est savoureuse, soignée et enveloppante, les bulles sont perlantes et persistantes, elles précèdent une finale légèrement acidulée qui prédispose ce vin à une garde d'au moins 5 années après son achat si l'on désire découvrir un léger rancio de torréfaction et de miel. Un champagne taillé pour une entrée chaude de crustacés en sauce.

LARMANDIER BERNIER

Pierre Larmandier a été guidé dans son métier de vigneron champenois par Jacques Selosse. Autant dire que le respect du sol et de la nature sont pour lui des priorités. Grâce à de vieilles vignes, des rendements mesurés, une vendange manuelle à maturité, une vinification en cuves d'acier inoxydable thermorégulées, en foudres ou en fûts, des dosages très faibles, voire absents, et un dégorgement manuel, ses champagnes sont on ne peut plus authentiques, simples, bruts, droits et naturels.

www.larmandier.fr
Lieu : 19, avenue du Général de Gaulle – 51130 Vertus
Téléphone : 03 26 52 13 24

Cuvée Tradition Premier Cru – Extra Brut

16/20 ▮ ▮ ▮▮ ▮ ▬ ▪▪ ▪▪ ✚ IP
★★★

🐷 🐷 🐷

Nez fin de fenouil, de menthe puis de réglisse à l'aération, enfin de mie de pain et de levure après un quart d'heure dans le verre. Un brin astringent en bouche, fin grâce à son effervescence, ce champagne est dans le registre des vins purs, un peu austères, absolument pas racoleurs, très loin des grandes marques commerciales. Des flaveurs de fruits rouges se laissent capturer en finale. Complexe, il est pourtant idéal pour un apéritif avec canapés maison.

Cuvée Brut – Premier Cru – Blanc de Blancs

16/20 ▮ ▮ ▮▮ ▮ ▬ ▪▪ ▪▪ ✚ IP
★★★

🐷 🐷 🐷

La futaille vient envelopper et patiner la puissance de ce champagne au volume compact et ferme, mais au comportement dense et suave, heureusement réchauffé par des flaveurs de quetsches et de fruits confits. Tranchant dans sa minéralité (notes de levures) qui a tendance à s'estomper en finale pour offrir des accents noisettés, finalement complexe. Essayé sur un simple, mais véritable poulet de grain rôti au four, accompagné d'une fricassée de champignons variés, il a fait sensation !

Cuvée Terre de Vertus – Premier Cru

17/20 ▮▮▮▮▮ ▬▬ ▰▰ ▪

★★★☆

🐷 🐷 🐷

Entre l'aneth et le gingembre sur le plan olfactif, très subtil, ce champagne est peu charmeur au premier nez, mais il épate dès la première gorgée grâce à un caractère de fruits blancs très mûrs non acidulé, non agressif comme le sont souvent les cuvées non dosées. Ce vin reste en équilibre dans sa tension minérale et sa vinosité caressante. Abrupt en finale lorsqu'il est commercialisé, il doit être laissé en cave au moins trois ans avant de le déguster. Un champagne pour amateur averti.

Cuvée Vieilles Vignes de Cramant 2006 Blanc de Blancs – Extra-Brut

18/20 ▮▮▮▮▮ ▬▬ ▰▰ ▪ IP

★★★★

🐷 🐷 🐷

Dégustée en juillet 2012, cette cuvée présente une tension d'une grande intensité qui n'agresse pas les papilles en les mordant comme trop souvent le font les chardonnays peu dosés fraîchement commercialisés. Les notes citriques d'agrumes jaunes sont bien présentes, elles rafraichissent une enveloppe effervescente soignée, serrée, nouée qui persiste en bouche. La vinosité est très pure, voire saline, elle illustre un champagne d'une grande personnalité assurément taillé pour la table. Une idée de plat ? Homard au beurre blanc qu'on pourra subtilement citronner.

LAURENT-PERRIER

L'indépendance est la ligne de conduite de cette grande maison fondée en 1812 par la famille Pierlot qui s'associe à la famille Le Roy au milieu du XIXe siècle. La maison est transmise à la fin du siècle à Eugène Laurent, alors chef de cave, qui, marié à Mathilde-Émilie Perrier, décide de « voir grand » : achat de domaines, creusement de galeries, rénovation, etc. L'essor est considérable, il mène au succès, il emporte aussi Eugène Laurent. Sa femme poursuit l'œuvre jusqu'en 1914, année où la Grande Guerre éclate. La marque Laurent-Perrier subit les affres de la crise économique, les années 1930 l'entraînent au bord du gouffre. Marie-Louise de Nonencourt, née Lanson, reprend la maison lorsque la Seconde Guerre mondiale éclate. Elle donne les rênes à son fils Bernard de Nonencourt en 1949 qui, patiemment, méthodiquement, va reconstruire Laurent-Perrier pour la conduire au sommet des grandes maisons. Avec le décès de Bernard de Nonencourt, en 2011, c'est une partie de l'histoire de la Champagne qui nous a quittés.

www.laurent-perrier.fr
Lieu : Domaine de Tours-sur-Marne – 51150 Tours-sur-Marne
Téléphone : 03 26 58 91 22

Cuvée Ultra-Brut

15/20 ▮ ▮ ▮▮ ▮ ▬ ▬ ▪▪ ▪▪ ✛

★★☆

🐖 🐖 🐖

Mère des cuvées dites Extra-Brut, la maison Laurent-Perrier a lancé celle-ci en 1981. Elle offre une constance de goût de pureté inégalée. Très océane, très aérienne, très fraîche, elle offre tout de même de la chair de fruits blancs (poires, pêches) dans une effervescence en parfaite harmonie, à la fois mousseuse et imprégnante. Droite, crayeuse et apéritive.

Cuvée LP Brut

15/20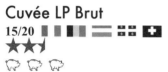
★★☆

🐷 🐷 🐷

Un nouvel habillage en 2011 pour ce champagne toujours franc, direct, frais en bouche avec des flaveurs axées sur les fruits blancs et jaunes. C'est une cuvée BSA plus typée que celle des autres grandes marques, car elle offre un léger rancio qui lui apporte la patine du temps qui passe, donc une certaine complexité. Un champagne de grande maison qui reste abordable.

Cuvée Rosé Brut

16/20
★★★

🐷 🐷 🐷 🐷

Pimpante, cette cuvée présente toujours des arômes de fleurs fraîchement cueillies et, pourtant, elle est davantage axée sur les petits fruits rouges comme la groseille et la fraise des bois tant au nez qu'en bouche. Un soupçon de notes cuites au cœur de l'effervescence abondante, mais fuyante, apporte un caractère vineux et d'évolution, très charmant – et peu habituel –, qui séduira les amateurs de rosés plus marqués que légers. Je dois noter un tarif de vente presque prohibitif sur le marché québécois (20 % d'augmentation en 2 ans !). Un tarif, frôlant celui des premières cuvées dites de prestige, qui n'est pas pour fidéliser le consommateur.

Cuvée Alexandra 1998 – Brut Rosé

17/20
★★★☆

🐷 🐷 🐷 🐷 🐷

Prénom de la fille aînée de feu Bernard de Nonencourt, cette cuvée rosée lancée pour la première fois à la fin des années 1980 est un vin de prestige, rare et soigné. Dégustée pour l'édition précédente du guide, elle n'a pratiquement pas bougé depuis un an et reste finement vineuse dans son caractère au moment de cette seconde dégustation (juillet 2012). Les arômes d'agrumes confits et travaillés (orangettes, liqueur d'oranges) sont toujours couronnés d'une légère touche grillée (noisettes, tabac blond). L'effervescence est compacte, serrée, dense, soyeuse, elle accompagne un crescendo fruité et gourmand pour terminer sa course sur une note acidulée de petits fruits rouges. C'est un grand vin rosé, exquis aujourd'hui, qui devrait être sublime vers la fin de cette décennie pour les amateurs de rancio du temps qui passe.

Cuvée Grand Siècle – Brut

18/20 ▎▌▐▐ ▬ ▪▪ 🇨🇭

★★★★

🐷 🐷 🐷 🐷

Une cuvée de prestige plus rare et originale que d'autres puisqu'elle ne présente pas un millésime, mais l'assemblage de plusieurs de haute qualité. Et ce qui trouble agréablement, c'est la constance du style : distingué et fin. Cette cuvée entremêle des flaveurs de tarte amandine, de nougat, de baklava dans une enveloppe de mousse soyeuse qui entoure pourtant un volume compact et moelleux. Une puissance contenue donc, retenue, tout en équilibre depuis l'attaque jusqu'à la finale vibrante, où percent des notes de marmelade. Un champagne qu'il faut laisser respirer dans le verre au moins dix minutes, qu'il faut préparer comme les grands événements qu'il peut accompagner.

LENOBLE

Un patronyme né par amour de la noblesse champenoise de son créateur, Armand-Raphaël Graser qui quitta son Alsace natale en 1915 pour venir fonder sa maison à Damery. Ce sont aujourd'hui ses arrière-petits-enfants, Antoine et Anne Malassagne qui gère le domaine de 18 hectares, permettant un apport de 60 % à l'approvisionnement général.

www.champagne-lenoble.com
Lieu : 35–37, rue Paul Douce 51480 Damery
Téléphone : 03 26 58 42 60

Cuvée Grand Cru – Brut – Blanc de Blancs Grand Cru

16/20 ▌▎▐▐ ▬ ▪▪ ➕ IP

★★★

🐷 🐷 🐷

Une cuvée à la fois gourmande et tranchante, qui fleure l'anis, le beurre, le riz au lait, puis les croissants. L'attaque est vive, elle mord pour ensuite être patinée par l'onctuosité de l'effervescence travaillée, réussie, fine et suave. Laissée quelques minutes dans le verre, elle révèle des accents d'acacia très accueillants. C'est un champagne de chardonnay plus gourmand que minéral, qui a facilement sa place à table.

LOUIS BARTHÉLÉMY

Une très jeune marque qui a juste 20 ans, mais un domaine bien plus ancien, dont les nouveaux propriétaires partagent leur temps entre la Champagne et le Rhône (Château Val Joanis). Rachetée en 2002 à la famille Lombard par la famille Chancel, cette maison s'appelait dans les années 1920 Baudry Lebrun & Cie. Le travail appliqué depuis 10 ans semble particulièrement prometteur, c'est une marque de champagne à suivre...

www.louis-barthelemy.com
Lieu : 1, rue des Côtelles 51200 Épernay
Téléphone : 03 26 59 57 40

Cuvée Améthyste – Brut

16/20 ▮ ▮ ▮▮ ▮ ▬▬ ▬ ▪▪ ▪▪ ✚ IP
★★★

🐷 🐷 🐷

Un champagne qui présente à la fois un fruité rouge (cerise, acidité de la canneberge) et jaune (pamplemousse) entremêlé de notes toastées, puis pâtissières à l'aération. Des parfums, en somme, très classiquement champenois, toutefois transportés par une effervescence nouée et onctueuse, patinée par le temps, qui apporte ce petit plus très séduisant (miel, champignons) et place cette cuvée au dessus de la moyenne des traditionnels « Brut sans année ».

LOUIS ROEDERER

Frédéric Rouzaud a succédé à son père Jean-Claude Rouzaud, en 2006, à la tête de cette somptueuse maison familiale qui est à l'origine de l'idée de cuvée de prestige en Champagne. Au-delà du talent des hommes et des femmes qui font et illustrent cette maison, la constance du style et de la qualité des vins Roederer est due à 2 facteurs essentiels : la majorité des approvisionnements en raisins (au moins les deux tiers) issue des 230 hectares en propriété (55 ha en biologique et biodynamie depuis 2000) et l'usage des vins de réserve, élevés en foudres. On y ajoutera l'absence de fermentation malolactique partielle qui permet une grande endurance à toutes les cuvées. Parmi les nouveautés ? Une cuvée Extra-Brut devrait prochainement voir le jour et les bouteilles sont de couleur feuille morte depuis le millésime 2006.

www.champagne-roederer.com
Lieu : 1, boulevard Lundy – 51100 Reims
Téléphone : 03 26 40 42 11

Cuvée Brut Premier

16/20 ▮▮▮▮ ▬▬ ▪▪ ✚
★★★

🐷 🐷 🐷

À la fois vineuse et fraîche, briochée et florale, cette cuvée est très représentative du style de la maison, où s'entremêlent les flaveurs de fruits secs, de crêpes vanillées et de thé. Très rond, presque riche grâce à sa mousse onctueuse, ce vin présente une minéralité qui s'efface pour laisser place à la vigueur et à l'opulence tout en laissant de la distinction. Une cuvée qui peut facilement soutenir le foie gras poêlé d'une entrée recherchée.

Cuvée Rosé 2005 – Brut

16/20 ▮▮▮▮ ▬▬ ▪▪ ✚
★★★

🐷 🐷 🐷 🐷

Nez délicat de vanille, de chocolat blanc, de palmier, puis de crème pâtissière, très étonnant pour un rosé. Le fruité rouge se présente en bouche dans une mâche qui semble « pinoter ». L'ensemble est sec, expressif, presque corsé, toutefois onctueux grâce à une effervescence travaillée et soyeuse. C'est un champagne de grand caractère, établi pour la table.

Cuvée Rosé 2007 – Brut

16/20 ▮ ▮ ▮▮ ═ ▪▪ 🇨🇭 IP
★★★

🐖 🐖 🐖 🐖

Nez d'abord très légèrement épicé, pour ensuite revenir sur des arômes de fruits provençaux (melon, pêche, abricot) qu'on retrouve dès l'attaque en bouche. L'effervescence offre des bulles au calibre moyen, toutefois nouées. Les arômes sont plus rouges (cerise, framboise) et légèrement grillés (cacao) en bouche, on distinguerait presque des tanins. C'est un champagne solide qui ne manque pas de charme.

Cuvée Blanc de Blancs 2005 – Brut

18/20 ▮ ▮ ▮▮ ═ ▪▪ 🇨🇭 IP
★★★★

🐖 🐖 🐖 🐖

Nez discret et net de meringue et de poire. Attaque vive en bouche, immédiatement enveloppée par le comportement de l'effervescence fondante. Le millésime a apporté beaucoup de concentration, elle s'illustre par des arômes de salade de fruits blancs bien mûrs, toutefois rafraîchis par la minéralité qui enveloppe la bouche. L'effervescence est soyeuse, très fine, plus frizzante que spumante, elle rappelle des cuvées Saten de Franciacorta (la liqueur de tirage a dû être peu élevée). C'est un champagne encore jeune, légèrement tendu, serré, qui a un potentiel de garde énorme grâce à une conjugaison parfaite de la matière et de la fraîcheur. Un équilibre impeccable.

Cuvée Vintage 2005 – Brut

18/20 ▮ ▮ ▮▮ ═ ▪▪ 🇨🇭 IP
★★★★

🐖 🐖 🐖 🐖

Quel nez ! Il passe par un crescendo d'arômes remarquable : poire, anis, génoise, biscuit sablé, chocolat blanc, cappuccino léger. L'effervescence en bouche est fondante, tapissante, onctueuse, riche. L'équilibre entre la tension et le fruité blanc, entre l'attaque et la finale comble la dégustation. On y retrouve la même évolution aromatique initialement perçue. C'est un très grand champagne millésimé.

Cuvée Cristal 2004 - Brut

19/20 ▮ ▮ ▮▮ ═ ▪▪ 🇨🇭 IP
★★★★⌟

🐖 🐖 🐖 🐖 🐖

Plus généreux, plus fruité aussi que le 2002, il se montre par ailleurs aussi précoce dans son évolution, puisque déjà pâtissier dans ses arômes, même si quelques notes de tilleul et de pomme se laissent encore capter au sein de la minéralité enveloppante. D'une grande plénitude en bouche, son enveloppe acidulée le prédispose toutefois à une très longue garde. C'est un champagne qui s'ouvre lentement, un très grand vin blanc à mettre en cave.

LOUISE BRISON

Situé au cœur de l'Aube, dans la Côte des Bar autrefois décriée, aujourd'hui devenue le grenier précieux de la Champagne du nord, la maison Louise Brison, c'est avant tout Francis Brulez et ses deux filles Elsa (commercialisation) et Delphine (vinification), un trio familial qui depuis plus de dix années s'est attaqué au marché mondial. Homme généreux et authentique, Francis Brulez construit sa marque depuis 1991, en s'attachant à améliorer la qualité de ses vins et en contrôlant ses 12 hectares de vignes (lutte raisonnée).

www.louise-brison.fr
Lieu : 10, Le Grand Mallet - 10360 Noé-les-ı
Téléphone : 03 25 29 62 58

Cuvée Tendresse 2004
Blanc de Blancs - Brut

16/20 ▮ ▮ ▮▮ ═ ▪▪ 🇨🇭 IP
★★★

🐖 🐖

Plus complexe que l'année dernière dans le crescendo de ses arômes pâtissiers (tarte au citron, brioche, baklava), son enveloppe moins citrique accentue les parfums de céréales du matin et d'amandes grillées qu'on découvre en bouche et qui perdurent jusqu'en finale. L'effervescence est tendre, onctueuse, les bulles de calibre moyen sont nouées, curieusement moins fugaces qu'en 2011. C'est un champagne gourmand, très agréable aujourd'hui, qui peut toutefois se glisser en cave jusqu'en 2015. À table ? Un filet de sole aux fruits de mers et champignons comme aime le préconiser Francis Brulez.

Cuvée Millésime 2006 – Brut

16/20 ■ ■ ■ ■ ▬ ▬ ▪▪ ▪▪ 🇨🇭 IP

★★★

Un champagne qui présente une structure solide, très équilibrée dans le comportement, avec une attaque en bouche qui mord de ses arômes acidulés de petites baies rouges, une effervescence aérienne, toutefois tapissante, et une finale tendue où pointent quelques accents grillés nets et perdurants. Incontestablement taillé pour la table, je préconiserais même un petit gibier à plumes comme une perdrix aux raisins blancs et petits oignons.

LUDOVIC DAVID

Depuis bientôt trente ans, Ludovic David élabore et distribue son champagne après avoir succédé à 3 générations de vignerons. Le pinot noir et le pinot meunier dominent les cuvées globalement plus droites et rafraîchissantes que profondes et aromatiques.

www.champagne-david.com
Lieu : 63, rue de Tincourt 51700 Villers-sous-Châtillon
Téléphone : 03 26 57 10 48

Cuvée Brut

14/20 ■ ■ ■ ■ ▬ ▬ ▪▪ ▪▪ 🇨🇭 IP

★★★

Bulles très fines, attaque acidulée, axée sur les agrumes, puis sur le vinaigre de Xérès à l'ouverture. D'une grande fraîcheur de jeunesse, l'effervescence est réussie, le volume est ample, plein, tapissant, il contraste avec les flaveurs toniques et pointues. L'attente dans le verre durant un quart d'heure n'a pas atténué la personnalité pimpante du vin pour lui apporter de la profondeur, c'est un champagne nerveux qui ouvre l'appétit.

Cuvée Prestige Brut

15/20 ▮ ▮ ▮▮ ▬ ▪▪ ✚ IP

★★★

🐷 🐷 🐷

Nez légèrement toasté, pourtant davantage axé sur des notes de foin, d'amande fraîche, puis de noix de coco. Volume léger, peu crémeux, toutefois imprégnant sans être pénétrant, ce champagne garde en bouche les arômes initialement dévoilés. Il gagnera à être attendu au moins 3 ans après son achat.

MAILLY

Une coopérative qui regroupe 81 vignerons, bénéficiant de 70 hectares de vignes sur 450 parcelles et du modernisme d'installations de vinification au sein d'un village classé Grand Cru. L'élevage des vins se fait en cave, dont les premiers couloirs ont été creusés par 20 mètres de fond au début des années 1930.

www.mailly.fr
Lieu : 28, rue de la Libération 51500 Mailly Champagne
Téléphone : 03 26 49 42 27

Cuvée Grand Cru – Extra Brut

13/20 ▮ ▮ ▮▮ ▬ ▪▪ ■ IP

★⟩

🐷 🐷

Un vin nuancé dans ses arômes (iode, bergamotte) où l'on perçoit une minéralité un peu dure en bouche, heureusement fruitée grâce aux accents d'agrumes à l'attaque, puis de fruits confits en finale. Les bulles tapissent sans s'imposer, le volume est léger, crayeux, poreux. Un champagne déroutant et austère, qui pourrait gagner en profondeur grâce à quelques mois de plus lors de la seconde fermentation.

Grand Cru Blanc de Noirs

15/20 ▮▯▮▮▮ ▭▭ ▪▪▪ ✚ IP
★★★◗
🐷 🐷

Frais, tonique, vigoureux dans les arômes, dans le comportement de l'effervescence en bouche, dans la texture et dans la persistance, ce champagne porté sur des notes de fruits cuits (pommes au four) est épicé, ferme et droit. Un pinot noir à l'état brut, présenté sous une charpente solide, parfaitement travaillée.

Cuvée Grand Cru – Brut Rosé

15/20 ▮▯▮▮▮ ▭▭ ▪▪▪ ✚ IP
★★★◗
🐷 🐷

Très sec, ce rosé peu dosé a des flaveurs de fraises et de framboises. Tendre, voire gras en bouche, il gagne en vivacité et démontre sa charpente grâce à une finale sèche, nette et peu longue, aux accents d'abricots secs. Un bon rosé d'apéritif.

MARC CHAUVET

Le nom Chauvet est déjà mentionné dans la commune de Rilly au XVIe siècle. Clotilde et Nicolas Chauvet poursuivent aujourd'hui encore le travail de vigneron de leurs aïeux en proposant des vins authentiques.

www.champagne-marc-chauvet.com
Lieu : 1 et 3, rue de la Liberté – 51100 Rilly-la-Montagne
Téléphone : 03 26 03 42 71

Cuvée Brut Sélection

15/20 ▮▯▮▮▮ ▭▭ ▪▪▪ ✚ IP
★★★◗
🐷 🐷 🐷

Nez net et aromatique de chausson aux pommes, très séduisant. On retrouve dès l'attaque en bouche ces notes de pommes chaudes dans un volume gras, enveloppant, formé par des bulles plus éclatantes que fines. Assez dosé, son acidité équilibre l'ensemble qui reste frais pour offrir un champagne à la finale un peu épicée, puissante et plaisante. Excellent en apéritif gourmand.

Cuvée Rubis Brut Rosé

15/20 ▮ ▮ ▮▮ ▮ ═ ▪▪ ➕ IP

★★★⤣

🐖 🐖 🐖

Tendre et raffiné, c'est un champagne axé sur les fruits rouges (framboises, fraises, cerises), au nez comme en bouche. L'effervescence est abondante, peu riche, peu grasse, mais fine. Fruité, un peu corsé, développant une pointe fumée en finale, ce champagne conviendra, par exemple, sur des noix de Saint-Jacques rôties.

MARIE COURTIN

2,5 hectares en une seule parcelle cultivée en biodynamie depuis 2000 dans le « grenier » de la Champagne. Dominique Moreau est aujourd'hui à la tête d'une modeste maison de grande qualité qui porte le nom de sa grand-mère.

Lieu : 8, rue de Tonnerre 10110 Polisot
Téléphone : 03 25 38 57 45

Cuvée Résonance – Brut

15/20 ▮ ▮ ▮▮ ▮ ═ ▪▪ ➕ IP

★★★⤣

🐖 🐖

Nez très minéral et typé, axé sur la levure de boulanger, la craie, le citron et le pain blond. L'effervescence est guidée par des bulles au calibre moyen, toutefois tapissantes, ce qui apporte une onctuosité à la dégustation qui termine sa course de façon un peu abrupte. Un vin droit et épuré, aux notes heureuses et délicates de brioche.

Cuvée Efflorescence 2007 – Pinot Noir Extra-Brut

17/20 ▮ ▮ ▮▮ ▮ ═ ▪▪ ➕ IP

★★★

🐖 🐖 🐖

Tranchant parce qu'encore jeune, son imposante structure distille un fruité rouge net et ciselé que l'effervescence serrée, compacte et riche vient patiner et arrondir. Laissé de côté quelques instants afin qu'il s'aère et se donne davantage, il a alors présenté des accents plus grillés qui rappellent le pain de campagne frais et de justes notes céréalières en finale. C'est un champagne ferme et autoritaire, à la personnalité affirmée, qui peut aisément passer à table sur une volaille brune en sauce.

MARIE DEMETS

Une famille vigneronne depuis 3 générations qui a vendu ses raisins jusqu'en 1987, date à laquelle elle décida de construire ses propres cuvées à partir des 10 hectares plantés dans la Côte des Bar. 110 000 bouteilles plus tard, on peut apprécier 5 cuvées où, à l'exception d'un 100 % chardonnay, le pinot noir domine toujours les assemblages.

www.champagnemariedemets.fr
Lieu : 7, rue des Vignes 10250 Gyé sur Seine
Téléphone : 03 25 38 23 30

Cuvée Réserve Brut

14/20 ∎∎∎∎∎ ══ ▪▪ ✚ IP
★★

🐷 🐷

La vivacité de l'attaque en bouche est appuyée par des arômes un peu herbacés, puis citronnés. Cet aspect mordant est néanmoins arrondi par une effervescence maîtrisée, très fine, qui termine sa course sur des notes de sous-bois, de rosée du matin. Un élevage de quelques mois supplémentaires pourrait apporter plus de plénitude et de charme à cette cuvée davantage orientée vers l'apéritif que vers un service à table.

Cuvée Tradition Brut

14/20 ∎∎∎∎ ══ ▪▪ ✚ IP
★★

🐷 🐷

Un champagne mature, aux arômes d'agrumes très mûrs entremêlés de notes de baguette croustillante, qui se distingue surtout par une effervescence fine et persistante, très réussie. La structure est légère, elle a assez de tenue pour en profiter à table sur un service de volaille rôtie.

Cuvée Brut Rosé

16/20 ▌▌▐▌▌ ═══ ▪▪ ✚ IP
★★★

🐖 🐖

Beau champagne à la vinosité bien présente, dégageant des arômes de petites baies rouges au sein d'une fermeté en bouche qui le distingue de bien des rosés champenois, souvent légers et fugaces. Le pinot noir offre ici la signature locale, plus bourguignonne, il est plein et solide, la finesse des bulles qui le transporte offre une texture compacte en bouche qui ne manque pas toutefois d'onctuosité. Les amateurs de champagne solide seront conquis.

MICHEL GONET

Sophie Signolle gère cette maison qui a vu le jour en 1802 au Mesnil-sur-Oger et dont les raisins sont issus de 40 hectares en propriété, essentiellement plantés dans la Côte des Blancs. C'est au début des années 1970 que la famille Gonet s'installe dans le village voisin d'Avize. Toute la famille qui dispose également de vignes à Bordeaux (châteaux d'Eck, La Rose Videau, Haut Bacalan et Lesparre) est dans l'univers du vin. Depuis 2010, Sophie Signolle a pris le virage de la culture biologique et biodynamique pour ses vins champenois.

www.champagnegonet.fr
Lieu : 196, avenue Jean Jaurès – 51190 Avize
Téléphone : 03 26 57 50 56

Cuvée Blanc de Blancs Grand Cru

16/20 ▌▌▐▌▌ ═══ ▪▪ ✚ IP
★★★

🐖 🐖 🐖

Une cuvée qui charme, une cuvée qui est tout en richesse, aussi bien dans le fruité que dans la texture. La minéralité du cru laisse la place à des notes de pain brioché aux raisins secs, l'effervescence est pleine, foisonnante. Cette exubérance file vers la sobriété en finale où la tension du chardonnay reprend sa place.

MICHEL LORIOT

Comme la plupart des modestes familles de vignerons en Champagne qui ne possèdent pas plus de 10 hectares de vignes, la majorité des raisins a longtemps été vendue aux grandes maisons. Michel et Martine Loriot ont repris l'exploitation familiale à la fin des années 1970. Jusqu'alors, la maison ne consacrait pas sa vendange à toutes ses cuvées. Disposant de 3 hectares avant la Seconde Guerre mondiale, le grand-père de Michel, Germain Loriot avait élaboré les premiers flacons à son nom en 1931, tandis que son arrière-grand-père Léopold Loriot fournissait son raisin à une grande maison d'Épernay. C'est grâce à son père, Henri Loriot, qui acheta 3 hectares supplémentaires en 1952, que la famille put progressivement augmenter ses tirages personnels.

www.champagne-michelloriot.com
Lieu : 13, rue de Bel Air - 51700 Festigny
Téléphone : 03 26 58 34 01

Cuvée Extra-Brut

14/20 ■ ■ ■ ■ ═ ▪▪ ▪▪ ✚ IP
★★
🐷 🐷

Le pinot meunier domine nettement l'assemblage, il est expressif et grillé (notes de raisins frais, d'orge et d'amandes), plus sec dans le tempérament que vineux et profond, l'effervescence abonde à travers des bulles de calibre moyen, un peu fuyantes en finale. C'est un champagne de facture classique, aérien dans le comportement, qui conviendra parfaitement à l'apéritif.

Cuvée Brut Prestige

14/20 ■ ■ ■ ■ ═ ▪▪ ▪▪ ✚ IP
★★
🐷 🐷

Peut-être le champagne le plus ferme de la maison, le plus typé « champagne », toutefois moins original que les autres cuvées. Notes d'anis au premier nez, puis de pain grillé blond à l'aération, qu'on retrouve plus affirmées dès l'attaque en bouche. Les bulles nouées sont de calibre moyen, elles construisent une effervescence persistante où pointent quelques accents floraux en finale. Une entrée d'huîtres lui conviendrait parfaitement.

Cuvée Rosé Brut

16/20 ▮ ▮ ▮▮ ▬ ▪▪ ▪ IP

★★★

🐖 🐖

Classique et fruité (noyaux de cerise, groseille, canneberges), un peu amylique en bouche, les bulles diffusent les arômes initiaux perçus au sein d'une texture ronde, peu profonde. C'est un champagne rosé d'apéritif plus délicat que costaud, aux notes fumées originales perceptibles en finale. Une idée d'accord ? Il s'est révélé en parfaite harmonie avec un jeune Gouda.

Cuvée Réserve Brut – Blanc de Noirs

15/20 ▮ ▮ ▮▮ ▬ ▪▪ ▪ IP

★★⭑

🐖 🐖 🐖

Un bon champagne – toujours 100 % pinot meunier - au bouquet expressif et typé (anis, agrumes, beurre, rancio délicat), à l'effervescence construite autour de bulles bien nouées, juste assez volumineuses pour éclater en finale et apporter la fraîcheur attendue. Abordable et bien fait.

Cuvée Pinot Meunier Vieilles Vignes Brut Millésimé 2006

16/20 ▮ ▮ ▮▮ ▬ ▪▪ ▪ IP

★★★

🐖 🐖 🐖

Nez de raisins très mûrs, de pâtisseries légèrement beurrées et de fruits secs qu'on retrouve dès l'attaque en bouche au sein d'une effervescence veloutée. Moins volumineux et plus pointu en bouche que le 2004, mais tout aussi aromatique, ce champagne devrait se montrer plus bavard dans deux ou trois ans; il est aujourd'hui très agréable à déguster et je préconise d'être patient une fois versé dans le verre, car il distille de fines notes grillées qui rappellent les céréales du matin. Un champagne typé, original, d'une belle signature.

MOËT & CHANDON

Fondée en 1743, l'histoire de cette maison se confond à celle de la Champagne. Elle est l'ambassadrice de la bulle champenoise partout dans le monde. La constance et la fiabilité du goût et des saveurs de ses cuvées, en particulier le Brut Impérial, sont remarquables. Elles prouvent l'immense talent des scientifiques et des maîtres de cave de la marque qui, liés aux systèmes de la vente et de la publicité internationales, imposent le respect.

www.moet.com
Lieu : 20, avenue de Champagne – 51220 Épernay
Téléphone : 03 26 51 20 00

Cuvée Brut Impérial

16/20 ▮ ▮ ▮ ▮ ▬ ▬ ▪▪ ▪▪ ✚
★★★

🐷 🐷 🐷

Le BSA de la grande maison a évolué vers un dosage moins élevé. Ajoutez à ce constat un élevage sans doute supérieur à 22 mois et vous obtenez une cuvée plus crémeuse et plus chaude dans ses arômes (poires, fruits jaunes confits) que par le passé. Une pointe d'amertume en finale titille agréablement les papilles, on retient toutefois l'équilibre qui court tout au long de la dégustation de ce champagne moins conventionnel qu'autrefois. Et pour la cuvée la plus produite et commercialisée dans le monde, c'est un exploit.

Cuvée Nectar Impérial

14/20 ▮ ▮ ▮ ▮ ▬ ▬ ▪▪ ▪▪ ✚
★★

🐷 🐷 🐷

Ce champagne demi-sec est marqué par des flaveurs tropicales (ananas, vanille, cannelle) et une empreinte séveuse, collante en bouche, illustrée par sa mousse onctueuse, voire moelleuse, son dosage aux notes de tire d'érable et sa finale de fruits secs. Un champagne un peu lourd qu'on pourrait essayer avec des fromages à pâtes persillées.

Cuvée Rosé Impérial – Brut

15/20 ▮ ▮ ▮▮ ▬ ▪▪ ✚

★★★

🐷 🐷 🐷

Plutôt gras, assez fruité (fraises, groseilles), un peu tannique (noyaux de cerise), c'est un vin expressif, franc et corsé qui joue davantage sur la vinosité grillée, voire fumée que sur la minéralité, même si quelques notes de rose viennent le ponctuer de fraîcheur. Équilibré, il est construit, très prévisible, aussi bien dans le comportement de son effervescence, souple et courte, que dans sa finale légèrement amère. Un champagne rosé pour tous les moments.

Cuvée Ice Impérial – Demi-Sec

14/20 ▮ ▮ ▮▮ ▬ ▪▪ ✚ IP

★★

🐷 🐷 🐷

Le vin est plaisant, autant que la cuvée Nectar Impérial qui lui ressemble étrangement et qui procède sans doute du même dosage ou d'une recette variante. Par ailleurs, en allongeant un champagne à la glace, donc à l'eau, on en atténue progressivement l'effervescence qui révèle alors la qualité ou non de la vinosité. Le test fait, il faut reconnaître que le Ice Impérial se montre attrayant et exotique dans ses arômes (ananas, papaye, mangue, fruits secs) peu lourds, et forcément rafraîchissants… s'il reste quelques glaçons ! L'habillage est très attrayant et même au Québec l'hiver, dans les Alpes ou dans les Rocheuses, il pourrait réchauffer les soirées ! Un champagne dans tous les cas pour la chaleur nocturne des boîtes de nuit, des nuits dansantes chez soi, dans le salon, en bordure de plage, de lac ou de piscine, c'est comme vous voulez. Un champagne qui sent les vacances !

Cuvée Grand Vintage Collection 1992
Brut – Dégorgé en 2010

17/20 ▮▮ ▮▮▮ ═ ▦ ✚ IP
★★★✦

🐷 🐷 🐷 🐷

Une cuvée rare et novatrice dans le portefeuille de Moët & Chandon qui va commercialiser de vieux millésimes dégorgés tardivement, les amateurs apprécieront. Le nez est ici très expressif, orienté vers des parfums de frangipane, de sous-bois, de champignons, l'ensemble étant légèrement caressé par une note d'humidité, plus iodée qu'oxydée. Complexe dans ses flaveurs, riche dans sa texture grâce à des bulles perlantes, logiquement peu persistantes, c'est un champagne pour amateurs de rancio délicat qui s'acoquinera aisément à table sur une poularde aux morilles.

MOUSSÉ FILS

Cette modeste maison familiale de la vallée de la Marne est basée à Cuisles, village presque équidistant de Reims et d'Épernay. Comme de nombreux agriculteurs champenois établis depuis le début du XVIIIe siècle, la famille Moussé a d'abord vendu ses raisins aux maisons négociantes avant d'enregistrer sa marque et d'élaborer ses propres cuvées dès les années 1920, dans la période qui a suivi la reconstruction du vignoble marnais, touché par la crise phylloxérique et les affres de la Grande Guerre. Elle dispose aujourd'hui de 5,5 hectares où le pinot meunier domine l'encépagement.

www.champagnemoussefils.com
Lieu : 5, rue de Jonquery 51700 Cuisles
Téléphone : 03.26.58.10.80

Cuvée Opale – Blanc de Blancs – Brut

16/20 ▮▮ ▮▮▮ ═ ▦ ✚ IP
★★★

🐷 🐷 🐷

Le premier nez est délicat, voire fermé, il faut attendre quelques minutes avant que certains arômes se libèrent. Le vin dévoile alors des arômes de blanc d'œuf en neige, de mie de pain, de fleurs blanches, de chair d'amandes fraîches, on pense à une minéralité saline. L'attaque en bouche confirme cette sensation « ozonée » où tout apparaît blanc et pur, elle est vive et jeune, immédiatement nourrie par le comportement noué des bulles qui, grâce à leur finesse, apportent une heureuse texture satinée où se développe, en finale, une éphémère note pâtissière de biscuit sec. Le champagne d'apéritif ou d'entrée « maritime », par excellence.

Cuvée Or Tradition – Blanc de Noirs – Brut

14/20 ▌ ▌ ▌▌ ▬▬ ▦▦ ✚ IP

★★

🐖 🐖 🐖

Nez expressif axé sur un fruité rouge discret que quelques notes grillées blondes viennent surmonter. L'attaque est vive, l'effervescence se montre plus aérienne que gourmande, la texture est soyeuse, souple, elle conduit des arômes très légèrement beurrés, puis pâtissiers en finale. C'est un champagne plus élégant que massif, plus apéritif que gourmand que je préconise aur une entrée de poisson.

Cuvée Spécial Club – Pinot Meunier 2005

16/20 ▌ ▌ ▌▌ ▬▬ ▦▦ ✚ IP

★★★

🐖 🐖 🐖

Nez très expressif au crescendo classique, toutefois éclatant de levure de boulanger, de pâte à pain fraîche, de beurre frais, puis de pêche blanche. Le temps semble avoir travaillé l'effervescence qui est davantage onctueuse que sur les autres cuvées de la maison. La texture est pleine et riche, compacte dans le volume, les bulles sont nouées et persistantes, elles apportent un bel équilibre entre fraicheur et gourmandise. C'est un champagne prêt à boire aujourd'hui, je le préconise à table sur un plat de poisson à chair grasse.

Cuvée Millésime 2004 – Brut

17/20 ▌ ▌ ▌▌ ▬▬ ▦▦ ✚ IP

★★★⬩

🐖 🐖 🐖

Le nez est subtil, charmeur et pâtissier (tarte feuilletée aux fruits blancs, brioche confite), il offre une palette aromatique originale de raisins frais, de poire pochée, voire de baba au rhum après plusieurs minutes. Comme pour la plupart des cuvées de la maison, le volume en bouche est aérien, malgré des bulles nouées qui présentent une belle persistance. C'est un champagne qui se comporte avec un grand équilibre en bouche depuis l'attaque jusqu'à la finale, lui permettant aisément d'être présenté à table sur un plat de viande blanche.

NATHALIE FALMET

Vigneronne et œnologue ! Cherchez-les en Champagne ! Après ses études dans les années 1990 et l'ouverture d'un laboratoire-conseil dans l'Aube, Nathalie Falmet a repris une partie du domaine familial et vinifie ses propres vins depuis 2006, secondée par sa fille Claire. Elle a commencé à commercialiser ses vins en 2009. C'est en 2012 qu'une nouvelle cuvée est sortie, un rosé Brut.

www.champagne-falmet.com
Lieu : 1, rue Saint-Maurice 10200 Rouvres Les Vignes
Téléphone : 06 07 02 74 27

Cuvée Brut Nature

16/20 ▐ ▐ ▐▐ ═ ▐▐ 🇨🇭 IP
★★★
🐖 🐖

Un champagne au caractère affirmé (100 % pinot noir non dosé), presque autoritaire à l'attaque avec des arômes d'abord austères, crayeux et farineux. Il faut absolument le laisser s'aérer pour se laisser séduire par un crescendo presque logique : poire, fleurs blanches, pamplemousse, biscuits secs, noisette fraîche. Une signature Falmet semble se dessiner sur l'effervescence : tout est soyeux et d'une rare précision, les bulles sont menues et persistantes, une vraie crème se dessine en bouche. Ce champagne produit des arômes de noisettes fraîches et de lait à la vanille après plusieurs minutes d'ouverture.

Cuvée Brut

16/20 ▐ ▐ ▐▐ ═ ▐▐ 🇨🇭 IP
★★★
🐖 🐖

Nez frais, d'abord citrique avec une petite pointe de levure qui se laisse capter pour très rapidement se laisser occulter par des arômes de pommes et de poires qu'on retrouve dès l'attaque en bouche. Après quelques minutes dans le verre, le vin s'ouvre et présente des arômes plus charmeurs de mirabelle et d'anis. La texture est alors fondante (voire confondante), les bulles sont d'une très grande finesse, elles rappellent les cuvées Saten du Franciacorta, tout est très fin et onctueux. C'est un champagne surprenant, car ses arômes expriment la minéralité et la jeunesse alors que le comportement de son effervescence exprime le temps passé. Vif, frais et satiné, il sera impeccable sur des canapés à base de fruits de mer.

Cuvée Brut – Le Val Cornet

17/20 ▮ ▮ ▮▮ ▬ ▪▪ ✚ IP

★★★↓

🐷 🐷

Tout est intense et expressif dans cette cuvée, la couleur comme les parfums et l'effervescence. Cette dernière déborde de bulles fines, curieusement plus « ozonées » que dans les autres cuvées du domaine. La matière transporte des arômes exotiques, voire épicés (coco, fruits jaunes, poivre rose). Laissé quelques minutes en aération afin d'obtenir une effervescence plus tendre, le vin a présenté des notes d'élevage charmeuses qui habillaient le fruité de noyau du pinot. Un champagne du sud original et de grande qualité, mieux noté que dans l'édition 2012, car les parfums se font plus subtilement boisés et réglissés, et son effervescence est plus onctueuse. À découvrir absolument.

Cuvée Tentation Rosée

15/20 ▮ ▮ ▮▮ ▬ ▪▪ ✚ IP

★★↓

🐷 🐷

Intense dans la couleur (base 2009, le premier rosé élaboré par Nathalie Falmet), discret au premier nez alors qu'on s'attendrait à une vinosité marquée. L'attaque est toutefois légèrement vineuse, quelques accents de cerises, puis de noyaux de cerises se laissent capter pour ensuite percevoir un fruité orienté vers la framboise. Peu complexe dans les arômes en bouche, très légèrement tannique, c'est un champagne rosé bien élaboré, de facture classique, qui ne se distingue pas autant que les autres cuvées de la maison. Vivement une dégustation de la base 2010.

NICOLAS FEUILLATTE

Le Centre Vinicole Champagne Nicolas Feuillatte réunit plus de 5 000 vignerons qui offrent leurs raisins issus de plus de 2 000 hectares ! C'est une aventure extraordinaire que celle de Nicolas Feuillatte, héritier d'une dizaine d'hectares il y a 30 ans, qui décida d'entrer dans l'histoire du champagne en réunissant des vignerons au sein d'une gigantesque coopérative. Plus de 8 millions de bouteilles plus tard, son nom s'impose partout dans le monde.

www.feuillatte.com
Lieu : BP 210 Chouilly – 51206 Épernay
Téléphone : 03 26 59 55 50

Cuvée Réserve Particulière – 1er Cru – Brut

15/20 ■ ■ ■ ■ ═ ▪▪ ▪▪ ✚
★★☽

🐖 🐖 🐖

Frais, printanier au nez (fleurs, fraises, abricots), gourmand et pâtissier en bouche (pain au lait), la finesse de bulles apporte une distinction dans le comportement de ce champagne, peu sophistiqué, mais droit, sans défaut et sans complexe. Le champagne polyvalent par excellence. Avec la même bouteille dégustée 4 jours plus tard, légèrement décarboxilée, le vin se montre sur les fruits secs (abricot et raisin), les bulles sont logiquement effacées, mais le charme agit, la texture est suave, les parfums sont plus profonds. Tentez l'expérience ! (comme avec d'autres champagnes d'ailleurs).

Cuvée Brut Rosé

14/20 ■ ■ ■ ■ ═ ▪▪ ▪▪ ✚
★★

🐖 🐖 🐖

Excellente vinosité qui s'exprime à la fois dans une enveloppe charnue, grenue, autour de flaveurs de salade de fruits rouges, voire noirs. C'est un rosé qui a la puissance pour soutenir un service à table de petits gibiers ou un fromage gras et puissant. Il séduira les amateurs de rosés plus torréfiés que délicats.

OLIVIER HORIOT

Olivier Horiot a repris le domaine de son père Serge en 1999. Adoptant alors la culture biologique, il a décidé que ses champagnes représenteraient davantage le terroir qui les constitue. Remarqué pour ses vins tranquilles Rosés des Riceys, son rosé effervescent n'en demeure pas moins réussi.

www.horiot.fr
Lieu : 25, rue de Bise, 10340 Les Riceys
Téléphone : 03 25 29 32 16

Cuvée Sève – Brut – En Barmont

16/20 ▮ ▮ ▮▮ ═ ▰▰ ✚ IP

★★★

🐖 🐖 🐖

Nez expressif, orienté sur un fruité rouge quelque peu cuit, voire complexe grâce à des accents subtils de zestes d'oranges confits. Les bulles sont fines, presque perlantes, très attachées, curieusement fuyantes en bouche. La texture est satinée, tapissante et enveloppante, elle offre un fin rancio dans les parfums qui rappellent la praline, puis le tabac brun. C'est un champagne rosé original à la signature affirmée qu'on peut découvrir sur un apéritif où les canapés à base de saumon fumé seront bien traités.

PASCAL DOQUET

Le domaine de Pascal Doquet est issu depuis 1974 des parcelles qu'il a rachetées à ses parents des familles Doquet et Jeanmaire. Désirant les conduire dans le respect de l'environement, il a acquis l'ensemble des parts en 2004, en vue d'obtenir une certification biologique, reçue en 2007. Son vignoble est constitué de 8,66 hectares dont 5,19 répartis sur la Côte de Blancs.

www.champagne-doquet.com
Lieu : 44, chemin du Moulin de la Cense Bizet 51130 Vertus
Téléphone : 03 26 52 16 50

Cuvée Extra-Brut – Blanc de Blancs
Premiers Crus de la Côte des Blancs

15/20 ▮▮▮▮ ▬▬ ▪▪ ✚ IP
★★★

🐷 🐷 🐷

Le nez est d'abord discret, axé sur les levures, puis sur des notes pâtissières à l'aération. Sec dès l'attaque, le volume en bouche se montre léger et gonflé, illustré par des bulles de calibre moyen, toutefois tapissantes et persistantes. Un champagne minéral, intense, digeste.

Cuvée Blanc de Blancs – Brut

16/20 ▮▮▮▮ ▬▬ ▪▪ ✚
★★★

🐷 🐷

Déjà dans le précédent guide, cette cuvée dégustée en février 2012 pour cette nouvelle édition se montre plus flatteuse, plus briochée. Les arômes de fenouil et de tarte au citron ont laissé place à des notes pâtissières. Parfumé, voire puissant en bouche, ce vin est magnifié par une effervescence riche et tapissante qui permet une grande longueur aromatique. Une excellente cuvée.

Cuvée Grand Cru 2002
Le Mesnil-sur-Oger
17/20 ▮ ▮ ▮▮ ═ ▪▪ ➕ IP
★★★✦

🐷 🐷 🐷

Une cuvée qui apparaît mature aujourd'hui et qui présente un beau crescendo d'arômes, logiquement plus pâtissiers que lorsque dégustés l'année dernière : silex, poire pochée, amande fraîche, tarte au citron, palmier, lait au miel. La texture en bouche est veloutée, l'effervescence présente des bulles paquetées, toutefois vives et persistantes qui mènent à une finale où l'on perçoit une fraîcheur encore saline. Un excellent champagne plus fin que consistant qui sera impeccable sur un plateau de fruits de mer.

PAUL BARA

Sise à Bouzy depuis 1883, cette maison familiale est aujourd'hui conduite par Chantal Bara dont les vignes ont une moyenne d'âge de 25 ans. Les plus anciennes (autour de 40 ans) étant réservées aux vins millésimés.

www.champagnepaulbara.com
Lieu : 4, rue Yvonnet 51150 Bouzy
Téléphone : 03 26 57 00 50

Cuvée Grand Rosé – Brut
16/20 ▮ ▮ ▮▮ ═ ▪▪ ➕ IP
★★★

🐷 🐷 🐷

Un champagne au caractère affirmé, qui a de la mâche grâce à ses notes de noyaux de cerises dont on décèlerait presque les tanins. L'acidité, proche de celle des groseilles, conduit la dégustation, apporte la fraîcheur nécessaire pour nous rappeler qu'on est en Champagne. Un très bon rosé très abordable.

PAUL GOERG

Regroupant depuis les années 1950 des vignerons au sein d'une coopérative, la maison Paul Goerg est basée à Vertus, dans la Côte des Blancs. Elle s'approvisionne auprès d'une centaine de producteurs, essentiellement situés dans les Premiers Crus et les Grands Crus. Plus des deux tiers de sa production sont exportés dans le monde.

www.champagne-goerg.com
Lieu : 30, rue du Général Leclerc – 51130 Vertus
Téléphone : 03 26 52 15 31

Cuvée Blanc de Blancs – Brut 2005

16/20 ★★★

Un très beau champagne aujourd'hui moins tranchant que l'année dernière, présentant encore une trame acidulée, toutefois enveloppée par des arômes de fruits blancs confits et de toasts blonds qui apportent une heureuse sensation. Celle-ci est rehaussée par l'effervescence aérienne, gonflée, toutefois non vaporeuse qui présente de nouveau, en finale, la petite touche minérale et saline initialement perçue à l'attaque en bouche. De l'élégance et de la fraîcheur.

Cuvée Rosé Brut – 1er Cru

15/20 ★★★

Un rosé léger en bouche, conduit par une effervescence aux bulles gonflées et fugaces qui se démarque surtout par son fruité très frais, très pur, de fruits jaunes rehaussés d'une touche grillée accrocheuse et séduisante. Classique et bien construit.

Cuvée Lady M – 2002

17/20 ▮ ▮▮ ▬ ▪▪ 🇨🇭 IP
★★★⯪
🐖 🐖 🐖

Dégustée en juillet 2012, cette cuvée se montre plus pâtissière et exotique dans ses arômes que le millésime 2000. Elle apparaît également plus mature dans son comportement; la texture est satinée, l'effervescence est onctueuse grâce à un chapelet très serré de perles persistantes qui distillent des accents de fraîcheur saline tout au long de la dégustation où pointent toutefois en finale des arômes briochés, voire de fin rancio précoce qui séduisent inmanquablement. Un champagne charmeur et charnu qu'on placera aisément à table.

PERRIER-JOUËT

Depuis 2005, Lionel Breton préside cette maison fondée en 1811 par Pierre-Nicolas-Marie Perrier qui tint à mentionner le nom de son épouse Adèle Jouët sur ses étiquettes. Les parcelles de vignes seront surtout achetées dans la seconde moitié du XIXe siècle, la marque se développant notamment comme fournisseur de la cour d'Angleterre. Un flacon élaboré et décoré d'anémones par Émile Gallé en 1902, à la demande d'Henri Gallice alors propriétaire de la maison, sera retrouvé après la Seconde Guerre mondiale. Il permit à la direction d'alors de lancer en 1969 la cuvée Belle Époque sur le millésime 1964 (Fleur de Champagne à l'export). La fin du XXe siècle étant surtout marquée par des changements de direction générale fréquents et la perte de parcelles, la qualité des vins déclina. Grâce à son acquisition par le groupe Pernod-Ricard en 2005, Perrier-Jouët a vécu une renaissance palpable à tous les niveaux, lui permettant de fêter dignement son bicentenaire.

www.perrier-jouet.com
Lieu : 26, avenue de Champagne – 51201 Épernay
Téléphone : 03 26 53 38 00

Cuvée Grand Brut

15/20 ▮ ▮▮ ▬ ▪▪ 🇨🇭 IP
★★⯪
🐖 🐖 🐖

Un champagne toujours bien conduit avec des flaveurs délicates, plus florales que fruitées, des notes d'herbes fraîches, de muguet, d'acacia enveloppant celles d'agrumes au sein d'une effervescence bien travaillée et nouée. Les amateurs de notes exotiques attendront quelques minutes avant de la déguster, car cette cuvée dégage toujours un côté tropical lorsque le vin dépasse 12 degrés Celsius.

Cuvée Blason Rosé – Brut

15/20 ∎ ∎ ∎∎ ═ ═ ∷ ✚ IP
★★★⌐

🐷 🐷 🐷

Plus expressive au nez que par le passé, celle-ci offre des arômes discrets de pêches et d'abricots qu'on retrouve en bouche, soutenus par une pointe d'amertume qui lui apporte un caractère puissant. La texture est riche grâce aux bulles nouées et fines, elle illustre un champagne crémeux, à la finale axée davantage sur le fruité du raisin que sur les notes d'élevage.

Cuvée Belle Époque 2004 Rosé – Brut

18/20 ∎ ∎ ∎∎ ═ ═ ∷ ✚
★★★★

🐷 🐷 🐷 🐷

Nez très charmeur, toutefois léger, de mandarines, de fraises des bois, puis de groseilles qu'on découvre plus insistant et pâtissier à l'aération pour nous donner l'impression d'une charlotte aux fraises. L'attaque n'est pas aiguisée, elle s'ouvre immédiatement sur une effervescence aérienne aux bulles néanmoins ficelées et endurantes qui transportent des accents aromatiques plus compotés que frais. Laissé au repos quelques minutes afin qu'il s'offre davantage, il conserve sa délicatesse dans le comportement tout en laissant paraître plus de vinosité dans les arômes. C'est un champagne plus élégant que consistant, aux parfums toutefois colorés qu'on acheminera à table, par exemple, sur une entrée froide de homard avec une émulsion de petits pois verts.

Cuvée Belle Époque 2004 – Brut

18/20 ∎ ∎ ∎∎ ═ ═ ∷ ✚
★★★★

🐷 🐷 🐷 🐷

Une cuvée qui gagne un point par rapport à l'année dernière où elle se montrait jeune et acidulée. Redégustée donc pour cette édition 2013 en juillet 2012, elle présente des arômes pâtissiers très fins de brioche aux raisins et de galette des rois qu'une aération vient rafraîchir en s'illustrant autour de notes de pamplemousses roses. Les bulles sont fines et nouées, elles construisent une texture satinée à l'enveloppe toutefois aiguisée qui signe son potentiel d'endurance pour une garde confortable. Après plusieurs minutes dans le verre, des arômes de jeune évolution se laissent enfin capter (lait au miel, moka) pour ne plus s'évanouir et imprégner leur souvenir chaleureux. Un magnifique champagne que les fins gourmets sauront apprécier à table.

« Descendre
dans une cave à vin
est encore le seul
moyen que l'homme
ait trouvé pour
remonter le temps… »

Guénaël Revel

LE MONT-BLANC
Coulis de fruits rouges - Biscuit Amande
(Recette pour environ 15 Mont-Blanc individuels)

PHILIPPE BERTRAND
M.O.F. Directeur
Chocolate Academy

MARTIN DIEZ
Chef Pâtissier
Chocolate Academy

«Le Chocolat Blanc Zéphyr™ désucre beaucoup ce dessert à qui on reprochait d'être trop sucré. Un bon rhum fait toute la différence.»

PÂTE SUCRÉE

	250 g	Farine
	125 g	Beurre
Mélanger ensemble	30 g	Poudre d'amandes
	25 g	Sucre cristal
	50 g	Sucre glace
	4 g	Sel
Ajouter en 2 fois	65 g	Œufs

Etaler à 3 mm et foncer dans des cercles à tarte de 80mm Ø. Cuire à 160° C.

COULIS FRUITS ROUGES

Chauffer à 40°C	200 g	Purée de fruits rouges
	50 g	Eau
Mélanger puis ajouter	12 g	Pectine jaune
	100 g	Sucre

Cuire à 105°C puis laisser refroidir dans un récipient, filmé.
Travailler le coulis et le pocher dans le fond de pâte sucrée.

BISCUIT AMANDE

Chauffer à 85°C	250 g	Œufs
	37 g	Sucre
Verser sur	250 g	Pâte d'amande 50%
	37 g	Blancs d'œufs
	52 g	Farine
Ajouter	4 g	Poudre à lever
	75 g	Beurre fondu froid

Dresser sur une plaque 40/30. Cuire à 200°C. Laisser refroidir et détailler des ronds de 70mm Ø.

MOUSSE VANILLE

Pocher à 80°C	125 g	Crème
	1	Gousse de vanille
Blanchir	25 g	Jaunes d'œufs
	8 g	Sucre
Chinoiser sur	100 g	**Chocolat Blanc Zéphyr™**
	16 g	Beurre de Cacao **Mycryo®**
A 25°C, ajouter	100 g	Crème Montée

MOUSSE MARRON

	135 g	Pâte de marrons
Mélanger	55 g	Crème liquide
	10 g	Rhum vieux
Ajouter à 30°C	30 g	Crème liquide
	30 g	Beurre de Cacao **Mycryo®** fondu
Battre légèrement et ajouter	200 g	Crème montée

Dresser à la douille à vermicelle.

MERINGUE DÉCOR

Mélanger au batteur	50 g	Blancs d'œufs
Ajouter délicatement	100 g	Sucre glace

Monter au batteur. Dresser en tube et saupoudrer de **grué de cacao**.

Monsieur*Bulles*.com

L'adresse des passionnés de bulles

- Des critiques objectives
- Des primeurs périodiques
- Des chroniques effervescentes
  - Actualités sur les bulles
  - Dégustations commentées

MonsieurBulles.com est l'unique adresse web francophone qui traite de champagnes et des autres bulles.

Guénaël Revel a présidé
l'Association canadienne des
sommeliers professionnels de
2001 à 2006. Enseignant,
auteur, chroniqueur à la radio
et à la télévision à Montréal, il
est aujourd'hui considéré comme
un expert en matière de
champagne et de vin effervescent.

Il a déjà rédigé trois livres sur le
sujet, puis coécrit et coanimé en
2009 l'unique émission de
télévision consacrée exclusivement
au roi des vins : « Champagne ! »

Il est l'auteur du Guide Revel des
champagnes et des autres bulles,
il s'agit du seul ouvrage en langue
française consacré
à tous les vins mousseux élaborés
dans le monde.

PHILIPPE GONET

La septième génération de la famille Gonet (Pierre et Chantal Gonet) administre ce domaine de la Côte des Blancs dont la cour intérieure expose une collection impressionnante de plaques de cheminées remontant au XVIIᵉ siècle. Cette maison, qui autrefois élaborait des vins tranquilles ou revendait ses raisins aux grandes marques, élabore ses propres champagnes depuis la fin de la Seconde Guerre mondiale.

www.champagne-philippe-gonet.com
Lieu : 1, rue de la Brèche d'Oger 51190 Le Mesnil sur Oger
Téléphone : 03 26 57 53 47

Cuvée Blanc de Blancs – Brut

16/20 ▮▮ ▮▮ ▬ ▰▰ ✚ IP
★★★

🐖 🐖 🐖

Mordant à l'attaque, puis immédiatement rond grâce à une effervescence crémeuse néanmoins fugace, cette cuvée impose d'abord ses arômes pâtissiers (pâte feuillettée, palmier, brioche, beurre) pour ensuite servir la signature du terroir avec une touche de minéralité (craie, champignons), un peu astringente.

Cuvée Roy Soleil – Grand Cru
Blanc de Blancs

17/20 ▮▮ ▮▮ ▬ ▰▰ ✚ IP
★★★✦

🐖 🐖 🐖

Nez très attractif, net et charmeur (brioche, beurre, léger rancio, vanille), bulles fines dans un volume compact en bouche qui offre une texture riche, gonflée et moelleuse. Les arômes initialement perçus offrent le même crescendo, couronné par une pointe minérale, c'est un vin mûr, parfaitement équilibré, prêt à boire, délicieux.

PHILIPPONNAT

Depuis 2000, Charles Philipponnat préside cette maison qui est l'un des fleurons du groupe Lanson-BCC. Les Philipponnat sont champenois depuis plus de 400 ans. Paysans, vignerons, puis propriétaires de vignes, ils élaborent leur propre champagne depuis 1910, année où ils ont acquis des caves historiques à Mareuil-sur-Aÿ. En 1935, Pierre Philipponnat achète plusieurs parcelles d'un coteau à la sortie de ce village. Pentues au point d'être dangereuses lors des vendanges, exposées plein sud, ces parcelles vont progressivement former un endroit insolite d'un seul tenant de 5,5 hectares, une surface unique entourée de ses murs, le Clos des Goisses. L'un des plus grands vins blancs dans l'univers viticole, toute catégorie confondue, en est issu. En 2007 a été lancé le confidentiel Clos des Goisses Juste Rosé 1999, puis en 2009, Philipponnat s'est lancé avec brio sur le marché des Extra-Brut.

www.champagnephilipponnat.com
Lieu : 13, rue du Pont – BP 2 – 51160 Mareuil-sur-Aÿ
Téléphone : 03 26 56 93 00

Cuvée Non-Dosé – Royale Réserve

16/20 ▍▍▐▐ ▬▬ ▪▪ ▪
★★★

🐷 🐷 🐷

Iodé, pur, marin, printanier au nez, on pourrait s'attendre à un vin aérien en bouche, incisif et court, il se révèle construit, aromatique (citron, réglisse), sec, désaltérant et pourtant nourrissant grâce à une effervescence onctueuse. Une réussite dans cette catégorie où les grandes maisons se précipitent depuis une décennie.

Cuvée Royale Réserve Brut

16/20 ▮ ▮ ▮▮ ▬ ▪▪ ✚

★★★

🐖 🐖 🐖

La cuvée dégustée en mai 2012 a été dégorgée en août 2007, elle a donc profité d'un repos louable lui conférant une très agréable vinosité. Le crescendo aromatique est net depuis les agrumes jaunes jusqu'au flan pâtissier en passant par la tarte au citron meringuée ; l'effervescence est soignée, vive et perdurante, elle signe un champagne toujours bien construit, en parfait équilibre dans la fraîcheur et la consistance.

Cuvée Réserve Rosée – Brut

16/20 ▮ ▮ ▮▮ ▬ ▪▪ ✚ IP

★★★

🐖 🐖 🐖

Une cuvée plus vineuse encore que la Royale Réserve, qui offre d'abord des flaveurs florales, puis qui développe de traditionnelles notes de fruits rouges au sein d'une texture presque tannique qui apporte du mordant, du caractère. Un champagne qui a une belle présence.

Cuvée Grand Blanc – Brut – Millésime 2005

17/20 ▮ ▮ ▮▮ ▬ ▪▪ ✚ IP

★★★⌐

🐖 🐖 🐖

Les arômes pâtissiers (Tropézienne, Paris-Brest) dominent déjà ceux d'agrumes confits toutefois décelables en bouche, la fraîcheur saline du cépage est surtout perçue dans le contour de l'effervescence onctueuse et gourmande, et, comme souvent avec le Grand Blanc, il présente l'esprit puissant, charnel et expressif de la maison Philipponnat qui parcourt toute la dégustation. C'est un champagne imposant qui ne manque pourtant pas d'élégance, un Blanc de Blancs réussi parce que le millésime fut grand pour le chardonnay, un millésime 2005 qu'on pourra associer à table à une blanquette de veau aux champignons.

Cuvée 1522 – Brut
Millésime 2003

18/20 ▉ ▉ ▉ ▉ ▬▬ ▪▪ ▪▪ ✚ IP
★★★★

🐷 🐷 🐷 🐷

Le nez est expressif, chaleureux, d'abord axé sur des notes de crêpes dentelles, de thé noir, puis de gâteau aux noix et au miel à l'aération, c'est un bouquet complexe d'une vinosité nette et de rancio marqué qui s'offre au dégustateur. Le vin se montre puissant en bouche, une fine amertume parcourt la dégustation, l'effervescence aux bulles gonflées et paquetées est détermi-nante dans l'apport de la fraîcheur, elle est heureusement plus aérienne qu'onctueuse. Le dosage très modeste est impeccable – c'est aussi celui d'un Extra-Brut – il aurait alourdi grossièrement le vin s'il avait été plus élevé. C'est un champagne de millésime complexe, davantage un champagne de vinificateur que de vigneron, un grand vin prêt à boire aujourd'hui, un champagne digne d'un plat qui lui ressemble. Une idée ? Des ris de veau en sauce à la crème avec copeaux de truffe noire.

Cuvée Clos des Goisses 1996
20/20 ▉ ▉ ▉ ▉ ▬▬ ▪▪ ▪▪ ✚ IP
★★★★★

🐷 🐷 🐷 🐷 🐷

On accède à la perfection avec cette cuvée sans doute dégustée au bon moment (mai 2012), car elle offre, selon moi, les deux caractéristiques majeures du vin de Champagne : fraîcheur et profondeur. La première est ici présente à travers une fine acidité qui parcourt toute la dégustation sans jamais tailler les arômes et l'effervescence, la seconde s'impose par le crescendo aroma-tique qui est soutenu par une texture crémeuse confondante. Tarte au citron, orangette, croissant frangipane, cappuccino, noix, tiramisu, grué de cacao sont parmi les parfums qui épousent les papilles pour ne plus s'évanouir. C'est un champagne de l'extrême dans le bon sens du terme, où tout culmine et où pourtant, après avoir terminé sa dégustation, on lui trouve encore un potentiel d'endurance indéterminable. Le Clos des Goisses 1996 est à l'évidence l'un des meilleurs vins blancs au monde.

Cuvée Clos des Goisses 2001 – Brut

17/20 ▮▮ ▮▮ ▬ ▪▪ ✚ IP
★★★✦

🐷 🐷 🐷 🐷 🐷

Le nez est toujours aussi expressif, il présente un rancio précoce d'arômes de champignons, de miel brun et de fruits plus cuits que confits qu'on retrouve dès l'attaque en bouche au sein d'une texture particulièrement grasse, plus tapissante que sur d'autres millésimes de la même cuvée, pourtant plus âgés. L'efferves-cence accompagne cette impression gourmande grâce aux bulles menues qui se montrent toutefois vives et persistantes. C'est un grand champagne qui semble évoluer rapidement et qu'appré-cieront les amateurs de rancio précoce. Une idée pour la table ? On le garde pour Noël et sa traditionnelle dinde farcie !

Cuvée Clos des Goisses 2002 – Brut

18/20 ▮▮ ▮▮ ▬ ▪▪ ✚ IP
★★★★

🐷 🐷 🐷 🐷 🐷

Axée sur des arômes de fruits rouges (cerises, groseilles) et d'agrumes confits qui couvrent les arômes grillés blonds, cette cuvée dégustée en mai 2012 apparaît en phase de dormance. La fraîcheur qui s'en dégage par son acidité se comporte comme une sinusoïde en bouche, elle mord à l'attaque, disparaît immé-diatement dans l'onctueuse effervescence, revient dans les notes de tarte Tatin et de bonbon à la bergamote pour s'évanouir en finale sur des accents d'un gâteau Key Lime. La matière en bouche est dense et nourrissante, on y reconnaît la signature habituelle du clos qui, après plusieurs minutes se fait plus insistant avec des arômes de pâtisseries beurrées. Un grand champagne savoureux et imposant que je préconise tout de même pour les clayettes du cellier.

PIERRE GIMONNET & FILS

Installée à Cuis dans la Côte des Blancs depuis 1750, la famille Gimonnet est vouée au chardonnay ! Après avoir vendu ses raisins aux grandes marques, Pierre Gimonnet décide de se lancer avec ses propres vins au cours des années 1930, mais il faut attendre les années 1960 pour que son fils Michel élabore des champagnes typés, propres au terroir local, provenant des 25 hectares familiaux. À leur tour, Olivier et Didier Gimonnet sont aujourd'hui à la tête d'une exploitation familiale dont les vins ne manquent pas de personnalité.

www.champagne-gimonnet.com
Lieu : 1, rue de la République – 51530 Cuis
Téléphone : 03 26 59 78 70

Cuvée Premier Cru – Blanc de Blancs Brut

15/20 ▮▮▮▮ ▬ ▬▬ 🇨🇭
★★☆

🐖 🐖 🐖

Élégante et discrète dans ses flaveurs comme dans son effervescence, on passe de notes de fenouil à celle de fruits blancs (agrumes et pommes) tout en percevant de léger accents pâtissiers. Les bulles sont moyennes et fugaces, elles signent un bon champagne où le chardonnay s'exprime davantage par le fruit que par l'intensité minérale.

Cuvée Fleuron 2005 – Brut – Premier Cru

17/20 ▮▮▮▮ ▬ ▬▬ 🇨🇭 IP
★★★☆

🐖 🐖 🐖 🐖

Expressif dans ses arômes blonds et très légèrement grillés de miel, de noisettes et de croissant à peine beurré, ce champagne se montre d'une grande pureté en bouche, tant dans son comportement long et minéral, qui n'agresse pas les papilles, que dans ses notes de riz au lait, puis d'agrumes jaunes en finale de dégustation. Impeccable aujourd'hui sur un plateau de fruits de mer, on peut aisément le glisser en cave afin qu'il se montre plus bavard et onctueux dans quelques années.

PIERRE MONCUIT

Domaine familial créé en 1889 dans la Côte des Blancs par Pierre Moncuit et sa femme Odile Delos, il est aujourd'hui dirigé par leurs descendants Nicole et Yves Moncuit (sœur et frère), épaulé de Valérie, la fille de Nicole. Disposant d'une vingtaine d'hectares de chardonnay provenant de deux terroirs bien distincts, les cuvées élaborées représentent toujours ces derniers et ne sont jamais assemblées.

www.pierre-moncuit.fr
Lieu : 11, rue Persault-Maheu 51190 Le Mesnil-sur-Oger
Téléphone : 03 26 57 52 65

Cuvée Brut Millésimé 2005
Blanc de Blancs – Grand Cru

17/20 ■ ■ ■ ■ ▬ ▬ ▪▪ ▪▪ ✚ IP
★★★★

🐖 🐖 🐖

Minéral, iodé, tendu, voici un vin d'une pureté exemplaire qui offre un crescendo d'arômes où tout paraît blanc, au nez comme en bouche : meringue, fenouil, riz au lait, zestes d'agrumes. L'attaque en bouche est aiguisée, l'effervescence présente des perles qui s'accrochent aux papilles sans les agresser; l'ensemble est iodé, il illustre un champagne encore jeune, toutefois solidement constitué, avec un potentiel avantageux d'endurance. On l'appréciera dès aujourd'hui sur un plateau d'huîtres.

PIERRE PETERS

Avec environ 20 hectares de chardonnay dans la Côte des Blancs, la famille Peters élabore son champagne depuis la Seconde Guerre mondiale après avoir longtemps vendu son raisin, en digne héritière de récoltants champenois depuis le XIXe siècle.

www.champagne-peters.com
Lieu : 26, rue des Lombards 51190 Le Mesnil-sur-Oger
Téléphone : 03 26 57 50 32

Cuvée de Réserve – Blanc de Blancs – Brut

15/20 ▮ ▮ ▮ ▮ ══ ▪▪ ✚ IP
★★★

🐷 🐷

Le dosage est léger, il apporte d'heureuses notes de zestes d'oranges qui couronnent la minéralité, la fraîcheur iodée des arômes primaires. La bouche est nerveuse, l'effervescence apporte de la rondeur grâce à des bulles nouées, toutefois légères, qui transportent les flaveurs d'agrumes initialement perçues. Un champagne qui signe ses origines septentrionales.

Cuvée Spéciale Les Chétillons 2004 – Brut Grand Cru

18/20 ▮ ▮ ▮ ▮ ══ ▪▪ ✚ IP
★★★★

🐷 🐷 🐷

Dégusté en mai 2012, ce vin présente un remarquable comportement tant au nez qu'en bouche, offrant une palette aromatique déconcertante, à la fois de jeunesse et de maturité : algues marines, fenouil, agrumes confits, tarte aux amandes et noix qu'on aurait nappée de miel, puis crème pâtissière après quelques minutes dans le verre. Pimpante en bouche, l'effervescence est toutefois aérienne, mais longuement tapissante, elle mène à une finale où pointe une fine amertume, un délicat rancio d'évolution plus proche des saveurs de pain de campagne que de la peau de noix. Un superbe champagne qui se montrera encore plus bavard vers 2016.

PIPER-HEIDSIECK

Désormais dans le groupe EPI (depuis mai 2011), les champagnes Piper Heidsieck ne subissaient pas autrefois de fermentation malolactique, ce qui les rendait certes vifs, mais un peu squelettiques. Aujourd'hui appliquée, cette fermentation malolactique apporte beaucoup plus de fruité aux vins, tout en leur laissant une vivacité propre au style de la maison. Fondée en 1785 par Florens-Louis Heidsieck, la marque qui arbore un rouge sang de bœuf depuis la fin des années 1990 est aujourd'hui repérable partout dans le monde.

www.piper-heidsieck.com
Lieu : 51, boulevard Henry-Vasnier – 51100 Reims
Téléphone : 03 26 84 43 00

Cuvée Brut

15/20 ▮▮ ▮▮ ▬ ▬ ▪▪ ✚
★★✦

🐷 🐷 🐷

Franc, axé sur les agrumes (pamplemousses), l'herbe fraîchement coupée et une très légère pointe de vanille sur le plan olfactif, c'est un vin droit, plein, mature, expressif dans ses notes grillées sans rancio et développant toujours, après une vingtaine de minutes dans le verre, des accents anisés charmeurs qui lui redonnent de la fraîcheur.

Cuvée Rosé Sauvage – Brut

15/20 ▮▮ ▮▮ ▬ ▪▪ ✚
★★✦

🐷 🐷 🐷

Comme son nom l'indique, ce rosé est sauvage, donc coloré, fougueux, vineux, épicé (poivre rose). Le fruité tend vers les arômes de griottes et de fraises, la texture est ronde, guidée par des bulles moyennes, évanescentes. Comme la plupart des rosés des grandes marques généralement élaborés quand la tendance sociale s'y prête, il ne se distingue pas des autres cuvées de la maison, ni ne les surpasse.

PLOYEZ-JACQUEMART

Cette maison familiale vient de fêter ses 80 ans. Administré par Gérard et Marcel Ployez-Jacquemart, les fils du couple fondateur, jusqu'en 1975, elle offre un site hôtelier magnifique qui appartient depuis 2004 au Groupe Prieux qui a su remarquablement donner un second souffle commercial de qualité à la marque.

www.ployez-jacquemart.fr
Lieu : 8, rue Astoin 51500 Ludes
Téléphone : 03 26 61 11 87

Cuvée Passion – Extra-Brut

16/20 ▮ ▮ ▮▮ ▬ ▪▪ ✚ IP
★★★

🐷 🐷 🐷

Une belle réussite que ce champagne à peine dosé qui réussit à transporter des arômes d'agrumes sucrés très nets (clémentines, mandarines, oranges) au sein d'une tension minérale qui dirige toute la dégustation. La texture est soyeuse, voire fondante, grâce à une effervescence nouée. Excellent vin.

Cuvée Brut – Sélection Rosé

15/20 ▮ ▮ ▮▮ ▬ ▪▪ ✚ IP
★★★

🐷 🐷 🐷

Délicat et classique au nez par ses effluves de framboises et de cerises, ce champagne rosé montre une vinosité de fruit et d'élevage, et non de dosage, ce qui lui confère une grande harmonie en dégustation. Il a suffisamment de corps pour s'illustrer à table sur une entrée chaude et relevée. Un champagne peu complexe, toutefois abouti.

POL ROGER

« The world's most drinkable address », comme le disait sir Winston Churchill qui a été honoré par la création en 1984 d'une cuvée (Magnum 1975) qui porte son nom. Cette cuvée est toujours élaborée dans les meilleures années (1979, 1982, 1985, 1986, 1988, 1990, 1993, 1995 et 1996). La maison Pol Roger, fondée en 1849, est l'une des dernières très grandes maisons familiales champenoises dont la qualité des cuvées a toujours été constante. Très « british » dans son style (puissant et vineux), elle doit sa notoriété au marché britannique. Au cours des premières années de son établissement, elle vendait ses champagnes « sur lattes » (les bouteilles étaient réservées au moment de leur prise de mousse lorsqu'elles étaient encore couchées sur des lattes de bois dans les caves), aux marques négociantes déjà établies. Il fallut attendre 1876 pour que la famille Pol Roger vende ses premiers flacons en Angleterre sous son nom, grâce au négociant John Conrad Adolphus Reuss. Pol Roger fait aujourd'hui partie des meilleures maisons de champagne.

www.polroger.com
Lieu : 1, rue Henri-Lelarge – 51200 Épernay
Téléphone : 03 26 59 58 00

Cuvée Pol Roger – Pure – Brut Nature

16/20 ■ ■ ■■ ▬ ▬ ▪▪ ✚

★★★

🐖 🐖 🐖

L'assemblage est identique, mais la provenance des crus est différente par rapport à la cuvée Brut de la maison. Le premier nez rappelle la farine, la levure de boulanger, puis il s'ouvre sur une minéralité plus classique, plus iodée. L'attaque est très fraîche, elle offre un vin très sec, aux notes de tabac blond très originales. Les bulles moyennes sont en harmonie avec la rondeur de la texture qui offre en finale quelques notes citronnées vivifiantes. Belle réussite dans la catégorie.

Cuvée Pol Roger – Brut Réserve

16/20 ■ ■ ■■ ▬▬ ▪▪ ✚

★★★

🐷 🐷 🐷

Très classique dans sa facture, cette cuvée s'illustre par l'équilibre de chaque niveau de dégustation. Nette sans être mordante à l'attaque, ronde sans être lourde en bouche grâce à une mousse compacte et légère, biscuitée sans être beurrée, sobrement parfumée (fleurs, poires, légère pointe graphite), finale brève, elle a tout pour ouvrir l'appétit et présente déjà la signature de la maison dans son enveloppe mi-corsée et imprégnante.

Cuvée Pol Roger – Brut Vintage 2002

18/20 ■ ■ ■■ ▬▬ ▪▪ ✚

★★★★

🐷 🐷 🐷

Commercialisé au bon moment, soit au printemps 2012 et dégusté en juillet de la même année, ce vin donne l'impression qu'on entre dans une pâtisserie dès qu'on le porte à son nez ! Le crescendo des parfums est absolument charmeur : orangettes, tarte au citron, nougat, lait au miel, kouglof, l'ensemble étant couronné par des effluves de four de boulanger en pleine cuisson; ce sont vraiment les dix années de construction qui l'ont habillé ainsi, et paré d'une texture veloutée, illustrée par une effervescence dont les perles s'accrochent aux papilles tout au long de la dégustation. Un soupçon précoce de fin rancio se laisse saisir en finale, on ne peut que l'adopter. Absolument exquis.

POMMERY

Le prince Alain de Polignac a consacré un livre à son aïeule Louise Pommery qui est devenue emblématique en Champagne, ainsi que dans la France entière dès le XIXᵉ siècle. D'une énergie, d'un courage et d'un sens des affaires extraordinaires, madame Pommery a su imposer son nom et ses vins sur la plus haute marche du podium champenois. Tout est merveilleux chez Pommery, le site, les caves, l'histoire, les vins. Administrée depuis 2002 par Paul-François Vranken, la marque continue de séduire partout dans le monde grâce au travail d'orfèvre de Thierry Gasco, chef de cave de la maison depuis 1992.

www.pommery.com
Lieu : 5, place du Général Gouraud – BP 1049
– 51689 Reims cedex 2
Téléphone : 03 26 61 62 63

Cuvée Brut Royal

15/20 ▮▮▮▮ ▬ ▰▰ ✚

★★✦

🐷 🐷 🐷

Très fruité en bouche (pomme verte), l'effervescence est tapissante quoique aérienne. Les bulles sont légères, elles rafraîchissent en éclatant et en transportant des notes de mie de pain, puis de tisanes. Tout est subtil et travaillé dans cette cuvée où l'équilibre apparaît aussi calculé que celui des trois cépages équitablement assemblés. Un champagne minéral et apéritif pour canapés raffinés.

Cuvée Apanage

15/20 ▮▮▮▮ ▬ ▰▰ ✚ IP

★★✦

🐷 🐷 🐷

Étonnant que je puisse réécrire les mêmes commentaires que dans mon dernier guide, néanmoins, il en est ainsi : d'une extrême finesse en bouche (effervescence de type frizzante très longue) et pourtant plus vineuse que le Brut Royal, cette cuvée peu dosée présente d'abord des notes de sueur, de mie de pain et de brioche, puis de fruits secs. Rond, crémeux (40 % de chardonnay), mature, enveloppant et parfumé, c'est un vin de repas léger et fin (poissons, fruits de mer) ou adéquat pour un plateau de fromages jeunes et crayeux.

Cuvée Fall Time – Extra-Dry

15/20 ■ ■ ■■ ══ ▪▪ ✚ IP
★★★↘

🐷 🐷 🐷

Dosage parfaitement réussi pour ce champagne qui n'a aucune lourdeur tout en étant plus vineux que les cuvées de « saison » de la maison. Le caractère mielleux des arômes de fruits blancs est délicat, l'effervescence est bien conduite, elle apporte la fraîcheur nécessaire à l'équilibre de l'ensemble.

Cuvée Rosé

15/20 ■ ■ ■■ ══ ▪▪ ✚ IP
★★★↘

🐷 🐷 🐷

Tout est délicat dans ce rosé pastel qui tire vers la couleur œil-de-perdrix. Discret, doux, pourtant profond dans les flaveurs de chocolat blanc, de dragées, de lait au miel, en contraste avec les rosés plus traditionnels empreints de notes de fruits rouges qu'on décèle ici en finale. Un champagne rosé délicat et peu vineux, impeccable pour les apéritifs en duo.

Cuvée Louise – Brut 1999

18/20 ■ ■ ■■ ══ ▪▪ ✚
★★★★

🐷 🐷 🐷 🐷

Dégustée en février 2012, elle dégage un léger rancio d'évolution au premier nez que l'aération occulte rapidement pour laisser place à des arômes pâtissiers nets et subtils (amande et noix fraîches, pain au lait toasté). Ces derniers se retrouvent en bouche au sein d'une effervescence d'une grande onctuosité, illustrée par des bulles de calibre moyen, toutefois très nouées. Parfumé, mature dans son comportement, ce millésime présente la juste fraîcheur en finale qui nous rappelle le terroir champenois. Un grand vin prêt à boire.

Cuvée Louise – Brut Rosé 2000

17/20 ▮▯▮▮▯ ▬ ▪▪ ➕ IP

★★★✦

🐷 🐷 🐷

Déjà dans l'édition 2012, ce vin ne semble pas avoir évolué pour cette édition, il a gardé sa discrétion aromatique, ses notes légèrement florales et son fruité rouge très léger de fraises et de cerises. Élégant, quoique ferme à l'attaque, il présente une effervescence au volume léger, toutefois conduite par des bulles nouées et persistantes qui apportent l'onctuosité en bouche. Un rosé croquant, encore jeune et peu profond, qu'on peut attendre quelques années à moins de l'essayer aujourd'hui sur une entrée délicate de poisson à chair blanche.

PRESTIGE DES SACRES

Rappellant par son nom que Reims était autrefois la ville de l'adoubement royal, cette coopérative créée en 1961 jouit aujourd'hui de l'apport des raisins de 120 hectares, issus de 45 villages. Son président Yves Auguste a ces dernières années insufflé un dynamisme à la fois technique et commercial en faisant bâtir une cave semi-enterrée qui a reçu un centre de vinification et de stockage modernisé, puis en se tournant davantage vers le client par un bâtiment d'accueil qui n'a rien a envier à celui des grandes maisons. Environ 400 000 bouteilles sont commercialisées sous deux marques, Ch de l'Auche plus axé sur le pinot meunier de la Montagne de Reims et Prestige des Sacres, orienté sur la notion d'assemblage traditionnel de la Champagne.

www.champagne-prestigedessacres.com
Lieu : rue de Germigny 51390 Janvry
Téléphone : 03 26 03 63 40

Cuvée Ch de l'Auche – Brut Sélection

15/20 ▮▮▮▮ ▬ ▪▪ ➕ IP

★★✦

🐷 🐷

Un champagne aux contours sérieux qui présente le bouquet toujours très net du pinot meunier : raisins secs, groseilles, biscuit au sucre roux. L'effervescence est plus aérienne que gourmande, les bulles se détachent rapidement, elles apportent une belle fraîcheur au sein d'une texture veloutée qui ne manque pas d'ossature et de longueur. Un champagne qui a assez de caractère pour soutenir une entrée de poisson grillé.

Cuvée Prestige des Sacres – Brut Rosé Prestige

15/20 ▮ ▮ ▮▮ ▬ ▪▪ 🇨🇭
★★☽

🐷 🐷 🐷

Des arômes classiques de fruits rouges (groseilles, fraises des bois) avec un soupçon d'agrumes perçu à travers la nervosité de l'acidité, voici un rosé à l'effervescence onctueuse, soutenue par un dosage sensible qui n'enraye pas la fraîcheur. Charmeur et efficace, ce champagne enjolivera un dessert peu sucré.

RENÉ GEOFFROY

La famille Geoffroy est installée depuis le XVIIe siècle à Cumières. Elle a acquis 13 hectares de vignes cultivées aujourd'hui en lutte raisonnée (labours, enherbement, amendement organique, absence de désherbants chimiques, observation régulière des comportements de la vigne, etc.) pour offrir des vins d'authentiques vignerons.

www.champagne-geoffroy.com
Lieu : 150, rue du Bois des Jots – 51480 Cumières
Téléphone : 03 26 55 32 31

Cuvée Expression – Brut 1er Cru

15/20 ▮ ▮ ▮▮ ▬ ▪▪ 🇨🇭 IP
★★☽

🐷 🐷

Frais, mordant, expressif, axé sur les fruits juteux (raisins, oranges, pamplemousses), c'est un champagne aux bulles vaporeuses, abondantes qui n'enrayent pas cependant une belle densité, voire une opulence, un corps dodu, heureusement affiné par une finale abrupte et fraîche où s'entremêlent des effluves de pâtisserie vanillée. À conseiller à table plutôt qu'à l'apéritif.

Cuvée Élixir – Demi-Sec

16/20 ▌▌ ▌▌ ▭ ▪▪ ✚ IP
★★★

🐷 🐷

Cette cuvée a les mêmes caractéristiques que la cuvée Expression, mais les flaveurs sont plus confites et plus douces. L'effervescence se fait également plus fine grâce à des bulles compactes sans qu'elles alourdissent la sucrosité de l'ensemble. Très réussi, ce champagne est parfait sur les desserts à base de frangipane.

Cuvée Brut Zéro

16/20 ▌▌ ▌▌ ▭ ▪▪ ✚ IP
★★★

🐷 🐷

Très sec en bouche, beaucoup de fruits blancs dans les arômes, plus rouges à l'aération, très compact et noué au niveau de l'effervescence, c'est un champagne qui charme dans le comportement onctueux de sa texture. Un réussite dans cette catégorie.

Cuvée Extra-Brut – Premier Cru – Millésime 2004

17/20 ▌▌ ▌▌ ▭ ▪▪ ✚ IP
★★★★

🐷 🐷 🐷

Nez de baguette chaude, de pâtisseries peu beurrées et de noisettes fraîches qu'on retrouve dès l'attaque en bouche. Les bulles sont nouées, elles forment toutefois un volume aérien de grande ampleur, c'est un excellent champagne d'une grande tenue qu'on s'offrira à table sur, par exemple, un bar du Chili grillé.

R. POUILLON & FILS

C'est à la fin de la Seconde Guerre mondiale que Roger Pouillon, fort de son expérience de vigneron, décide de lancer sa propre maison plutôt que de vendre son raisin aux grandes maisons. Son fils James prend la relève dans les années 1960, le vignoble s'aggrandit quelque peu, les vins s'améliorent avec les techniques de vinification. Fabrice, son petit-fils est aujourd'hui l'avenir d'une maison familiale, fière d'être Récoltant-Manipulant. En ayant épousé Élodie Desbordes, Champenoise dont la famille évolue dans l'univers du vin, il gère aussi le champagne Desbordes-Amiaud. La quatrième génération est déjà là, nul doute qu'elle saura perpétuer la tradition vigneronne et atteindre une production de 100 000 bouteilles.

www.champagne-pouillon.com
Lieu : 3, rue de la Couple 51160 Mareuil-sur-Aÿ
Téléphone : 03 26 52 60 08

Cuvée Nature de Mareuil – Brut – 1er Cru

17/20 ▮ ▮ ▮▮ ▭ ▦ ✚ IP
★★★★✦

🐖 🐖

Nez d'abord discret (agrumes très frais, tarte au citron), puis complexe et plus disert (meringue, épices). C'est en bouche que ce champagne s'exprime et s'impose à travers une texture veloutée, longue et fraîche, et pourtant vineuse. Transportant des accents épicés et confits, les bulles sont nouées et fines, elles se conjuguent parfaitement à la sensation de plénitude lorsqu'on termine la dégustation. Un excellent champagne de vigneron.

Cuvée de Réserve – Brut

15/20 ▮ ▮ ▮▮ ▭ ▦ ✚ IP
★★★✦

🐖 🐖

Un champagne classique, riche et massif, qui présente des arômes de paille chaude, de foin, de confiture de fruits jaunes, puis d'acacia à l'ouverture. L'effervescence présente des bulles de calibre moyen, éparses et fraîches en bouche. Belle harmonie générale.

Cuvée Premier Cru – Rosé Brut

16/20 ■ ■ ■ ■ ▬ ▬ ▬ ▬ 🇨🇭 IP

★★★

🐷 🐷

Très bon rosé à la vinosité marquée par le pinot noir et ses arômes de noyaux de fruits, de cerises, rehaussés d'une touche cuite un peu amère en bouche qui apporte un caractère mordant et une finale appuyée. Un champagne qui tiendra facilement à table sur une pièce de viande rouge.

ROBERT BARBICHON & FILS

Exploitation de la Côte des Bar certifiée biodynamique depuis 2010, elle est entièrement familiale depuis 4 générations. Le pinot noir domine l'encépagement des 4 hectares en propriété, répartis sur 5 communes.

www.champagne-barbichon.com
Lieu : 8 rue de la Vereille 10250 Gyé-sur-Seine
Téléphone : 03 25 38 22 90

Cuvée Réserve Brut

15/20 ■ ■ ■ ■ ▬ ▬ ▬ ▬ 🇨🇭 IP

★★★

🐷 🐷

Nez net et expressif, d'abord axé sur la levure de boulanger, puis immédiatement pâtissier et brioché, voire subtilement rehaussé d'un léger rancio. L'effervescence est onctueuse, les bulles sont nouées, quoiqu'aériennes dans leur comportement. La puissance combinée à un dosage sensible signe un champagne solide et imposant, taillé pour la table.

Cuvée Rosé – Brut

16/20 ■ ■ ■ ■ ▬ ▬ ▬ ▬ 🇨🇭 IP

★★★

🐷 🐷

Un excellent rosé qui présente une certaine fermeté à l'attaque en bouche pour confirmer une belle présence aromatique (baies rouges, pamplemousse rose) où pointe une petite amertume de noyaux de cerise en finale. L'effervescence se fait plus élégante, elle est légère, toutefois persistante, elle apporte le contre-poids d'un ensemble corpulent. Un champagne rosé pour apéritif gourmand ou cochonnailles variées.

ROGER COULON

Vigneronne depuis le Premier Empire, la famille Coulon a, comme de nombreux petits propriétaires en Champagne, vendu son vin en tonneaux aux grandes maisons pendant des décennies avant d'élaborer ses propres champagnes. Éric Coulon et sa femme Isabelle travaillent ensemble depuis 16 ans, ils suivent les traces du grand-père d'Éric qui se lança dans l'aventure : commercialiser ses propres cuvées grâce à 10 hectares en propriété répartis sur 80 parcelles autour de Vrigny. Le pinot meunier constitue la majorité de l'encépagement comme la plupart des cuvées dont la production actuelle frôle les 100 000 bouteilles annuelles.

www.champagne-coulon.com
Lieu : 12, rue de la Vigne du Roy 51390 Vrigny
Téléphone : 03 26 03 61 65

Cuvée Grande Tradition – Brut

15/20 ▐ ▐ ▐▐ ▬ ▐▐ ✚ IP
★★★

Le premier nez est net, orienté vers des notes de tilleul, puis d'agrumes légèrement confits qu'on retrouve en bouche, rehaussés de quelques accents pâtissiers. L'effervescence est soignée, serrée, les bulles sont très fines, sans doute construites par un tirage au taux de sucre peu élevé. Le volume est léger et caressant en bouche. C'est un beau champagne d'entrée de gamme, harmonieux et polyvalent dans les accords à table.

Cuvée Réserve de l'Hommée – Brut

16/20 ▐ ▐ ▐▐ ▬ ▐▐ ✚ IP
★★★

L'hommée est l'équivalent de l'ouvraie en Bourgogne, c'est-à-dire la surface de travail au champ qu'un paysan pouvait couvrir en une journée. Discrète au premier nez, cette cuvée se montre plus saisissante à l'attaque en bouche que la cuvée Grande Tradition, on y perçoit de très délicates notes pâtissières (biscuit breton), rehaussées d'un soupçon boisé, toutefois les fruits jaunes très mûrs dominent nettement le volet des parfums. L'effervescence est satinée et longue, elle apporte une liaison gourmande facilement adaptable à table. Une idée ? Ris de veau grillés au beurre roux.

Cuvée Blanc de Noirs – Millésime 2004 Brut – Collection Empreinte

17/20 ■ ■ ■■ ══ ▪▪▪ ✚ IP

★★★★⌐

🐑 🐑 🐑

Cette collection de cuvée a été créée pour diffuser les caractéristiques d'une année, qu'elle soit modeste ou grande. Il y a donc un millésime déclaré chaque année de Blanc de Noirs. Curieusement discrète au premier nez, cette cuvée s'ouvre après aération sur des notes de levures de boulanger, puis sur un courant floral (tilleul, verveine), pour enfin laisser parler un fruité blanc et jaune de pêches et de pommes brunes. C'est un champagne finalement complexe, presque atypique dans ses parfums, plus confit que minéral au moment de la dégustation très agréable et gourmande grâce à une effervescence épanouie. Un 2004 prêt à boire. Le millésime 2005 était lancé au moment de mettre le guide sous presse. Avis aux amateurs !

Cuvée Esprit de Vrigny – Premier Cru Brut Nature

16/20 ■ ■ ■■ ══ ▪▪▪ ✚ IP

★★★

🐑 🐑 🐑

Un nez expressif et minéral, presque mentholé et réglissé, L'attaque est fraîche sans être tendue, elle est immédiatement parfumée de notes de fruits provençaux, chauds, voire séchés. L'effervescence soyeuse et enveloppante est en parfaite conjugaison avec la sensation plus épicée que confite du fruité. Un champagne gourmand judicieusement non dosé.

Cuvée Les Coteaux de Vallier Cuvée Réserve – Brut

17/20 ■ ■ ■■ ══ ▪▪▪ ✚ IP

★★★★

🐑 🐑 🐑

Un champagne au nez pâtissier, voire boisé de façon subtile, qui ne manque pourtant pas de fraîcheur fruitée à travers des accents de kouglof presque arrosé d'eau-de-vie puisque la finale en bouche se fait puissante. Riche et fin au niveau effervescent, ce champagne se comporte comme un vin à part entière avec une vinosité raffinée et une fraîcheur oscillante avec le temps comme tout bon vin. À découvrir absolument et à déguster en repas.

ROSES DE JEANNE

En achetant en 2 000 une parcelle d'un hectare nommée les Ursules, dans la Côte des Bar, Cédric Bouchard, fils de vigneron, décide de créer ses propres cuvées de champagne. Le pinot noir domine dans les 4 000 bouteilles, toutes issues de micro-parcelles. Le Creux d'enfer (0,032 ha de pinot noir), la Haute Lemblée (0,1180 ha de chardonnay) et la Bolorée (0,2107 ha de pinot blanc) donnent des cuvées rares et finement élaborées. Vinifiées sans filtration avec une prise de mousse à température de la cave, qui garantit la finesse de l'effervescence, elles offrent la perfection de l'artisanat viticole. À noter un site Internet magnifique, plus artistique que pratique.

www.champagne-rosesdejeanne.com
Lieu : 4, rue du Creux Michel – 10110 Celles-sur-Ource
Téléphone : 03 25 38 24 72

Cuvée Inflorescence – Brut Blanc de Noirs

16/20 ▮ ▮ ▮▮ ▭ ▪▪ ✚ IP
★★★

🐖 🐖 🐖

Fin au nez, il se dégage d'abord une impression de grande pureté de raisins frais, puis de levures de boulanger pour enfin découvrir de discrètes notes de pain frais et finalement de brioche peu beurrée. Le fruité en bouche est vif, presque mordant, axé sur un panier de fruits blancs (pommes, poires, raisins), un côté iodé se laisse capter en finale de dégustation. L'effervescence est soyeuse et soignée, elle signe la maîtrise du temps pour élaborer un grand champagne de vigneron.

RUINART

Fondée en 1729 par Nicolas Ruinart sous les encouragements de son oncle Dom Thierry Ruinart, elle est la plus ancienne maison négociante de Champagne. Ses crayères où dorment les millions de bouteilles avant leur commercialisation sont parmi les plus anciennes et les plus reconnues de la ville de Reims. Ruinart possède 17 hectares en propriété, 90 % du vin est issu d'approvisionnement, acheté aux récoltants. La futaille n'intervient pas dans l'élaboration des champagnes de la maison, les vins de réserve ne dépassent guère 3 ans d'âge. Les administrateurs des champagnes Ruinart ont rendu hommage, 230 années plus tard, au moine bénédictin en créant une cuvée de prestige qui porte son nom.

www.ruinart.com
Lieu : 4, rue des Crayères – 51100 Reims
Téléphone : 03 26 77 51 51

Cuvée R de Ruinart – Brut

15/20 ■ ■ ■■ ▬ ▪▪ ✚

★★☀

🐷 🐷 🐷

Délicat par des notes de viennoiseries (croissant, pain au lait) au nez qui couvrent celles d'agrumes, il s'exprime avantageusement en bouche grâce à une effervescence enveloppante qui transporte des effluves plus imposants de fruits blancs cuits (poires, pommes, pêches). Le pinot meunier a été réintroduit dernièrement dans cette cuvée, il apporte un bouquet plus expressif, toutefois, c'est un champagne peu corsé, voire léger, qui permet une polyvalence dans les harmonies culinaires, depuis l'apéritif jusqu'au dessert, selon les goûts.

Cuvée Blanc de Blancs – Brut

16/20 ▐ ▐ ▐▐ ═ ░░ 🇨🇭
★★★

🐖 🐖 🐖

Très subtil dans ses arômes d'abord anisés qui enrobent ceux de fleurs printanières (muguet, lilas) qu'on décèle au nez, il présente en bouche la sobriété du style de la maison : une mousse abondante, toutefois aérienne qui s'illustre dans un volume gonflé et léger. Pur, minéral, légèrement iodé, quelques notes de gingembre et de peaux d'agrumes apportent de l'originalité, c'est un champagne qui accroche par son élégance et sa volupté, des accents presque vanillés après plusieurs minutes dans le verre qui charment définitivement le consommateur.

Cuvée Rosé – Brut

15/20 ▐ ▐ ▐▐ ═ ░░ 🇨🇭
★★★

🐖 🐖 🐖

Surprenant par sa simplicité, sa droiture, sa structure légère, ce champagne a tout de la fraise à l'eau orangée : sa couleur, ses flaveurs et pourtant, il n'est pas mono-aromatique, car on décèle des accents très frais de rosée du matin, de fleurs de cerisiers qui illustrent une énergie contrôlée. Sans vinosité, c'est un champagne élégant et léger, avec une pointe balsamique en finale, dans le style de la maison, toutefois moins imposant dans le volume que les autres cuvées.

Cuvée Dom Ruinart 1998 – Brut

19/20 ▐ ▐ ▐▐ ═ ░░ 🇨🇭
★★★★

🐖 🐖 🐖 🐖

Le commentaire de la cuvée de cette édition, plusieurs fois dégustée depuis 2010, est issu de février 2012. Un léger rancio s'en dégage logiquement, mais la minéralité est toujours présente (craie, iode, très subtil) pour être rapidement occultée par des accents de tilleul, de fruits confits qui rappelle les grands vins blancs de Bourgogne qui ont une dizaine d'années. Comme il y a un an, l'effervescence confirme cette maturité, elle abonde dans un volume ramassé et s'illustre par des bulles finement nouées. Un vin exquis pour un grand repas.

Cuvée Dom Ruinart 2002 – Brut
19/20 ▮▮▮▮ ▬▬ ▪▪ ◼

★★★★✦

🐷 🐷 🐷 🐷

Nez expressif et brioché, plus grillé à l'aération (toast blond). Le vin se montre sur des accents pâtissiers à l'attaque en bouche pour retrouver des notes torréfiées en finale. L'effervescence est soignée, onctueuse, les bulles sont de calibre moyen, toutefois nouées, permettant une certaine richesse. Après quelques minutes dans le verre, le vin réexpose sa jeunesse à travers des notes plus minérales et croquantes, sans pour autant être tendu. Il bouge tout au long de la dégustation et présente une palette aromatique riche et complexe depuis la frangipane jusqu'au fruits blancs confits en passant par la tisane au miel. Très réussi, très élégant, c'est un champagne qui doit signer les grands instants d'une vie.

Cuvée Dom Ruinart Rosé 1996 – Brut
19/20 ▮▮▮▮ ▬▬ ▪▪ ◼

★★★★✦

🐷 🐷 🐷 🐷

Il n'a pas bougé depuis 2011 et mon commentaire est sensiblement le même que l'année dernière. C'est un très grand champagne qui curieusement, pour le millésime, se montre déjà mature autour d'arômes d'orangettes, de clafoutis, voire de pain d'épices et de champignons dans une effervescence particulièrement riche et nouée. La minéralité est désormais discrète, l'ensemble se montre à la fois intense et délicat, autour de notes de sous-bois. Ce champagne présente une texture satinée qui peut facilement se conjuguer à table sur un plat de petits gibiers à plume. Un somptueux champagne aujourd'hui mature et prêt à boire.

Cuvée Dom Ruinart Rosé 1998 – Brut
18/20 ▮▮▮▮ ▬▬ ▪▪ ◼

★★★★

🐷 🐷 🐷 🐷

Le nez est subtil, le fruité est axé sur la clémentine confite, puis il s'ouvre sur des accents apportés par le temps, on y perçoit la noisette très légèrement grillée, puis les zestes d'agrumes. La texture est satinée, toutefois l'ensemble présente une certaine fermeté. La finale se montre légèrement torréfiée, elle rappelle la tire-éponge. C'est un champagne qui pourrait gagner en rondeur en le laissant encore quelques années sur les clayettes.

SALON

Tout est unique dans cette marque : son créateur, son histoire, son terroir, son cépage et son élaboration. Rare et sollicitée, l'unique cuvée S de Salon a été exclusive au restaurant Maxim's de Paris jusque dans les années 1950. Toujours droit, aérien et frais dans sa jeunesse, le champagne Salon ne séduit pas, tant qu'il n'a pas au moins 20 ans. Passé ce cap, il déroute par sa finesse, son ampleur et sa générosité aromatique, alors qu'il n'a jamais connu le bois dans son élaboration. Déguster un « Salon » jeune est un privilège, déguster un « Salon » mature est un souvenir dans une vie.

www.salondelamotte.com
Lieu : 5 et 7, rue de la Brèche d'Oger – BP 3
– 51190 Le Mesnil-sur-Oger
Téléphone : 03 26 57 51 65

Cuvée S 1999 – Grand Cru

19/20 ▮ ▮ ▮▮ ▬ ▬ ▪▪ ✚

★★★★☆

🐷 🐷 🐷 🐷 🐷

Habituellement citriques lorsqu'elles sont commercialisées, les cuvées S de Salon sont des champagnes qui gagnent à être attendus facilement 8 ans après leur achat. Si les contours de ce 1999 présentent la minéralité locale et attendue, il est surtout étonnant par son aspect déjà épanoui qui ne présente pas d'accent citronné. Délicat et pâtissier dans ses arômes (Paris-Brest, macaron praliné, macaron pamplemousse), sa vinosité n'en demeure pas moins affirmée et longue. Il apparaît au sommet de la première courbe de l'évolution sinosoïdale des grands vins, il devrait donc se refermer d'ici peu, glisser vers un premier creux pour mieux remonter d'ici 3 ou 4 ans. C'est un champagne aujourd'hui vibrant et minéral que je préconise à table sur un carpaccio de pétoncles.

Cuvée S 1997

18/20 ▮ ▮ ▮▮ ▭▭ ▪▪ ✚

★★★★

🐷 🐷 🐷 🐷 🐷

Encore florale au moment de sa dégustation en juillet 2012, cette cuvée offre les arômes d'une tisane dans laquelle on aurait glissé du miel. La bouche se montre nerveuse, toutefois fine dans le comportement de l'effervescence, on y perçoit de très légères touches pâtissières, plus beurrées que grillées (Tropézienne, flan, riz au lait) qui s'étirent jusqu'en finale où des notes de jasmin initialement captées réapparaissent. Un champagne d'une grande tension, adolescent et distingué qu'on se doit d'attendre. Impatient ? Appréciez-le sur un plateau d'huîtres iodées.

SIMART-MOREAU

Conduisant une exploitation de 4,5 hectares répartis pour 3,4 ha à Chouilly, à Cramant (Chardonnay), Aÿ, Avenay-Val-d'Or et Hautvillers depuis les années 1970, Pascal Simart est issu d'une famille vigneronne depuis près d'un siècle. Son père avait autrefois créé une marque aujourd'hui disparue, que son fils n'a pu récupérer, les aléas des successions étant toujours complexes... En se mariant à Sylvette Moreau, un hectare de vignes s'est ajouté au patrimoine; ensemble ils lancent leur marque qui, dès les années 1980, est déjà appréciée des connaisseurs. Nul doute que Jean-Philippe, leur fils, reprenda un jour les rênes de cette belle exploitation familiale.

www.champagne-simart-moreau.fr
Lieu : 9 rue du Moulin - 51530 Chouilly
Téléphone : 03 26 55 42 06

Cuvée Grande Réserve – Brut

15/20 ▮ ▮ ▮▮ ▭▭ ▪▪ ✚ IP

★★★✦

🐷 🐷

Le chardonnay domine nettement le pinot noir, l'attaque et fraîche et tendue, un peu agressive. C'est un champagne qu'il faut laisser s'aérer, il démontre alors une belle amplitude en bouche, accentuée par des arômes de fruits blancs, légèrement toastés et confits (amandes, clémentines, poires). L'effervescence est soignée, les bulles sont menues, toutefois peu persistantes, elles transportent les parfums initialement perçus et signent un bon champagne pour une entrée chaude de poissons.

Cuvée des Crayères 2005 – Brut – Grand Cru

16/20 ▊ ▊ ▊▊ ══ ▪▪ ✚ IP

★★★

🐷 🐷 🐷

Dégusté en janvier 2012, ce champagne se montre encore sur sa minéralité tranchante. Il est jeune dans les arômes (pomme, craie, fenouil), toutefois, sa texture est satinée et mature une fois le vin en bouche démontrant la parfaite maîtrise de l'élevage en cave. Après quelques minutes de patience, on découvre un fin rancio au niveau aromatique juste assez enveloppé par des notes d'agrumes confits confirmant que ce champagne peut être laissé en cave quelques années. C'est une grande cuvée à déguster aujourd'hui sur un apéritif gourmand avant de lui accorder le plat principal d'ici 2015. Une belle découverte.

TAITTINGER

Si l'aventure Taittinger démarre officiellement en 1931, elle remonte aux années 1910 quand Pierre-Charles Taittinger découvre le Château de la Marquetterie en Champagne durant la Grande Guerre. Entre cet instant et la fin du XXe siècle, la famille Taittinger, Lorraine d'origine, a acquis un beau patrimoine : la maison de champagne Fourneaux, près de 300 hectares de vignes (288,84 ha) et les cryptes de l'abbaye Saint-Nicaise où dorment les plus beaux flacons de la maison. Les occupations viticoles ont été étoffées au fil des années (Loire, Californie), la famille Taittinger a multiplié ses secteurs d'activités (hôtellerie, parfums), le groupe Taittinger s'est constitué. Dans la tourmente des affaires, le groupe est racheté par Starwood Capital en 2005, Taittinger est un symbole, la champagne retient son souffle. Un an plus tard, Pierre-Emmanuel Taittinger, tenace et convaincant, rachète sa marque grâce au soutien du Crédit agricole du Nord-Est. La maison Taittinger, propriétaire et négociante, est désormais sereine, définitivement concentrée sur son vin de Champagne. Clovis et Vitalie, fils et fille de Pierre-Emmanuel, représentent l'avenir éclairé et solide de la maison.

www.taittinger.com
Lieu : 9, place Saint-Nicaise – BP 2741 – 51061 Reims Cedex
Téléphone : 03 26 85 45 35

Cuvée Brut Réserve

15/20 ▮ ▮ ▮▮ ▬ ▪▪ ◼
★★✦

🐷 🐷 🐷

D'abord floral, puis axé sur les agrumes, ce champagne légèrement boisé et pâtissier à l'aération (acacia, brioche), dispense
les mêmes flaveurs qui se retrouvent en bouche, dans un crescendo identique, au sein d'une texture effervescente soignée. Le
dosage est sensible, il n'enraye pas l'harmonie, car la finale
citronnée et délicate reste fraîche. Un incontournable de la
catégorie parmi les grandes maisons.

Cuvée Prestige Rosé Brut

15/20 ▮ ▮ ▮▮ ▬ ▪▪ ◼
★★✦

🐷 🐷 🐷

Un champagne rosé subtilement vineux, au rancio léger et aux
flaveurs de fruits cuits. Svelte dans le comportement, grâce à des
bulles légères, et pourtant velouté grâce à de maigres tanins qui
accrochent jusqu'en finale, ce champagne servira adéquatement
un dessert léger aux fruits à noyaux.

Cuvée Prélude Grands Crus

14/20 ▮ ▮ ▮▮ ▬ ▪▪ ◼ IP
★★

🐷 🐷 🐷

Plus floral que minéral, ce champagne sent les herbes sauvages
puis développe des flaveurs d'agrumes (bergamote, citron) en
bouche. Les bulles forment une crème plus épaisse que soyeuse,
une texture un peu collante dont la finale aromatique rappelle
une salade de fruits blancs d'été. Plaisant avec un fromage tendre et passablement puissant.

Cuvée Nocturne – Sec

15/20 ■ ■ ■ ■ ━━ ▪▪ ▪▪ ➕ IP
★★★

🐷 🐷 🐷

Tendre et agréable, cette cuvée au dosage bien intégré soutient des arômes d'agrumes et de fruits tropicaux sans doute apportés par les vins de réserve largement employés, l'effervescence est maîtrisée, les bulles sont fines, elles complètent et habillent la fraîcheur nécessaire pour cette catégorie de champagne.

Cuvée Les Folies de la Marquetterie

15/20 ■ ■ ■ ■ ━━ ▪▪ ▪▪ ➕
★★★

🐷 🐷 🐷

Une cuvée émoustillante qui offre des arômes de viennoiseries et de marmelade si on la laisse respirer. Ample et tendre en bouche, peu complexe, subtilement boisée, exotique dans le fruité, voire vanillée. L'effervescence apparaît jeune, les bulles sont de calibre moyen, elles sont efficaces comme le style traditionnel, un peu commercial de l'ensemble.

Cuvée Brut Millésimé 2005

17/20 ■ ■ ■ ■ ━━ ▪▪ ▪▪ ➕
★★★

🐷 🐷 🐷

Au nez comme en bouche, on déguste des arômes floraux et fruités de maturité, rappellant des pétales séchés et une tisane aux fruits jaunes (prunes, mangues). La texture de l'effervescence est à la fois riche, fine et soyeuse, habillée par des perles serrées et persistantes, en parfait accord avec les parfums chaleureux et mûrs. C'est un champagne plus gourmand que croquant, déjà complexe et présentant un sobre rancio d'évolution en finale qui séduit inmanquablement. Dans la préparation du plat qui l'accompagnera, les champignons seront les bienvenus.

Cuvée Comtes de Champagne
Blanc de Blancs 2000

19/20 ■ ■ ■ ■ ▬▬ ▪▪ ✚

★★★★☾

🐖 🐖 🐖 🐖

C'est un cliché que de l'écrire puisque tous les grands vins l'exigent, toutefois, cette cuvée se doit vraiment de respirer longtemps dans le verre avant de s'offrir à son dégustateur. Le comportement aromatique est à la fois délicat et original, car le crescendo des parfums qu'on perçoit au nez s'inverse une fois en bouche : nettement pâtissier (tarte amandine, flan, clafoutis, praline), puis orienté sur des agrumes confits (orangettes, zestes de citron très sucrés) à l'aération, ce sont ces derniers qui sont décelés dès l'attaque en bouche et les quelques accents beurrés qu'on déchiffre en finale. L'effervescence est finement tissée, elle s'accroche et s'étire pour offrir l'indice de son endurance, un soupçon salin au terme de la dégustation. Un millésime particulièrement abouti.

TARLANT

Vigneron de père en fils depuis 1687 ! La famille Tarlant est aujourd'hui conduite par Jean-Mary, Micheline, Benoît et Mélanie qui se répartissent un secteur d'activité précis dans l'univers moderne du champagne. Dès la fin de la Seconde Guerre mondiale, Georges Tarlant fils avait été visionnaire en rachetant ça et là quelques parcelles de vignes, complétant ainsi le vignoble familial endommagé qu'il allait reconstruire avec son père Georges Tarlant. En décidant enfin d'élaborer de nouvelles cuvées (une cuvée Carte Blanche avait été créée dans les années 1920), ils partaient à la conquête des marchés. Le dynamisme et la créativité doivent être génétiques puisqu'aujourd'hui encore, Benoît Tarlant construit de nouveaux vins, toujours aussi authentiques. Le site Internet de cette maison est à découvrir, il est riche, précis, exemplaire. Benoît et Mélanie Tarlant sont des assidus du net, ils répondent à toutes vos questions.

www.tarlant.com
Lieu : 51480 Oeuilly / Épernay
Téléphone : 03 26 58 30 60

Cuvée Zéro Brut Nature

16/20 ▮ ▮ ▮▮ ▬ ▬ ▪▪ ✚
★★★
🐷 🐷

Un champagne aux accents marins, un brin austère et anisé qui finit par séduire après quelques minutes dans le verre à travers des flaveurs d'agrumes, puis de pâtisseries beurrées. L'effervescence apporte une matière veloutée qui canalise l'acidité en bouche. Une cuvée d'apéritif où les huîtres pourront être servies avec du citron.

Cuvée Rosé Zéro

15/20 ▮ ▮ ▮▮ ▬ ▬ ▪▪ ✚ IP
★★★
🐷 🐷 🐷

Nez d'abord fermé, puis assez classique à l'aération, axé sur des arômes de fraises qu'on retrouve en bouche avec une pointe d'amertume qui apporte une certaine mâche. L'effervescence est légère, un peu fugace, c'est un rosé parfumé, peu complexe dans le comportement.

Cuvée Les Vignes d'Antan

16/20 ▮ ▮ ▮▮ ══ ▪▪ 🇨🇭 IP
★★★

Issue de chardonnay non greffé de la récolte 2000, il est original, car il « pinote » (noyaux, cerises) et se montre sur des accents de fruits exotiques. C'est un champagne dont l'ampleur domine la minéralité, il est gourmand tout en restant toutefois frais. Finalement complexe, il faut l'attendre quelques minutes dans le verre, pour y percevoir des arômes plus classiques de pâtisseries. Un excellent champagne de vigneron.

Cuvée La Vigne d'Or – Blanc de Meuniers 2003

16/20 ▮ ▮ ▮▮ ══ ▪▪ 🇨🇭 IP
★★★

La cuvée dégustée a été dégorgée en février 2012 et comme certaines cuvées dégorgées en 2011, elle se montre d'abord discrète, sur des arômes de salade d'agrumes au miel, puis sur ceux de toasts blonds. L'effervescence est onctueuse, toutefois aérienne. Une petite pointe d'amertume en finale apporte un caractère mordant très agréable, c'est un champagne au bouquet original et charmeur.

Cuvée La Vigne Rouge – Blanc de Noirs 2003

16/20 ▮ ▮ ▮▮ ══ ▪▪ 🇨🇭 IP
★★★

Nez minéral et discret, axé sur la poire chaude, puis le fenouil, très frais pour le millésime qu'on retrouve davantage sur des accents grillés - plus « logiques » - dès l'attaque en bouche. Les bulles sont fines, le volume est compact et riche, l'ensemble se montre gourmand, charmeur. Une nouvelle cuvée originale et réussie dans la famille Tarlant.

Cuvée Louis – Extra-Brut

19/20 ∎ ∎ ∎∎ ═ ▪▪ 🇨🇭 IP

★★★★✦

🐷 🐷 🐷

Une cuvée remarquable parce qu'elle offre, année après année, les saveurs d'une même famille aromatique et un comportement harmonieux alors qu'il s'agit de l'assemblage de millésimes différents ; l'attestation donc du travail d'alchimiste qu'il y a dans sa création. Elle offre une vinosité élégante, un bouquet subtil et original de poire chaude, de tabac blond, de noix et d'acacia. Puissant et sec en bouche, digeste donc, ce champagne présente une effervescence crémeuse et aérienne, illustrée par des bulles légères, fines et nouées. La cuvée Louis est un champagne à la fois sobre et imposant qui est parmi les meilleures cuvées de prestige en Champagne.

TRIBAUT–SCHLOESSER

25 hectares en propriété où les pinots dominent, et qu'aujourd'hui Jean-Marie Tribaut conduit de main de maître en digne représentant de la quatrième génération installée depuis les années 1920 dans le village de Romery (voir aussi à Lallier).

www.champagne.tribaut.com
Lieu : 21, rue Saint-Vincent 51480 Romery
Téléphone : 03 26 58 64 21

Cuvée Le Brut

14/20 ∎ ∎ ∎∎ ═ ▪▪ 🇨🇭 IP

★★

🐷 🐷

D'abord axé sur des notes de levures, puis sur la mie de pain, l'aération développe des arômes discrets de fruits jaunes, d'eau-de-vie de mirabelle, puis de baguette chaude qu'on retrouve en bouche, dès l'attaque. L'effervescence est propre, les bulles sont moyennes, tapissantes, elle conduisent un champagne finalement bien construit, sans complexité.

Cuvée Rosé Brut

13/20 ▮ ▮ ▮▮ ▬ ▪▪ ✚ IP
★✦

🐷 🐷

Classique dans les flaveurs de fruits rouges (groseilles, cerises), ce champagne a un caractère plus fumé que vineux que la fraîcheur de l'effervescence n'enraye pas. Ferme, démonstratif, c'est un rosé fait pour la table.

VARNIER-FANNIÈRE

Comme de nombreux récoltants, la famille Fannière a vendu son raisin au négoce pendant plusieurs décennies avant de se lancer dans l'élaboration de ses propres cuvées après la Seconde Guerre mondiale. En 1989, Denis Varnier, descendant de la famille, décide de poursuivre l'aventure sur les 4 hectares classés Grand Cru.

www.varnier-fanniere.com
Lieu : 23, rempart du Midi 51190 Avize
Téléphone : 03 26 57 53 36

Cuvée Brut Grand Cru

15/20 ▮ ▮ ▮▮ ▬ ▪▪ ✚ IP
★★✦

🐷 🐷 🐷

Nerveux, citronné, rafraîchissant, ce champagne développe tout de même quelques accents pâtissiers séducteurs en bouche, en harmonie avec une effervescence veloutée grâce à des bulles légères, toutefois bien nouées, qui gardent le souvenir d'un fruité palpable.

VEUVE A. DEVAUX

Cette marque appartient depuis les années 1980 à la coopérative Union auboise. Fondée en 1846 par Auguste et Jules Devaux, la maison prit ce nom commercial en l'honneur de la femme d'Auguste.

www.champagne-devaux.fr
Lieu : Domaine de Villeneuve – 10110 Bar-sur-Seine
Téléphone : 03 25 38 30 65

Cuvée D – Ultra-Brut

14/20 ▮ ▮ ▮▮ ▬ ▪▪ ✚ IP
★★
🐷 🐷 🐷

Secs à l'attaque et mordants en finale, les vins de réserve apportent, de belle façon, du moelleux en milieu de bouche à cette cuvée dosée à 2 grammes. La matière est légère, fraîche, axée sur des notes de fenouil et de levures. Inévitablement pour l'apéritif.

Cuvée Rosé Intense – Brut

15/20 ▮ ▮ ▮▮ ▬ ▪▪ ✚ IP
★★★
🐷 🐷 🐷

Un vin qui porte bien son nom, car il est à la fois fruité, boisé, vanillé et fumé. Très expressif en bouche, plus direct que complexe, vineux et sec, digne des Rosés des Riceys, c'est un vrai rosé de pique-nique qui s'accommodera avec les charcuteries ou le poulet froid dans la convivialité qui lui ressemble.

Cuvée Blanc de Noirs – Brut

15/20 ▮ ▮ ▮▮ ▬ ▪▪ ✚
★★★
🐷 🐷

Nez parfumé, intense, anisé. L'aération apporte son lot de notes toastées, blondes (mirabelle) et charmeuses, avec quelques accents qui rappellent les céréales du petit déjeuner. L'effervescence est légère, le volume des bulles est un peu large, en adéquation avec la fraîcheur de l'ensemble, curieusement peu compact, peu puissant, pour un 100 % raisins noirs. Une cuvée abordable et bien construite.

Cuvée Grande Réserve – Brut

16/20 ▪ ▪ ▪▪ ▬ ▪▪ ✚ IP

★★★

🐷 🐷 🐷

Particulièrement disert au nez, on perçoit nettement des arômes de pain aux raisins qu'on aurait légèrement toasté. L'effervescence abonde, les bulles de calibre moyen sont nouées, elles forment une texture veloutée où les parfums se font un peu exotiques (vanille, curry) et endurants grâce à une finale au dosage quelque peu sensible. Ce dernier permet de contourner l'apéritif pour s'inviter aisément à table sur un plat de poisson à chair grasse, par exemple. Un champagne aussi abordable qu'expressif.

Cuvée D de Devaux – Brut

16/20 ▪ ▪ ▪▪ ▬ ▪▪ ✚ IP

★★★

🐷 🐷 🐷

Le pinot noir domine l'assemblage de ce vin, il apporte une belle opulence conduite par une effervescence enveloppante, toutefois peu persistante. L'élevage sous bois de 35 % des vins de réserve apporte des arômes confits, pourtant la fraîcheur de parfums réglissés est présente tout le long de la dégustation, jusqu'à la finale où se développe un léger rancio charmeur. Digne des bons champagnes matures, prêts à boire. Pour les apéritifs avec des canapés gourmands.

VEUVE CLICQUOT PONSARDIN

L'étiquette jaune est tellement connue dans le monde qu'il a fallu protéger et déposer la couleur ! Cette maison fondée en 1772 est toujours digne de l'état dans lequel l'a laissée Mme Nicole-Barbe Ponsardin, resplendissante et imposante. La constance du style de cette maison est remarquable. Pour le bicentenaire de la marque, une cuvée de prestige est lancée en son honneur : « La Grande Dame ». Trop peu connue du grand public, cette cuvée est même, parfois, occultée par la perfection de certains millésimes de la cuvée Brut traditionnelle.

www.veuve-clicquot.com
Lieu : 12, rue du Temple – 51100 Reims
Téléphone : 03 26 89 54 40

Cuvée Brut – Carte Jaune

16/20 ▮▮ ▮▮ ▬ ▪▪ ➕
★★★
🐷 🐷 🐷

Plus profonde que bien d'autres cuvées de la même gamme d'autres grandes marques, elle fascine toujours par son équilibre ainsi que par son crescendo des arômes et du comportement en bouche. Chaque palier se dessine posément : pommes, poires, sirop de sucre de canne, croissants et vanille enrobant une attaque docile, un corps imposant et une finale moyenne, sans fioriture. On paye la marque, mais on a le plaisir garanti.

Cuvée Demi-Sec

15/20 ▮▮ ▮▮ ▬ ▪▪ ➕
★★★
🐷 🐷 🐷

La marque est très attachée à cette cuvée au dosage appuyé au point de vanter les mérites d'un passage en carafe pour son service, préconisé au dessert. Soit. Je pense surtout qu'on a écouté les équipes de « marketing », sinon pourquoi s'évertuer à fabriquer des bulles qu'on atténuera? Il en reste un vin parfaitement équilibré, jamais lourd, présentant des flaveurs de fruits confits et de marmelade, dans une texture effervescente grasse et fine, rafraîchie par des soupçons aromatiques de la friandise chocolatée After-Eight. Pour les desserts ou les après-midi autour de biscuits aux amandes.

Cuvée Vintage 2002 – Brut

17/20 ▮ ▮ ▮▮ ▬ ▪▪ ✚
★★★★

🐷 🐷 🐷

Déjà mature en 2010, ce champagne se montre toujours généreux et d'une subtile vinosité, axé sur des flaveurs de fruits confits, de frangipane et de champignons. L'équilibre entre la fraîcheur et la puissance se fait aussi grâce à une mousse onctueuse à la silhouette acidulée. Ce champagne est mature et savoureux. La fricassée de champignons qui accompagnera la dinde lui conviendra parfaitement.

Cuvée Cave Privée 1990
Dégorgé en octobre 2008 – Brut

18/20 ▮ ▮ ▮▮ ▬ ▪▪ ✚ IP
★★★★

🐷 🐷 🐷 🐷

Nez très expressif de fruits confits, de noix fraîche, surmonté d'un rancio très subtil qui rappelle la tire-éponge. Il se présente avec une belle fermeté en bouche (pointe d'amertume), les bulles sont très fines et nouées, elles offrent une texture satinée qui apporte une heureuse onctuosité. C'est un grand vin blanc de champagne pour connaisseur et amateur d'arômes du temps qui passe.

Cuvée La Grande Dame 1998 – Brut

19/20 ▮ ▮ ▮▮ ▬ ▪▪ ✚
★★★★

🐷 🐷 🐷 🐷 🐷

Dégusté en juin 2012, ce vin présente toujours les arômes de fruits jaunes (prunes, mangues) décelés lors d'une première dégustation en 2010, toutefois, les accents pâtissiers et ceux du temps qui passe sont bien présents désormais, et tellement séducteurs (frangipane, croissant, miel, tiramisu). La texture est savoureuse, de petites perles glissent et s'accrochent en bouche, elles forment un volume à la fois consistant et aérien. C'est un champagne qui confirme un début de maturité, il a encore cette minéralité de jeunesse qui est rapidement gommée par une onctuosité légèrement confite. Prêt à boire, on pourra évidemment le laisser sur les clayettes jusqu'à la fin de la décennie.

Cuvée Rich – Vintage 2002

17/20 ▌▌ ▌▌ ▭ ▪▪ ✚

★★★☆

🐷 🐷 🐷

Nez de salade de fruits jaunes au miel, de nougat, puis d'eau-de-vie de mirabelle à l'aération qu'on retrouve en bouche au sein d'une véritable sensation de crème : l'effervescence est soyeuse, illustrée par des bulles d'une grande finesse qui forment un volume compact et riche sans être trop riche. Le dosage est parfaitement maîtrisé, l'ensemble est digeste. Un dessert plutôt léger, peu beurré, lui conviendra facilement.

Cuvée Vintage 2004 – Brut Rosé

17/20 ▌▌ ▌▌ ▭ ▪▪ ✚ IP

★★★☆

🐷 🐷 🐷 🐷

Un champagne d'une grande onctuosité, sans doute créée par le dosage que j'ai trouvé sensible, mais qui soutient davantage le fruité rouge qu'il ne le gomme. Les arômes sont fins, axés sur les fraises des bois, les groseilles, ils tournent et perdurent au sein d'une effervescence soignée, aux bulles fines et serrées. Entre élégance et consistance, il pourra s'associer à table sur une entrée chaude de petit gibier.

Cuvée La Grande Dame 2004 – Brut

18/20 ▌▌ ▌▌ ▭ ▪▪ ✚

★★★★

🐷 🐷 🐷 🐷 🐷

Ce millésime est le premier de Dominique Demarville depuis qu'il a pris la direction œnologique de la maison. Le nez est discret, très légèrement pâtissier et lacté (croissant, lait d'amandes). Le volume en bouche est encore aérien, léger, les bulles sont de calibre moyen, toutefois nouées et persistantes dans leur comportement, elles construisent une texture satinée très enveloppante. On perçoit quelques accents biscuités, encore peu beurrés, plus axés sur une expression confite que grillée qui rappelle le cake anglais. Encore jeune (fenouil, agrumes), c'est un champagne qui titille les papilles sans les agresser et qui termine sa course sur une minéralité apéritive. À consommer aujourd'hui sur une entrée de poisson à chair blanche.

VILMART & CIE

Une maison familiale établie depuis 1890, aujourd'hui administrée par Laurent Champs, descendant de Désiré Vilmart qui vendait alors son raisin issu de 2 hectares au négoce. Le domaine s'est agrandi, le chardonnay et les pinots ont pris la place des cépages d'autrefois sur une surface qui atteint à présent 11 hectares. Avec des vins vinifiés sous bois qui n'ont pas fait de fermentation malolactique, les cuvées Vilmart se montre toujours pures et très endurantes.

www.champagnevilmart.com
Lieu : 5, rue des Gravières BP 4 51500 Rilly La Montagne
Téléphone : 03 26 03 40 01

Cuvée Grand Cellier – Brut

16/20 ▮ ▮ ▮ ▮ ▬ ▬ ▪▪ ▪▪ ✚ IP

★★★

🐖 🐖 🐖

Le premier nez est à la fois intense et curieux, car plutôt tertiaire, il rappelle le moût de café frais. Puis, à l'aération, on perçoit des notes davantage primaires de citron et de brise marine. L'attaque est vive et intense, orientée vers les agrumes, l'effervescence est aussi fine qu'abondante, elle transporte des notes beurrées, voire briochées si on prend le temps de laisser son verre reposer quelques minutes. C'est un excellent champagne minéral, savoureux et profond qui gagne à être attendu 2 à 3 années après son achat afin qu'il s'accomplisse.

VOUETTE ET SORBÉE
BERTRAND GAUTHEROT

Domaine de 4 hectares certifié en biodynamie, il est conduit par Bertrand Gautherot depuis bientôt 15 ans. Bien que l'encépagement tende vers le chardonnay, le pinot noir domine encore les parcelles. Aucune liqueur de dosage n'est ajoutée aux vins qui sont d'une pureté et d'une tension toujours remarquables.

www.vouette-et-sorbee.com
Lieu : 8, rue de Vaux – 10110 Buxières sur Arce
Téléphone : 03 25 38 79 73

Cuvée Extra-Brut – Fidèle
Dégorgé en décembre 2006
16/20 ∎ ∎ ∎∎ ═ ▪▪ ✚ IP
★★★

🐷 🐷 🐷

Subtilement aromatique, grillée et « chauffée » sur le plan olfactif (pommes brunes cuites au four, sirop d'érable), cette cuvée tranche une fois en bouche, elle révèle davantage une fraîcheur d'agrumes dans une vinosité très légèrement fumée. La minéralité est cependant présente tout au long de la dégustation, soutenue par une effervescence fine et vive. Un vin finalement tendu et complexe.

Cuvée Saignée de Sorbée – Extra-Brut
15/20 ∎ ∎ ∎∎ ═ ▪▪ ✚ IP
★★⭒

🐷 🐷 🐷

Pure et parfumée, nez de groseilles, bouche délicate, légère, conduite par une effervescence subtile aux bulles de calibre moyen. On reste surtout séduit par la fraîcheur du fruit.

YVELINE PRAT

12 hectares en propriété pour ce domaine familial, constitué en 1975, qui présente une gamme traditionnelle de champagne.

www.champagneprat.com
Lieu : 9, rue des Ruisselots 51130 Vert-Toulon
Téléphone : 03 26 52 12 16

Cuvée Fût de Chêne – Brut

16/20 ▌▐ ▌▌ ▬▬ ▪▪ ✚ IP

★★★

🐷 🐷 🐷

Un champagne au caractère pâtissier, voire exotique, affirmé. Les arômes décelés au nez comme en bouche tournent autour du nougat, de la pâte feuilletée, du croissant frangipane, des baklavas. L'effervescence se fait caressante et longue, la vinosité présente une fine amertume en finale qui rappelle le pain d'épices grillé et le zeste d'orange. C'est un champagne expressif et costaud, taillé pour le repas. Une idée ? Un grenadin de veau aux cèpes.

CHAPITRE 2

Ma présentation des marques de maison qui élaborent du vin effervescent dans le monde est classée alphabétiquement par pays, puis par région. Même si aujourd'hui, une trentaine de pays viticoles élaborent du vin effervescent blanc, rosé ou rouge, je me suis arrêté aux pays qui offrent la meilleure qualité en la matière, selon les procédés de vinification fiable et reconnue.

Comme pour les maisons champenoises, les marques qui disposent d'un site Internet ont leur adresse électronique mentionnée. J'invite le lecteur à consulter leur site afin d'obtenir des informations historiques, techniques ou d'actualités précises, mises à jour régulièrement et garanties par les maisons elles-mêmes.

Pour chaque marque, je présente une sélection de cuvées millésimées et de cuvées non millésimées qui m'apparaissent les plus abouties et qui sont disponibles sur les marchés de façon régulière.

Toutes ces dégustations de vins effervescents, rouges, blancs et rosés, ont été entreprises entre janvier 2012 et juillet 2012.

J'invite le lecteur à tenir compte du temps qui s'écoule et qui marque de son empreinte tous ces vins, en particulier les millésimés, lorsqu'il goûtera l'un de ceux qui sont commentés ci-après.

1

Les maisons
D'AFRIQUE DU SUD

BOSCHENDAL

Domaine érigé à partir de 1685 par Jean Le Long, un français Huguenot qui avait fui la France l'année de la révocation de l'Édit de Nantes, il fut transmis en 1715 à Abraham De Villiers qui loua les terres viticoles à Nicolas de Lanoy. Les 2 familles exploitèrent ainsi le domaine au niveau agricole et viticole pour ne plus jamais quitter ces secteurs jusqu'à aujourd'hui.

www.boschendal.com
Lieu : Le Rhone, Boschendal, P O Box 25 Groot Drakenstein, 7680
Téléphone : 27 21 870 4200

Cuvée Le Grand Pavillon de Boschendal Brut Rosé

16/20 ▪ ▪ ▪ ▪ ═ ▪▪ ▪▪ ✚ IP
★★★

🐷 🐷

Le nez est net et puissant, orienté vers des arômes de cerises noires, de kirsch et de prunes qu'on retrouve dès l'attaque en bouche au sein d'une effervescence accomplie, c'est-à-dire serrée, soignée et longue, illustrée par des bulles d'une grande finesse. Texturé quoique léger dans son volume, il se caractérise davantage par la fraîcheur fruitée que par la plénitude aromatique issue d'une longue seconde fermentation. Il n'en demeure pas moins un excellent mousseux sud-africain.

GRAHAM BECK
ROBERTSON

Jeune entreprise viticole qui a vu le jour en 1983 et qui se développe dans plusieurs régions sud-africaines (Robertson, Franschhoek et Stellenbosch). Ses mousseux grimpent en qualité chaque année.

www.grahambeckwines.co.za
Lieu : PO Box 724, Robertson – 6705
Téléphone : 27 (0) 23 626 1214

Cuvée Brut

14/20 ■ ■ ■ ■ ▬ ▬ ▪▪ ✚ IP
★★

🐷 🐷

Grâce à un degré d'alcool maîtrisé qui n'occulte pas les arômes de fruits secs, ce mousseux, où prédomine le chardonnay, est plus exubérant que délicat, finalement très sud-africain : gorgé, plein, parfumé. Quelques notes de levure se laissent capturer et rappellent presque une certaine minéralité du nord de la France. Excellent apéritif.

Cuvée Brut Rosé 2010

15/20 ■ ■ ■ ■ ▬ ▬ ▪▪ ✚ IP
★★★

🐷 🐷

Moins corsé que le 2009, toujours axé sur des accents de fruits rouges concentrés (cerises, fraises) et légèrement grillé, ce mousseux persiste pourtant en bouche à travers des notes confites. Le dosage apparaît encore sensible, c'est en fait lui qui provoque un effet tapissant de l'effervescence. C'est une cuvée enjôleuse, peu minérale, prête à boire.

SIMONSIG FAMILY
VINEYARDS

Établie dans les années 1950, Simonsig est la première maison sud-africaine à avoir élaboré un vin effervescent selon la méthode traditionnelle, en 1971. Bien établie et considérée aujourd'hui comme incontournable dans son pays, elle offre des mousseux qui sont également devenus des classiques, fiables et constants dans leur qualité.

www.simonsig.co.za
Lieu : PO BOX 6 Koelenhof – 7605
Téléphone : 27 (0) 21 888 4900

Cuvée Kaapse Vonkel – Brut 2009
16/20 ■ ■ ■ ■ ▬ ▬ ▬ ▬ ▪ ▪ ✚ IP
★★★

🐷 🐷

Ce millésime est toujours commercialisé et sa fraîcheur ne semble pas s'estomper. Floral et croquant, il lui faut souvent 3 à 4 années avant de présenter des notes intéressantes de pâtisseries et une texture plus charnelle que fuyante. Les notes toastées sont nettes, celles de citron sont désormais confites. L'effervescence est gourmande, sans être alourdie par le dosage. Agréable et mature, je le préconise sur un apéritif gourmand.

Cuvée Encore 2007
15/20 ■ ■ ■ ■ ▬ ▬ ▬ ▬ ▪ ▪ ✚ IP
★★★⟩

🐷 🐷

Un effervescent demi-sec (autour de 20 gr de sucre) qui reste frais et digeste. Crémeux, riche, grâce à une mousse abondante aux bulles éparses, axé sur des flaveurs exotiques et épicées, on perçoit comme toujours quelques arômes de marmelade, un peu citronnés en finale. L'élégance et la minéralité font place à l'exubérance. Le dosage est très bien intégré.

VILLIERA
STELLENBOSCH

La famille Grier est dans l'univers du vin depuis les années 1970, mais le domaine Villiera a été fondé dans les années 1980. Travaillant avec Jean-Louis Denois pour l'élaboration des mousseux, ceux-ci ont rapidement atteint des sommets de qualité.

www.villiera.com
Lieu : PO Box 66, Koelenhof – 7605
Téléphone : 27 (0) 21 865 2002

Cuvée Special Dosage NV
15/20 ▮ ▮ ▮▮ ▬ ▬ ▪▪ ✚ IP
★★⟩

🐖 🐖

Un dosage appuyé qui ne rend cependant pas le volume trop lourd. Il sent les fruits cuits, le bonbon caramélisé, puis l'eau-de-vie de mirabelle. La mousse est abondante et évanescente, elle allège un ensemble qui aurait pu devenir excessivement séveux. Pour les amateurs de vins dosés.

Cuvée Tradition – Brut
15/20 ▮ ▮ ▮▮ ▬ ▬ ▪▪ ✚ IP
★★⟩

🐖 🐖

Léger, souple, plus fruité que minéral, très harmonieux, ce vin mousseux présente une effervescence aux bulles fines, peu vives. Tantôt sur les fruits secs, tantôt sur le pain grillé blond, l'ensemble plutôt sec et frais, grâce à un dosage réussi, en fait un effervescent de facture classique, très appréciable.

STEENBERG
CONSTANTIA

Un domaine fondé en 1990 qui offre un complexe récréatif et œnotouristique de haut de gamme. Toute la gamme de vins est à l'image du site, somptueux, précis, sans faille, ce qui est vraiment étonnant pour la jeunesse de l'endroit. Les vins tranquilles secs blancs figurent parmi les meilleurs d'Afrique du Sud, notamment le Sémillon. L'unique vin effervescent est très abouti.

www.steenberg-vineyards.co.za
Lieu : PO Box 224 Steenberg – 7947
Téléphone : 27 (0) 21 713 2211

Cuvée Brut 1682 – Chardonnay 2010

15/20 ▮ ▮ ▮▮ ▬ ▪▪ ✚ IP

★★★

🐷 🐷

Une cuvée qui offre des arômes briochés et laiteux (riz au lait), derrière ceux de pommes jaunes qui apportent une fine acidité en finale. Le dosage n'apparaît pas appuyé, l'effervescence est crémeuse sans être lourde, et la petite pointe boisée, vanillée, qui parcourt la dégustation, donne un mousseux toujours réussi, millésime après millésime.

BON COURAGE ESTATE
ROBERTSON

Fondée en 1927 par André Bruwer, près de la source de la rivière Breede et de l'impressionnante chaîne de montagne Langeberg, cette maison est toujours administrée par les descendants de la famille. Jacques Bruwer et son équipe qui regroupe plus 50 personnes au sein du domaine produisent une panoplie impressionnante de vins tranquilles et effervescents.

www.boncourage.co.za
Lieu : P.O. Box 589 Robertson – 6705
Téléphone : 27 (0) 23 626 4178

Cuvée Cap Classique – Jacques Bruére Brut Réserve 2007

15/20 ▌▌ ▌▌▌ ═ ▪▪ ✚ IP
★★★◗

🐷 🐷

Un style sud-africain qui présente des notes d'agrumes confits, très expressifs, qu'on retrouve en bouche au cœur d'une effervescence très riche. Intense et corsée en bouche, l'heureuse acidité finale apporte une fraîcheur qui paraissait occultée par la puissance du vin à l'attaque. Un vin opulent bien élaboré.

Cuvée Cap Classique – Jacques Bruére Brut – Blanc de Blancs 2008

17/20 ▌▌ ▌▌▌ ═ ▪▪ ✚ IP
★★★★◗

🐷 🐷

Axée sur des notes d'agrumes aujourd'hui confites, moins agressives que l'an passé, cette cuvée est mature, l'effervescence abonde à travers des bulles nouées et persistantes. On passe de notes de tarte au citron à celles de croissants, c'est un bon mousseux océanien, presque minéral, toutefois plus gourmand qu'apéritif.

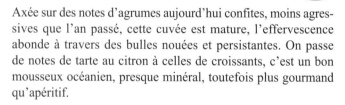

KRONE BOREALIS
TWEE JONGE GEZELLEN ESTATE (Tulbagh)

Nicky et Mary Krone ont donné leur nom à la méthode traditionnelle qu'ils utilisent pour élaborer des vins mousseux devenus des incontournables en Afrique du Sud depuis plus de 30 ans. Ce domaine qui était au XVIIIᵉ siècle une ferme comme la plupart des entreprises viticoles où l'on diversifiait les cultures, est la première Winery établie de la région.

www.houseofkrone.co.za
Lieu : PO Box 16 Tulbagh – 6820
Téléphone : 27 (0) 23 230 0680

Cuvée Borealis Brut 2008

16/20 ▮ ▮ ▮▮ ▬ ▪▪ ✚ IP
★★★

🐷 🐷

La minéralité est perceptible au premier nez, toutefois rapidement occultée par les notes toastées d'un vin puissant et ferme en bouche. L'effervescence déroule tendrement, les bulles sont nouées, elles transportent des accents citronnés de jeunesse que seule la finale vient caresser de parfums pâtissiers très légers. Encore jeune, je la préconise à l'apéritif.

Cuvée Nicolas Charles Krone – Marque 1

17/20 ▮ ▮ ▮▮ ▬ ▪▪ ✚ IP
★★★★

🐷 🐷 🐷

Sans doute l'un des mousseux sud-africains les plus aboutis grâce à son effervescence crémeuse et tapissante, ses arômes de fruits confits et de pâtisseries plus grillées que beurrées qu'on décèle à la fois au nez puis en bouche, et dont la finale présente un fin rancio qui rappelle certains sherry moelleux. Un vin effervescent construit pour la table.

2

Les maisons
D'ALLEMAGNE

DEINHARD

Une maison établie depuis la fin du XVIIIᵉ siècle, aujourd'hui au sein du groupe Henkell-Söhnlein. De multiples cuvées sont élaborées sur des dosages toujours appuyés.

www.deinhard.de
Lieu : Deinhard Sektkellerei KG Deinhardplatz 3 – 56068 Koblenz
Téléphone : 0261 911 515 0

Cuvée Lila Brut

14/20 ▮ ▮ ▮▮ ▬ ▬ ▪▪ ▪▪ ✚ IP
★★
🐷 🐷

La moins « sucrée » des multiples cuvées de la maison, ce qui permet au riesling de garder sa minéralité et sa typicité derrière des arômes floraux mais charmeurs. Vaporeux dans son effervescence, rond dans sa texture, linéaire et court, le vin facile et polyvalent pour les apéritifs de foule.

FÜRST VON METTERNICH

Dès la fin du XVIIᵉ siècle, la famille Metternich-Winneburg est mentionnée dans l'univers du vin de la région du Rheingau. Cependant, elle se spécialise en effervescence au milieu du XIXᵉ siècle, lors de l'essor du champagne sur les marchés européens. Depuis les années 1930, elle s'applique à produire les meilleurs rieslings effervescents du Schloss Johannisberg.

www.fuerst-von-metternich.com
Lieu : Biebricher Allee 142 – 65187 Wiesbaden
Téléphone : 49 6116 91 775

Cuvée Henkell-Riesling
Fürst von Metternich

14/20 ▮ ▮ ▮▮ ▬ ▬ ▪▪ ✚ IP
★★
🐷

Délicat, très léger dans son volume, ce mousseux a un dosage appuyé qui étouffe la minéralité du cépage. La finesse des bulles, par ailleurs évanescente, est perceptible tout au long de la dégustation dont la finale sucrée procure de l'amertume de peau de pomme brune. Un mousseux agréable et sucré pour l'apéritif ou un dessert à base de meringue.

MENGER–KRUG

Regina Menger-Krug dirige une maison devenue une référence en matière d'effervescence outre-Rhin. La marque est distribuée par Henkell & Söhnlein depuis 2003.

www.menger-krug.de
Lieu : Biebricher Allee 142 – 65187 Wiesbaden
Téléphone : 0611630

Cuvée Riesling Brut

15/20 ■ ■ ■■ ══ ▪▪ ✚ IP
★★★

Citronné au nez et en bouche, cette cuvée est remarquable par son effervescence très fine qui apporte de la rondeur à un ensemble plutôt incisif. Le sucre résiduel n'occulte ni la légère minéralité générale, ni la finale courte et fraîche. C'est un bon vin effervescent d'apéritif.

Cuvée Chardonnay Brut

16/20 ■ ■ ■■ ══ ▪▪ ✚ IP
★★★

Tendre et brioché dans l'ensemble, ce vin a une effervescence très légère, peu profonde, malgré des bulles relativement fines et régulières. La structure est rigide, peu imposante. Le style est tourné vers l'international où l'accent est porté sur la séduction des arômes émis (agrumes, pâte feuilletée, amandes).

Cuvée Zéro

15/20 ■ ■ ■■ ══ ▪▪ ✚ IP
★★★

Entre les agrumes et le biscuit au beurre dans les arômes perçus au nez et retrouvés en bouche, cette cuvée est intéressante, car elle présente un caractère élégant, plus fin que les autres vins de la maison. L'acidité apporte une tension et une fraîcheur agréables. L'effervescence est maîtrisée, les bulles sont fines, le volume qu'elles apportent est léger, un peu disparate cependant, en accord avec le style aérien général.

RAUMLAND

Dans la tradition plus champenoise qu'allemande en matière d'effervescence, Heide-Rose et Volker Raumland élaborent de remarquables mousseux depuis les années 1990.

www.raumland.de
Lieu : Alzeyer Straße 134 D-67592 – Flörsheim-Dahlsheim
Téléphone : 06243 908070

Cuvée Prestige Riesling Brut
13/20 ■ ■ ■■ ═ ▄▄ ✚ IP
★✦

La typicité du cépage laisse parler des notes graphites, terpéniques autour d'arômes de pommes vertes. En bouche, l'effervescence est vive, la mousse abondante puis rapidement fuyante, elle laisse la place à un voile satiné qui développe des accents de fruits blancs (poires, pommes) peu persistants, mais nets et naturels.

REINECKER

Depuis la fin des années 1980, Herbert Reineker et sa femme Christina élaborent des vins effervescents dans le respect de la méthode traditionnelle, en laissant vieillir les vins dans de petits fûts. En se spécialisant dans l'élaboration de vins effervescents, le couple a hissé sa gamme à un niveau de qualité constante. Le domaine a su devenir une référence parmi les petits producteurs.

www.sektkellerei-reinecker.de
Lieu : Herbert Reinecker Oberdorfstr. 17 – 79424 Auggen
Téléphone : 07631 3441

Cuvée Classic Brut
15/20 ■ ■■■ ═ ▄▄ ✚ IP
★★✦

Le chardonnay domine l'assemblage typiquement champenois de cette cuvée en apportant à la fois sa finesse et des arômes beurrés dus à un élevage sous bois de plus de 2 années avant le dégorgement. La mousse est abondante, crémeuse, grâce à des perles fines et vives, elle tapisse généreusement les papilles tout en développant des notes d'écorces d'agrumes et de pain au lait. Assez long en bouche, ce vin mérite d'être servi à table.

ROTKÄPPCHEN-MUMM

Le plus gros groupe producteur de bulles allemand présente 9 marques sur le marché : Geldermann, Jules Mumm, MM extra, Mocca Perle, Mumm Sekt, Rotkäppchen Sekt, Rotkäppchen Alkoholfrei et Kloss & Foerster. Le Rotkäppchen, le mousseux au capuchon rouge, est un emblème en Allemagne. C'est le 26 septembre 1856 que les frères Moritz et Julius Kloss fondèrent avec leur ami Carl Foerster le commerce de vins Kloss & Foerster à Freyburg sur l'Unstrut; cette marque est désormais intégrée au groupe. La majorité de toutes les cuvées de ces marques est créée dans les catégories Dry et Medium Dry, des dosages qu'affectionne particulièrement le consommateur allemand, premier client de ces marques dans le monde.

www.rotkappchen-mumm.de
Lieu : Rotkäppchen-Mumm Sektkellereien
GmbH Sektkellereistraße 5 D-06632 Freyburg/Unstrut
Téléphone : 49 0 3 44 64 34 0

Cuvée Rotkappchen – Trocken
14/20 ■ ■ ■ ■ ═ ▪▪ ▪▪ ■ IP
★★

Avec plus de 20 grammes de sucre, cette cuvée est pourtant la plus « Brut » de la gamme Rotkappchen. Les arômes sont orientés sur une salade de fruits blancs qu'on aurait sucrée avec du miel, l'effervescence est abondante et fine, quoique fugace, elle rafraîchit le palais juste le temps d'une consommation rapide. Peu complexe et efficace.

3

Les maisons
D'ANGLETERRE

CAMEL

Bob et Annie Lindo se sont lancés dans l'aventure viticole au début des années 1990. Travaillant avec les cépages classiques de Grande-Bretagne, ils offrent des vins effervescents de plus en plus remarqués par les amateurs britanniques.

www.camelvalley.com
Lieu : Nanstallon – Bodmin – Cornwall – PL30 5LG
Téléphone : 0 1208 77959

Cuvée Cornwall Brut 2010

16/20 ▮ ▮ ▮▮ ━ ▪▪ ✚ IP
★★★

🐷 🐷

Florale, quelque peu herbacée, cette cuvée présente une effervescence vaporeuse aux bulles toutefois nouées et finalement perdurantes. Le seyval et le reichensteiner qui la composent sont ici plus toastés que sur les précédents millésimes même si les habituelles notes de sel et d'agrumes englobent la dégustation. Un bon apéritif.

COATES & SEELY

Les passionnés du porto connaissent forcément la Quinta do Noval et son directeur général Christian Seely, figure incontournable du Douro et... de Bordeaux, puisqu'il est aussi le directeur britannique d'Axa Millésimes, qui détient le château Suduiraut et le château Pichon-Longueville. Plus méconnu des amateurs de vins, toutefois renommé chez les « traders», Nicholas Coates a assis son nom de financier dans la City de Londres depuis les années 1980. Et comme tous les hommes d'affaires à la veille de la retraite, il a décidé au milieu des années 2000 que celle-ci serait très occupée. Amis depuis une vingtaine d'années, ils ont ensemble eu l'idée en 2007 de créer une marque de vin effervescent britannique, issu du terroir anglais. Bénéficiant d'un sous-sol d'argile et de craie (la même qu'en Champagne puisqu'on est sur la même faille géologique), c'est aussi avec les 3 cépages marnais que l'entreprise s'est établie dans le North Hampshire verdoyant et brumeux.

www.coatesandseely.com
Lieu : Wooldings Vineyard, Harroway, Whitchurch (Hants),
RG28 7QT
Téléphone : 01 256 89 22 20

Coates & Seely – Cuvée Rosé NV (non vintage)

16/20 ■ ■ ■ ■ ▬ ▬ ▪▪ ▪▪ ✚ IP

★★★

🐷 🐷 🐷

Je n'aime pas comparer les vins de Champagne aux autres appellations de mousseux, toutefois, on est en présence ici d'un rosé effervescent qui, dégusté à l'aveugle, peut inquiéter bien des cuvées rosées rémoises. D'abord axé sur les agrumes au premier nez, le second reste sur un fruité jaune. Les arômes se révèlent davantage sur les petites baies rouges en bouche, qu'on devine dans une texture satinée, illustrée par des bulles au calibre moyen, toutefois serrées et persistantes. L'ensemble se montre d'une fragile « minéralité » qui ne persiste pas en bouche, se dévoilant plutôt à l'attaque autour de notes d'orge et de levure. C'est un excellent mousseux européen qui se montre toutefois dispendieux.

HUSH HEATH
W I N E R Y

Comme d'autres domaines britanniques, la polyculture est de mise (pomme, poire, raisins) sur cette jeune exploitation qui élabore ses propres vins depuis 2005 après que son propriétaire Richard Balfour-Lynn eut planté les premières vignes en 2002. Entouré d'une sérieuse équipe de techniciens, les vins effervescents s'améliorent millésime après millésime. C'est un vignoble qu'il va falloir guetter...

www.hushheath.com
Lieu : Five Oak Lane, Junction of Snoad Lane – Marden – Kent TN12 0HX
Téléphone : +44 (0)1622 832794

Cuvée Balfour Brut Rosé 2007

16/20 ▮ ▮ ▮▮ ▬ ▬ ▪▪ ✚ IP
★★★

🐷 🐷

Si 2007 n'a pas été formidable dans le Kent, Owen Elias et Victoria Ash, les chefs de cave, ont fait des prouesses pour offrir un vin mousseux, certes tendu, voire tranchant à l'attaque, mais qui rapidement, une fois en bouche, présente une texture veloutée et des arômes d'agrumes, puis de fruits rouges confits, en adéquation avec les bulles foisonnantes et aériennes. Encore un peu court en finale, ce vin présente quelques accents de levure que seul le temps saura transformer en délicates notes pâtissières. Un mousseux à mettre en cave pour mieux l'apprécier d'ici quelques années et qui confirmera que c'est sans doute dans cette partie méridionale de l'Angleterre que l'effervescence se montre la plus inspirante et la plus prometteuse.

NYETIMBER
VINEYARD

Le manoir de Nietymber existe depuis la fin du XIe siècle, mais le domaine viticole fut créé à la fin des années 1980 par Stuart et Sandy Moss pour être repris en 2002 par Andy Hill, puis en 2006 par Éric Heerema, qui engagea Cherie Spriggs et Brad Greatrix pour la vinification des vins. Il est exclusivement planté des trois grands cépages champenois, le chardonnay (70 %), le pinot noir et le pinot meunier (30 %), afin que son élaboration vienne uniquement du vin effervescent selon la méthode traditionnelle. C'est aujourd'hui le grand domaine viticole classique en Angleterre.

www.nyetimber.com
Lieu : Gay Street West Chiltington West Sussex – RH20 2HH
Téléphone : 0 1798 813989

Cuvée Première Cuvée
Chardonnay Blanc de Blancs
Brut 2003

16/20 ▮▮ ▮▮▮ ▬ ▬▬ ✚ IP

★★★

Cete cuvée se montre plus fruitée que le millésime 2001, et pourtant elle reste sur des arômes d'agrumes (citron, pamplemousse) et de fleurs. L'effervescence est abondante et aérienne, il faut laisser le vin quelques instants au repos pour qu'elle s'atténue et se fasse plus crémeuse, elle est alors en harmonie avec les soupçons de notes pâtissières (tarte amandine, Paris-Brest). C'est un mousseux réussi qui devrait arriver rapidement à maturité. Excellent aujourd'hui à l'apéritif.

RIDGEVIEW
WINE ESTATE

Le domaine fondé par Michael et Christine Roberts va bientôt avoir 20 ans. Travaillant aujourd'hui avec leur fils Simon et leur belle-fille Mardi sur leur terre de 6,5 hectares, la famille ne se consacre qu'à l'élaboration de vins effervescents. Après quelques années d'observations et d'expérimentations, elle jouit aujourd'hui de l'apport de raisins de 60 autres hectares permettant une production de 350 000 bouteilles. Ce domaine est parmi les meilleurs d'Angleterre.

www.ridgeview.co.uk
Lieu : Fragbarrow Lane Ditchling Common Sussex – BN6 8TP
Téléphone : 0 1444 24144

Cuvée Knightsbridge 2009

16/20 ▮ ▮ ▮▮ ▬ ▬ ▪▪ ➕ IP
★★★

🐷 🐷

Toujours aussi puissant et parfumé dans le style, malgré la personnalité des millésimes, ce vin effervescent anglais se présente sous des atours aromatiques de fruits rouges qu'on aurait déposés sur une pâte sablée. L'effervescence est soignée, onctueuse quoique peu persistante, elle s'efface en finale pour mieux offrir une vinosité un peu rustique qui conviendra toutefois sur un apéritif aux canapés variés.

4

Les maisons
D'ARGENTINE

BODEGAS CHANDON

C'est sous l'impulsion du comte Robert Jean de Vogüe que la maison Moët & Chandon travaille dans les années 1950 à chercher la meilleure région argentine apte à donner de bons vins effervescents. Elle s'implantera finalement dans la région d'Agrelo à Mendoza où un sol crayeux, un climat semi-désertique avec des nuits fraîches et des amplitudes thermiques importantes, apportent des conditions idéales pour élaborer des vins mousseux.

www.chandon.com.ar
Lieu : Ruta Provincial 15 km 29 – Agrelo – Luján de Cuyo
– Mendoza
Téléphone : 54 261 490 9900

Cuvée Brut Nature
15/20 ▮ ▮ ▮▮ ▬ ▮▮ ✚ IP
★★☆

🐷

Tendue, mordante à l'attaque, plus souple en bouche, les bulles sont moyennes, mousseuses, persistantes, elles dévoilent des flaveurs d'abord axées sur le pamplemousse rose, l'ananas, puis un côté confiserie se laisse déceler (guimauve, chocolat blanc). Finalement très légèrement grillée, cette cuvée laisse une agréable sensation de rondeur.

Cuvée Eternum ZD
16/20 ▮ ▮ ▮▮ ▬ ▮▮ ✚ IP
★★★

🐷 🐷

Pas de sucre pour cette cuvée qui se montre aussi fine qu'incisive. D'une grande pureté en bouche, le crescendo des flaveurs est d'un équilibre parfait et toujours subtil : pamplemousse, pomme verte, orangette, amande, toast blond. C'est un vin tapissant, frais, mordant sans être agressif, au caractère apéritif. Une agréable découverte.

BODEGA CRUZAT

Un jeune domaine fondé par l'œnologue Pedro Federico Rosell et plusieurs associés qui va bientôt fêter ses dix ans. Les raisins sont achetés à plusieurs vignerons de la Vallée de Uco au nord de Mendoza, entre 100 et 1 300 mètres d'altitude.

www.bodegacruzat.com
Lieu : Costa Flores s/n Perdriel, Mendoza
Téléphone : 261 52 42 290

Cuvée Réserve – Extra-Brut
15/20 ▮▮▮▮ ▬▬ ▪▪ 🇨🇭 IP
★★★

Un mousseux très expressif, voire exotique dans ses arômes, On y perçoit des notes d'amandes, d'ananas, de pâtisseries aux fruits blancs au sein d'une effervescence soignée, vaporeuse et légère qui se combinera aisément sur un plat froid de poisson en salade. Un vin léger, frais et digeste.

BODEGA NORTON

Établie par un anglais à la fin du XIXe siècle qui planta des cépages rapportés de France, la marque appartient aujourd'hui à un Autrichien qui l'a acquise en 1989. Constituée de 5 domaines, les vins proviennent de plus de 700 hectares de vignes réparties sur 1 200 hectares en propriété.

www.norton.com.ar
Lieu : Ruta 15 – Km 23,5 Perdriel – Lujan de Cuyo - Mendoza
Téléphone : 54261 490 9700

Cuvée Especial Extra-Brut
14/20 ▮▮▮▮ ▬▬ ▪▪ 🇨🇭
★★

Un chardonnay léger, aérien tant dans les effluves que dans le comportement. On passe de notes herbacées à celles de pommes vertes au sein d'une texture souple et soignée qui manque toutefois de profondeur pour le cépage employé. À réserver pour l'apéritif.

Cuvée Brut Rosé

15/20 ■ ■ ■■ ═ ▪▪ ✚ IP
★★✦

🐷 🐷

Un rosé tendu, expressif, presque minéral, ce qui le rend original pour la contrée d'origine. Axé sur des arômes de salade de fruits rouges, il se montre droit et sans complexe en bouche à travers une effervescence bien conduite (Charmat) qui offre des bulles au calibre moyen, toutefois nouées et persistantes. Croquant donc, je le préconise en apéritif.

BODEGAS Y VIÑEDOS
PASCUAL TOSO

À la fin du XIXᵉ siècle, Pascual Toso débarque de son Piémont natal en Argentine. Il fonde un premier domaine à San José, puis il achète des terres à Las Barrancas. Aujourd'hui, la marque s'est imposée dans le pays tout entier. Depuis 2001, le Californien Paul Hobbs apporte son expertise dans l'élaboration des vins.

www.bodegastoso.com.ar
Lieu : Alberdi 808, Guaymallén – Mendoza. M5519AER
Téléphone : 0 261 405 8000

Cuvée Extra Toso

15/20 ■ ■ ■■ ═ ▪▪ ✚ IP
★★✦

🐷

Plus concentrée que la cuvée Toso Brut, celle-ci présente des bulles fines qui emprisonnent rapidement les papilles, tapissant le palais, puis tombant brusquement en fin de bouche, sans laisser l'impression satinée décelée à l'attaque. Les flaveurs sont exotiques, puis beurrées, aussi courtes dans le comportement que l'effervescence. L'ensemble est ample, tout se passe en milieu de bouche. Ce vin devrait présenter de la profondeur et surtout de la longueur en le laissant deux ou trois années en cave après son achat.

BODEGA SEPTIMA

Le domaine appartient au groupe Codorniu, il a fêté ses dix ans en 2011, il présente toute la panoplie classique des vins tranquilles et effervescents.

www.bodegaseptima.com
Lieu : Ruta Internacional N° 7 Km. 6,5 Agrelo Luján de Cuyo, Mendoza
Téléphone : 54 11 4816 9028

Cuvée Maria Codorniu
Réserve Brut Nature

15/20 ■ ■ ■ ■ ═ ═ ▪▪ ■ IP
★★★

🐖 🐖

Un chardonnay orienté sur les fruits blancs confits et les toasts blonds, toutefois plus tropical que minéral, plus gourmand que croquant. L'effervescence est réussie, les bulles sont fines et liées, néanmoins peu persistantes, impeccables pour accompagner un apéritif aux canapés variés.

FAMILIA CECCHIN

Italienne d'origine, la famille Cecchin est installée dans la région de Mendoza depuis 1910, mais il a fallu attendre les années 1960 pour que Pedro et Jorge Cecchin se lancent dans l'univers viticole. Une grande palette d'huiles d'olive et de vins est offerte aux consommateurs, tous issus d'une agriculture biologique.

Lieu : Manuel A. Sáenz 626 - Maipú – Mendoza
Téléphone : 54 261 524 2336

Cuvée Espumante Dulce Naturale

15/20 ▮ ▮ ▮▮ ▬ ▬▬ ➕ IP
★★★

🐷

Un muscat d'Alexandrie évidemment aromatique (pêche, abricot, miel) qui ne manque pas néanmoins de fraîcheur perçue dans l'enveloppe citrique du volume onctueux de l'effervescence. Un apéritif sucré qui ne coupera pas l'appétit.

FAMILIA ZUCCARDI

José Alberto Zuccardi dirige aujourd'hui une maison construite par son père en 1963 à Mendoza. Disposant de plusieurs parcelles sur différents districts de la région, la maison se distingue par une mission sociale et environnementale. Le succès commercial des nombreuses cuvées élaborées a permis à la famille Zuccardi de construire des écoles pour les enfants des vignerons et de préserver la flore qui voisine les vignobles exploités.

www.familiazuccardi.com
Lieu : Ruta Prov. N 33 – Km 7,7 (M5531) Maipu. Mendoza
Téléphone : 54 261 441 0000

Cuvée Vida Organica – Chardonnay

15/20 ▮ ▮ ▮▮ ▬ ▬▬ ➕
★★★

🐷

Vendue en tant qu'Extra-brut, cette cuvée est en fait de la catégorie Brut puisqu'elle présente 9 grammes de sucre résiduel; la législation en la matière en Argentine étant différente de la plupart des autres pays viticoles. C'est une méthode Charmat particulièrement réussie, car l'effervescence est vive et fine, même si elle est peu persistante après un quart d'heure dans le verre. Les arômes sont axés sur les pommes cuites et une pointe anisée au nez, ils sont vineux en bouche grâce à la puissance de l'ensemble, c'est un vin malgré tout croquant et fruité, peu complexe, mais convaincant.

LUIGI BOSCA

La famille Arizu, espagnole d'origine, s'est installée autour de Mendoza à la fin du XIXe siècle. Grâce à un oncle déjà installé en Argentine dans l'univers viticole, Leoncio Arizu plante ses propres vignes en 1901 et, en 1908, il enregistre son domaine. Son fils, puis aujourd'hui ses petits-enfants dirigent toujours l'entreprise dont le nom de marque Luigi Bosca fut déposé dans les années 1970.

www.luigibosca.com.ar
Lieu : San Martin 2044 Mayor Drumond – Lujan de Cuyo

Cuvée Brut Nature Metodo Tradicional
15/20 ▋▋▐▋ ▌▌ ═ ▞▞ ✚ IP
★★★

Nez délicat de fruits blancs (pomme, pêche blanche), puis de réglisse à l'aération, l'attaque en bouche est vive, pure, presque incisive, puis rapidement caressée par une texture veloutée grâce à une effervescence soignée et réussie, illustrée par des bulles menues. L'ensemble ne démontre pas une grande complexité, les arômes sont nets et courts, c'est un vin davantage axé sur la fraîcheur apéritive que sur la profondeur gourmande.

Cuvée Brut – Prestige Rosé Metodo Tradicional
16/20 ▋▋▐▋ ▌▌ ═ ▞▞ ✚ IP
★★★

Nez fin, plutôt discret, axé sur des fruits blancs bien mûrs qui se métamorphosent en arômes de cerises et de pêches jaunes dès l'attaque en bouche. Les bulles sont fines et persistantes, l'effervescence est réussie, elle s'harmonise à une puissance affirmée qui illustre finalement un vin corsé, de belle tenue pour un repas. Très beau rosé effervescent.

VALENTIN BIANCHI

Valentin Bianchi a débarqué d'Italie en Argentine en 1910. En 1928, il fonde sa première maison viticole, El Chiche. Avec sa famille, il développe son entreprise en achetant des parcelles dans la région de San Rafael. En 1951, la marque Valentin Bianchi est déposée. Elle est devenue incontournable dans la région de Mendoza.

www.valentinbianchi.com
Lieu : Comandante Torres 500 – M5600BCJ – San Rafael
– Mendoza
Téléphone : 54 262 742 2046

Cuvée Extra-Brut NV

13/20 ▮ ▮ ▮▮ ▬ ▪▪ ➕ IP
★↝

🐷

Un peu végétal (céréales), simple au niveau fruité (pomme et poire) à l'aération, ce vin se montre sec et austère en bouche, les bulles sont moyennes et fugaces. Droit, frais, peu charmeur.

5

Les maisons

D'AUSTRALIE

BAY OF FIRES

La Tasmanie est sans aucun doute la meilleure région viticole australienne pour y élaborer des vins effervescents. Ce domaine d'abord nommé Rochecombe Vineyard et Heemskerk, est basé au nord de l'île, en bordure de la rivière Pipers. Reconnu pour ses sauvignons et ses pinots noirs tranquilles, ses mousseux sont parmi les meilleurs d'Océanie, car ils sont élaborés avec le soutien et l'expertise des œnologues du groupe Arras, auquel la marque appartient.

www.bayoffireswines.com.au
Lieu : 40 Baxters Road Pipers River TAS 7252
Téléphone : 03 6382 7622

Cuvée NV Brut

16/20 ▌▐ ▌▐ ═ ▪▪ ✚

★★★

🐷 🐷

Un effervescent assez vif et croquant en bouche où s'entremêlent arômes de pommes, d'ananas et de toasts blonds. Les bulles ont un calibre moyen, c'est leur comportement noué qui permet la sensation d'une texture veloutée en bouche dont l'enveloppe reste curieusement plus minérale que surmûrie pour un vin de cette contrée. La puissance est décelée en finale, elle accentue agréablement les arômes fruités. Un très bon mousseux pour une entrée de poisson où le citron peut avoir sa place.

BLUE PYRENEES
ESTATE

Si le domaine viticole été établi par le groupe Rémy Martin dès les années 1960 dans le secteur de Victoria, la marque Blue Pyrenées a été créée au début des années 1980. Le premier vin commercialisé sous cette bannière date de 1982. Opérant dans un secteur particulièrement propice aux cépages résistant à une certaine fraîcheur – chardonnay, pinot, sauvignon, riesling – Blue Pyrenees élabore plusieurs cuvées effervescentes qui se détachent en qualité de nombreuses autres concurrentes.

www.bluepyrenees.com.au
Lieu : Vinoca Road, Avoca Victoria 3467 Australia
Téléphone : (61) 03 5465 1111

Cuvée Midnight – Brut Chardonnay 2004
16/20 ▮ ▮ ▮▮ ▭ ▬▬ ▪▪ ✚
★★★

🐖 🐖

La nervosité décelée lors d'une première dégustation pour l'édition de l'année dernière a laissé la place à plus de rondeur, exacerbée par l'onctuosité de l'effervescence. Les arômes d'agrumes sont confits, voire cuits, ils s'associent à ceux de pâtisseries plus fruitées que beurrées. C'est un mousseux aujourd'hui prêt à boire, chaleureux et gourmand, que je préconise sur une entrée chaude de poisson gras.

CROSER-PETALUMA

Fondé en 1979 par Brian Croser dans la région viticole nommée Australie du Sud, cette maison s'est développée sur plusieurs appellations dont celle d'Adelaide Hills où elle élabore aujourd'hui des cuvées de vins effervescents issues de Piccadilly Valley qui sont régulièrement parmi les dix meilleures de toute l'Océanie.

www.croser.com.au
Lieu : Mt Barker Road – Bridgewater – South Australia 5155
Téléphone : 61 8 8339 9222

Cuvée NV – Brut

15/20 ▮ ▮ ▮▮ ═ ░░ ✚ IP
★★⸜

🐷 🐷

Le mousseux d'entrée de gamme de cette maison est toujours plus puissant et plus rond (dosage sensible) que les autres cuvées (millésimées et dégorgées tardivement). Les arômes s'orientent vers les agrumes confits et la brioche aux raisins, ils convergent vers l'acidité de petits fruits rouges en finale, ce qui équilibre la dégustation. L'effervescence s'illustre dans un volume aérien aux bulles gonflées et légères. Constant dans son comportement et ses arômes, ce mousseux est idéal à l'apéritif.

DOMAINE CHANDON

La maison champenoise Moët & Chandon s'est établie dans la région de Victoria en 1986 en créant le domaine nommé Green Point. La marque Chandon a, quant à elle, été créée pour les vins effervescents issus de ce dernier. Elle est depuis devenue incontournable en la matière dans toute l'Océanie avec les 9 cuvées de bulles qu'elle commercialise.

www.domainechandon.com.au
Lieu : Green Point Maroondah Hwy Coldstream – 3770 Victoria
Téléphone : 613 9738 9200

Cuvée Sparkling Pinot Shiraz
15/20 ▮ ▮ ▮▮ ═ ▪▪ ✚ IP
★★☆

Foncé, il développe de façon très nette des arômes de cassis au nez comme en bouche. C'est un vin riche, opulent, au dosage appréciable sans être lourd comme la plupart des effervescents rouges d'Australie. La finale dévoile un soupçon de poivre, voire de cuir, qui nous rappelle la couleur du vin. Original et bien construit. Pour un apéritif où la viande rouge grillée est de mise.

GREG NORMAN

Greg Norman a toujours été un amateur de vin, il a investi chez lui en Australie (ainsi qu'en Californie) au cours de sa carrière de golfeur. Vinifiés dans la région de Victoria, ses vins proviennent des appellations situées surtout à l'ouest de Melbourne.

www.gregnormanestatewine.com
Lieu : 77 Southbank Boulevard - Southbank, Victoria 3006 Australia
Téléphone : 3 8626 3300

Cuvée Greg Norman Sparkling – Brut
15/20 ▮ ▮ ▮▮ ═ ▪▪ ✚ IP
★★☆

Un vin attractif au nez grâce à des notes à la fois vertes et mûres de citrons, de pommes et d'orge. L'effervescence est réussie, les bulles sont gonflées et nouées, la sensation crémeuse est légère, peu persistante. C'est un mousseux simple et bien élaboré, peu complexe, impeccable à l'apéritif.

JANSZ
TASMANIA

À l'origine, il s'agit du domaine Heemskerk (aujourd'hui Bay of Fires) construit en 1975 qui a développé la marque Jansz avec l'expertise de la maison Roederer dans les années 1980. Propriété de la famille Hill Smith de Yalumba, la vinification est dirigée par Natalie Fryar depuis 8 ans. Elle a su placer les cuvées de Jansz parmi les meilleures d'Australie.

www.jansz.com.au
Lieu : 1216B Pipers Brook Road Pipers Brook – TAS 7254
Téléphone : 03 6382 7066

Cuvée Premium

15/20 ■ ■ ■ ■ ▬ ▪▪ ✚
★★★
🐷 🐷

D'abord citronné au nez comme en bouche, quelques nuances de pain d'épices, de miel apparaissent à l'aération. Assez crémeux et riche en bouche, on reste sur des accents pâtissiers (meringue, guimauve, nougat) tout au long de la dégustation qui termine sa course sur une pointe d'agrumes confits. Le chardonnay australien semble apporter son côté charnel, tandis que le pinot noir, malgré son bouquet fruité, semble plus discret. Une excellente cuvée apéritive.

Cuvée Premium 2007 – Brut

16/20 ■ ■ ■ ■ ▬ ▪▪ ✚
★★★
🐷 🐷

Croquante, toutefois plus axée sur les agrumes que la minéralité, les arômes de pâtisserie sont discrets (juillet 2012), c'est une cuvée encore jeune, habillée par une effervescence aérienne, toutefois bien tissée, bien conduite grâce à ses bulles très nouées. Aujourd'hui apéritive, elle devrait rapidement arriver à maturité pour offrir davantage de profondeur.

JOSEF CHROMY

Situé dans la vallée de Tamar sur 61 hectares en propriété, le domaine Josef Chromy c'est l'histoire fabuleuse d'un immigrant de l'ancienne Tchécoslovaquie qui, après avoir traversé la Seconde Guerre mondiale, a fui le communisme dans les années 1950 pour aller s'installer à l'autre bout du monde, en Tasmanie. Joseph Chromy est un véritable self-made man qui en 50 ans est devenu un incontournable de la bulle australienne de qualité !

www.josefchromy.com
Lieu : 370 Relbia Road, Relbia, Tasmanie 7258
Téléphone : 03 6335 8700

Cuvée Brut 2008
Tasmania

16/20 ▌▐ ▐▌ ▌ ▬ ▬ ▬ ▪▪ ▪▪ ✚

★★★

🐷 🐷

Le nez est discret, toutefois minéral et citrique (notes de citron, de pamplemousse et de pomme verte). L'attaque en bouche est mordante, on retrouve les notes d'agrumes initialement perçues au sein d'une effervescence soignée et enveloppante aux bulles de calibre moyen, toutefois nouées qui apportent de la consistance au volume plus aérien que gourmand. C'est un mousseux de grande pureté, encore peu complexe, d'une jeunesse étonnante pour le millésime, qui peut facilement être laissé en cave quelques années. Les impatients l'apprécieront aujourd'hui en apéritif avec des huîtres.

PRIMO ESTATE

Situé dans McLaren Vale, Primo Estate est un magnifique domaine moderne et épuré au niveau architectural qui offre 3 marques de vins dont les cuvées haut de gamme vendues sous le nom de Joseph.

www.primoestate.com.au
Lieu : McMurtrie Road, McLaren Vale South Australia 5171
Téléphone : 61 8 8323 6850

Cuvée Joseph – Sparkling Red
14/20 ▮ ▮ ▮▮ ▬ ▪▪ ✚ IP
★★

🐷 🐷

Une robe rougeoyante, sombre et intense qui dégage une mousse rose aux parfums de cerises et de framboises. Attaque sucrée, texture tannique, un peu âcre, contrôlée par la sucrosité appuyée qui offre les arômes initialement perçus. Pour un apéritif gourmand, comme les aiment les Australiens !

SHINGLEBACK

Ce domaine familial de McLaren Vale a fêté son cinquantenaire en 2007, il est conduit par les frères Davey, à la fois fermiers et vignerons, qui ont su s'entourer d'une équipe d'une vingtaine de personnes, expertes dans leur domaine (marketing, comptabilité, événementiel, etc) afin de faire perdurer le rayonnement qualitatif des vins tranquilles et de l'unique efferververscent rouge. Établi dans McLaren Vale depuis les années 1960, la famille Davey affectionne particulièrement la syrah qu'elle développe en plusieurs cuvées dont une effervescente qui se distingue des autres syrahs « mousseuses » par un taux de sucre moins élevé.

www.shingleback.com.au
Lieu : Shingleback Wine Pty Ltd P.O. Box 811 McLaren Vale SA 5171
Téléphone : 08 8323 7388

Cuvée Black Bubbles – Sparkling Shiraz

15/20 ▌▐ ▌▌ ▬ ▪▪ ✚

★★✦

🐷 🐷

Chocolaté, épicé et tannique, ce vin développe un fruité axé sur le cassis et la mûre heureusement conduit par le dosage élevé. Concentré, gras, ce vin garde une fraîcheur notable (note de violette) grâce à l'absence d'accents brûlés, trop souvent perçus en finale, dans les shiraz mousseux australiens.

STEFANO LUBIANA

Situé à une vingtaine de kilomètres au nord de Hobart, dans le coude de la rivière Derwent, sur l'île de Tasmanie, le domaine est aujourd'hui dirigé par Steve Lubiana. Les vins effervescents sont parmi les plus intéressants d'Australie.

www.slw.com.au
Lieu : 60 Rowbottoms Rd Granton Tasmania Australia – 7030
Téléphone : 03 6263 7457

Cuvée Brut

15/20 ▌▐ ▌▌ ▬ ▪▪ ✚ IP

★★✦

🐷 🐷

D'abord iodé, puis mielleux à l'aération, ce vin présente une effervescence en bouche très abondante, très aérienne, plus mousseuse que crémeuse, et c'est justement ce comportement évanescent qui apporte une sensation de fraîcheur au cœur d'une texture tout de même grasse et parfumée. On passe de notes herbacées à celles de fruits confits, puis grillés, en passant par des accents exotiques. Le soleil continental semble tout de même occulter la minéralité de l'île.

TALTARNI VINEYARDS
CLOVER HILL VINEYARD

Domaine de 66 hectares fondé en 1986, près de la rivière Piper en Tasmanie, et dédié initialement à l'effervescence selon la méthode traditionnelle, avec les cépages classiques champenois, il a été le premier à positionner les mousseux australiens sur la carte des grands vins de ce type, dans le monde.

www.taltarni.com.au
Lieu : 60 Clover Hill Rd, Lebrina Tasmania – 7254
Téléphone : 3 6395 6286

Cuvée T Series – Chardonnay / Pinot Noir – Brut

14/20 ▮▮ ▮ ▮▮ ▬▬ ▬▬ ▪▪ ✚ IP
★★
🐷 🐷

Même si les raisins ne sont pas issus de Tasmanie mais du continent, cette cuvée offre une belle palette de salade de fruits blancs et plus surprenant, de cerise et de groseille au nez qu'on retrouve en bouche dans une effervescence légère et vaporeuse. Parfait à l'apéritif.

THORN CLARKE

Vignoble familial implanté dans la Barossa et davantage reconnu pour ses vins tranquilles dont l'excellente cuvée William Randell, le vin effervescent est particulièrement bien conduit.

www.thornclarkewines.com
Lieu : PO Box 402 Angaston South Australia 5353
Téléphone : 61 8 8564 3036

Cuvée Sandpiper – NV Brut Reserve Pinot Noir Chardonnay

16/20 ▮▮ ▮ ▮▮ ▬▬ ▪▪ ✚
★★★
🐷 🐷

Le pinot domine nettement l'assemblage, il donne un caractère vineux à cet effervescent issu de la méthode Charmat, très bien menée, puisque les bulles sont à la fois fines et persistantes. Elles accompagnent des arômes discrets de baies rouges couronnés de légères notes grillées. Enveloppant sans être collant, le dosage est réussi, il donne un vin expressif à la finale courte et fraîche. Une belle surprise.

YARRABANK

Yarrabank est en fait, depuis 1993, la marque déposée des vins effervescents du domaine Yering Station. Les cuvées de vins mousseux sont élaborées avec la collaboration de la maison de champagne Veuve A. Devaux depuis 1996.

www.yering.com
Lieu : 38 Melba Hwy Yarra Glen 3775 Victoria
Téléphone : 3 9730 0100

Cuvée Crème de Cuvée Devaux Yering

15/20 ▮ ▮ ▮▮ ▬ ▪▪ ✚
★★✫

🐷 🐷

Le nez est séducteur, il présente des arômes de salade de fruits rouges d'été, puis de discrètes notes de noisettes grillées. Ce vin est riche, gras en bouche, il continue de développer ses accents de fruits très mûrs, presque confits (cerises, prunes, bleuets). Tapissant et velouté grâce à un dosage élevé de 30 grammes, la finale épicée occulte un peu la minéralité du vin, qui nous rappelle tout de même qu'on est en Océanie, et non en Angleterre !

Cuvée 2006 – Traditional Method Devaux Yering

15/20 ▮ ▮ ▮▮ ▬ ▪▪ ✚ IP
★★✫

🐷 🐷

Plus minéral et tendu que le millésime 2005, plus européen qu'océanien dans sa facture générale, ce mousseux se montre intense et sec, il développe des arômes où les agrumes empiètent nettement sur les notes briochées (citron, mandarine, tarte au citron, panettone aux zestes). Les bulles sont fines, légères, peu persistantes, elles illustrent un vin apéritif et léger, croquant et aérien.

6

Les maisons
DU BÉNÉLUX

LE VIGNOBLE DES AGAISES

La Belgique étant certainement le pays dans le monde où se côtoient les plus grands connaisseurs de champagne, il fallait bien un jour que l'un de ses concitoyens se lance dans l'aventure singulière de la vinification effervescente. Raymond Leroy s'est donc entouré de professionnels pour créer son entreprise en 2002. Depuis, les 3 cépages classiques champenois sont exploités sur une surface de plus de 6 hectares à Haulchin. Les résultats ne se font pas attendre...

www.vignoblesdesagaises.be
Lieu : Maison Leroy Prevot – 314, rue de Merbe
7133 Buvrines (Binche)
Téléphone : 064 33 17 52

Cuvée Ruffus – Brut

13/20 ▌▌▐▌ ══ ▪▪▪ ✚ IP
★♪

🐷

Quelques notes légèrement grillés aussi bien au nez qu'en bouche couronnent des arômes de pommes. Le dosage est bien intégré (sucre roux), il permet une finale de pain d'épices sans supplanter la minéralité, bien conduite par une effervescence fine et peu persistante. On en boit, pas juste « une fois » !

DOMAINE MATHES ET CIE

Fondé en 1907, ce domaine est toujours administré par la famille Mathes qui possède une dizaine d'hectares de vignes.

www.mathes.lu
Lieu : 73, rue Principale L-5507 Wormeldange
GD du Luxembourg
Téléphone : 352 76 93 93

Cuvée – Brut – Grande Cuvée – Crémant
14/20 ▮ ▮ ▮▮ ▬ ▪▪ ✚ IP
★★

Droit, franc, un peu austère à l'attaque, les arômes légèrement pâtissiers décelés au nez se font encore plus discrets en bouche. Cependant, les bulles sont fines, leur comportement est crémeux, enveloppant, c'est alors en finale que des parfums de panier d'agrumes, de tarte au citron et de pain grillé se laissent saisir. Amusant, saisissant et parfait à l'apéritif.

BERNARD MASSARD

Maison fondée en 1921, elle est de très loin la plus grande maison luxembourgeoise qui élabore des vins effervescents. Elle possède aussi des entreprises française et allemande dans le même secteur vinicole.

www.bernard-massard.lu
Lieu : 8, rue du Pont L-6773 Grevenmacher GD du Luxembourg
Téléphone : 352 75 05 45-1

Cuvée de l'Écusson – Brut
14/20 ▮ ▮ ▮▮ ▬ ▪▪ ✚
★★

Droit, légèrement brioché, puis minéral à l'ouverture, ce mousseux présente d'abord des notes d'agrumes, puis de compote de pommes et enfin de thé (pointe oxydative non déplaisante) qu'on retrouve en bouche dans le même crescendo. La mousse n'est pas riche, mais elle tapisse convenablement les papilles pour filer rapidement vers la touche pâtissière initialement perçue. Simple, bien élaboré et à prix accessible.

Cuvée de L'Écusson – Brut Rosé

15/20
★★★

🐷

Un fruité rouge délicat au nez et en bouche dans une effervescence soignée, suave et légère. Ce crémant d'abord orienté vers des arômes de fraises et de cerises présente une très légère note grillée en finale qui apporte un caractère soutenu. Équilibré et bien fait.

KRIER
FRERES

Fondée par Jean Krier à la fin du XIXᵉ siècle à Bech-Kleinmacher, cette maison se déplaça dans les années 1920 à Remich, à proximité de la gare de chemin de fer pour faciliter l'expédition des vins en fûts vers la Belgique, les Pays-Bas ou la Scandinavie. Elle est toujours administrée par les descendants du fondateur.

www.krier.com
Lieu : 1, montée Saint-Urbain – BP 30 – L-5501 – Remich sur Moselle GD du Luxembourg
Téléphone : 352 23 69 60 1

Cuvée Brut – Saint-Cunibert Crémant

13/20 ▮ ▮ ▮▮ ▭ ▤▤ 🇨🇭 IP
★★★

🐷

Les bulles ont un calibre moyen, mais elles tapissent généreusement les papilles, dévoilant des arômes de foin, de tisanes, puis de zestes. La texture est satinée, peu corsée, courte, c'est un vin désaltérant, peu complexe, à prendre en apéritif.

7

Les maisons

DU BRÉSIL

AMADEU-CAVE GEISSE

Commercialisés sous le nom Cave Geisse, les vins effervescents de la marque Amadeu portent le patronyme de la famille Geisse, dont Mario Geisse, œnologue de formation a travaillé dans les années 1970 pour Moët & Chandon au Brésil avant de se lancer en affaire en 1979.

www.amadeu.com.br
Lieu : Bento Gonçalves – RS – CEP 95700 - 000
Téléphone : 3455 7461

Cuvée Cave Geisse – Brut

15/20 ▮ ▮ ▮ ▮ ▬ ▬ ▬ ✚ IP
★★★

Le chardonnay qui domine l'assemblage de ce vin se dévoile par ses notes de frangipane au nez comme en bouche. Le calibre des bulles est moyen, toutefois elles développent une compacité qui apporte une rondeur chaleureuse et longue. La finale axée sur des arômes de raisins très mûrs, voire secs, apporte la touche fruitée qui se montrait discrète à l'attaque.

Cuvée Cave Geisse – Nature

14/20 ▮ ▮ ▮ ▮ ▬ ▬ ▬ ✚ IP
★★

Il s'agit du même vin que la cuvée Brut qui, ici, n'a pas été dosé. Les arômes sont discrètement pâtissiers, toutefois quelques notes de levures se laissent capter. La maturité du raisin récolté apporte la rondeur à la texture dont les bulles, curieusement plus fines que sur la cuvée Brut, sont par ailleurs moins persistantes. Un effervescent au comportement particulier.

Cuvée Terroir – Nature

16/20 ■ ■ ■ ■ ▬ ▬ ▬ ■ IP
★★★

À la fois délicat et ferme, ce vin présente une effervescence vaporeuse en bouche après une attaque autoritaire. Le crescendo des arômes est net et classique : pomme, levure, amande, riz au lait. Les bulles se comportent comme des perles qui s'attachent aux papilles, elles transportent une belle fraîcheur et accompagnent l'équilibre de l'ensemble. C'est une très belle cuvée.

Cuvée Amadeu – Brut

16/20 ■ ■ ■ ■ ▬ ▬ ▬ ■ IP
★★★

Florale et boisée (acacia), cette cuvée se distingue surtout par le comportement d'une finesse remarquable de son effervescence : les bulles sont comme des perles nouées qui s'imprègnent sans jamais coller tout en transportant une fraîcheur anisée. La finale est courte, mais on conserve le souvenir d'un bel équilibre.

CASA VALDUGA

Depuis 1875, cette maison s'est imposée parmi les plus belles du Brésil. Orientée vers l'effervescence, elle démontre à travers les différentes méthodes utilisées qu'elle maîtrise son sujet. La famille Valduga possède plusieurs domaines dans la Vale dos Vinhedos dans les collines du Rio Grande do Sul.

www.casavalduga.com.br
Lieu : Via Trento 2355 Linha Leopoldina – Vale dos Vinhedos
CP 579 – CEP : 95700 000 Bento Gonçalvès – RS - Brasil
Téléphone : 54 2105 3122

Cuvée Brut 130

16/20 ▮ ▮ ▮▮ ▬ ▪▪ ✚ IP
★★★

🐷 🐷

De facture classique dans ses arômes, cette cuvée est toutefois exemplaire dans son comportement en bouche. L'attaque est vive, elle offre d'abord les arômes citronnés initialement perçus au nez, puis l'effervescence se fait veloutée et transporte des arômes d'amandes fraîches qui, en finale, se déclinent vers un côté grillé. On garde le souvenir d'un beau vin blanc rafraîchi par des bulles soignées. Une belle découverte.

Cuvée Maria ValDuga Brut (base 2006)

17/20 ▮ ▮ ▮▮ ▬ ▪▪ ✚ IP
★★★✦

🐷 🐷

Une cuvée assez rare et de prestige qui présente de beaux arômes pâtissiers (tarte amandine, tarte au citron, cake aux fruits confits) au nez et dont on retrouve le côté beurré en bouche en adéquation avec l'effervescence crémeuse, dont l'aspect serré des bulles est sans doute dû à la longue seconde fermentation en bouteille. Une réussite.

MIOLO

La marque Miolo a été lancée en 1989, toutefois, la famille de Giuseppe Miolo, un Vénitien immigré qui s'intalla en 1897 à Bento Gonçalves dans le sud du Brésil, est dans l'univers du vin depuis 4 générations. 5 régions sont aujourd'hui couvertes par Miolo (Vale dos Vinhedos, Serra Gaúcha, Vale do São Francisco, Campanha et Campos de Cima da Serra) qui a deux partenaires, Osborne en Espagne et Via au Chili, et le globe-trotteur œnologue français Michel Rolland qui supervise les vinifications depuis 2003.

www.miolo.com.br
Lieu : RS 444 – Km 21 – Vale dos Vinhedos Cx. Postal 94
Téléphone : 54 2102 1500

Cuvée Brut

15/20 ■ ■ ■■ ══ ▐▌ ✚ IP
★★☽

🐖 🐖

Un bel effervescent, vif et croquant qui présente des arômes d'agrumes et de fruits exotiques. Les bulles sont de calibre moyen, toutefois nouées. Une pointe pâtissière et toastée est perceptible en finale, en adéquation avec une mousse tendre et suave. Peu complexe, mais efficace.

SALTON

La quatrième génération de la famille Salton est à la tête de cette entreprise qui a fêté ses 100 ans en 2010. Un parcours idéal pour ces immigrés italiens qui avaient entamé leur travail de viticulteurs et de commerçants sous le nom Paulo Salton & Irmaos, aujourd'hui reconnus comme la figure de proue de l'effervescence brésilienne.

www.salton.com.br
Lieu : Rua Mário Salton, 300 - Distrito de Tuiuty
Téléphone : 54 2105-1000

Cuvée Salton – Brut – Reserva Ouro
15/20 ▌ ▌ ▌▌ ▬ ▬▬ ✚ IP
★★★

🐷 🐷

Premier nez minéral, plus axé sur les hydrocarbures que la pierre, rapidement étouffé par des notes de levure et de fruits jaunes à l'aération. L'effervescence est classique, les bulles ont un calibre moyen, elles éclatent rapidement et apportent la fraîcheur que des arômes de bonbons acidulés accompagnent.

Cuvée Salton 100 Anos Nature
18/20 ▌ ▌ ▌▌ ▬ ▬▬ ✚ IP
★★★★

🐷 🐷 🐷

C'est un vin d'une grande complexité qui ne se livre pas immédiatement. Il a fallu attendre 20 minutes avant qu'il s'exprime dans le verre avec un nez qui rappelle les céréales de petits déjeuners. Plus torréfié en bouche, un léger rancio se laisse capturer, les arômes accompagnent l'effervescence particulièrement aboutie, ce sont de vraies perles persistantes qui glissent tout en formant une enveloppe où pointent encore en finale quelques accents de jeunesse citrique. Bravo !

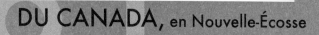

Les maisons

DU CANADA, en Nouvelle-Écosse

BENJAMIN BRIDGE

Fondé en 1999 par Gerry McConnel et Dara Gordon, ce domaine situé dans la vallée de Gaspéreau a la particularité d'élaborer presque exclusivement des vins effervescents en méthode traditionelle. 60 acres de pinot noir, de pinot meunier, de chardonnay et de quelques cépages hybrides certifiés biologiques depuis 2008 permettent la sortie d'environ 15 000 bouteilles chaque année. Les premières cuvées, jamais commercialisées, ont été élaborées dès 2002, à titre expérimental, avec le soutien de Raphaël Brisbois (Piper-Heidsieck).

www.benjaminbridge.com
Lieu : White Rock Road RR #1 Wolfville B4P 2R1
Téléphone : 902 542 1560

Cuvée Rosé 2008

16/20 ▌▌ ▌▌ ═ ▪▪ ✚ IP
★★★

🐷 🐷

Dégusté en juin 2012, ce rosé effervescent est sans doute moins complexe que les cuvées blanches du domaine, il est toutefois bien élaboré et présente de traditionnelles notes de fruits rouges au nez comme en bouche (canneberges, cerises) au sein d'une effervescence certes crémeuse, mais vaporeuse : les bulles de calibre moyen se présentent paquetées dans la dégustation, puis fuyantes en finale. Le domaine confirme sa position d'excellence dans l'univers des bulles canadiennes. À noter enfin le tarif nettement moins prohibitif que le blanc de blancs 2004 commercialisé en 2011 et mentionné dans la précédente édition du guide. Le consommateur ne peut que s'en réjouir.

Les maisons
DU CANADA, en Ontario

HENRI OF PELHAM
FAMILY ESTATE

Depuis 1989, la famille Speck conduite par Paul, Daniel et Matthieu, élabore de multiples cuvées devenues traditionnelles de la vallée du Niagara.

www.henryofpelham.com
Lieu : 1469 Pelham Rd., R.R.#1 St. Catharines, Ontario L2R 6P7
Téléphone : 905 684 8423

Cuvée Catherine – Brut

14/20 ■ ■ ■■ ═══ ▪▪ 🇨🇭 IP
★★

🐷 🐷

Un assemblage classique de pinot noir et de chardonnay qui donne un mousseux plutôt exotique, au dosage sensible (notes de fruits de Provence) heureusement pimpant et nerveux grâce à des bulles fines et exubérantes qui terminent leur course sur une note citronnée.

Cuvée Catherine – Rosé – Brut

14/20 ■ ■ ■■ ═══ ▪▪ 🇨🇭 IP
★★

🐷 🐷

Nez très net de pommes qui précède une mousse abondante et légère, amenée par des bulles assez fines. Les flaveurs, un peu sur la retenue, tournent autour de notes d'amandes grillées et de miel. On cherche tout de même des accents de fruits rouges que le vin rouge doit apporter. Un mousseux très convenable.

HILLEBRAND ESTATES
WINERY

L'aventure du vin a commencé en 1979, celle du vin de glace en 1983 et, en 1996, un restaurant de haute gamme a été ouvert au cœur de ce domaine toujours en expansion, qui présente régulièrement des événements artistiques reliés à l'art de la gastronomie. La volonté d'élaborer de bons mousseux est évidente, elle se manifeste notamment par la présence d'une vraie cave à effervescents.

www.hillebrand.com
Lieu : 1249 Niagara Stone Rd. R.R. 2,
Niagara on the Lake Ontario L0S 1J0
Téléphone : 905 468 3201

Cuvée Trius Brut

15/20 ∎ ∎ ∎∎ ═ ▪▪ ✚

★★⌟

🐷 🐷

Délicat, léger dans ses arômes de poires et de pommes au nez, ce vin se révèle particulièrement équilibré en bouche grâce à une acidité peu agressive qui n'occulte pas les arômes d'agrumes ni sa finale quelque peu toastée et qui laisse parler l'effervescence satinée, conduite par des bulles relativement fines. Un beau vin d'apéritif canadien.

13TH STREET
W I N E R Y

Propriété de Doug Whitty, ce vignoble qui va avoir 15 ans a déjà pris une place de qualité prépondérante dans la région. Focalisant sur la pureté du fruit et l'expression du sol, Jean-Pierre Colas, le chef de cave français, engagé en 2009, a les moyens de mener cette entreprise viticole aux plus hauts niveaux canadiens, voire mondiaux.

www.13thstreetwinery.com
Lieu : 1776 Fourth Ave Jordan Station L2R 6P9
Téléphone : 905 562 8766

Cuvée NV 13 Rosé

15/20 ▋ ▋ ▋▋ ═ ▪▪ ✚ IP
★★⌡

🐖 🐖

D'une belle structure en bouche, on y percevrait presque quelques tanins accrocheurs au sein d'une effervescence très soignée, aérienne, mais suffisamment crémeuse pour filer jusqu'en finale avec des notes de petites baies rouges rafraîchissantes. Un bel apéritif qui peut aussi se conjuguer à table sur un plat de poisson grillé.

Cuvée Premier

16/20 ▋ ▋ ▋▋ ═ ▪▪ ✚ IP
★★★

🐖 🐖

Toastée au nez comme en bouche, cette cuvée se veut charmeuse dans ses arômes de fruits cuits, de pâtisseries et d'orangettes. La texture en bouche est satinée, pleine, l'effervescence est riche et imprégnante, réussie. C'est un beau vin effervescent à la structure affirmée, qui conviendra à table ou sur un apéritif gourmand.

8.3

Les maisons
DU CANADA, au Québec

VIGNOBLE DE L'ORPAILLEUR

En 1982, Hervé Durand, Charles-Henri de Coussergues et Frank Furtado se lancent dans l'aventure de la viticulture au Québec. En 1985, Pierre Rodrigue se joint à eux. Malgré des débuts très difficiles, ils ont prouvé qu'une sélection précise de cépages, liée à des travaux spécifiques, pouvait donner 30 ans plus tard des vins tranquilles très convenables. Lancée en 2010, la cuvée Natashquan 2007 est parmi les meilleurs vins blancs secs québécois, voire canadiens.

www.orpailleur.ca
Lieu : 1086, route 202 CP 339 Dunham J0E 1M0
Téléphone : 450 295 2763

Cuvée Brut

15/20 ■ ▮ ■▮ ▬▬ ▫▫ ✚ IP
★★★⤵

🐷 🐷

Légèrement herbacée au premier nez, cette cuvée se montre sur des accents de fruits blancs, tantôt cuits, tantôt très mûrs, puis sur des notes grillées à l'aération. L'effervescence a été bien conduite, on perçoit que l'élaborateur a laissé du temps au temps pour que les bulles s'affirment, se nouent et persistent, pour que le vin s'étoffe de lui-même et offre des arômes pâtissiers. Et il pourrait encore prolonger cette seconde fermentation ! C'est une cuvée fraîche et légère, toutefois plus crémeuse que les autres cuvées effervescentes de la même province qu'on aura plaisir à essayer sur une salade de pamplemousse et de crevettes.

DOMAINE LES BROME

Après une carrière remarquable dans le monde de la finance, Léon Courville, guidé par sa passion du vin, a osé le pari de la viticulture au Québec, dans les Cantons de l'Est. Défi relevé : son domaine n'a pas 10 ans, il fait pourtant partie aujourd'hui des 5 meilleurs vignobles de la belle province.

www.domainelesbrome.com
Lieu : 285, chemin Brome Ville de Lac Brome J0E 1S0
Téléphone : 450 242 2665

Cuvée Courville
Brut 2011

15/20 ■ ■ ■ ■ ▬ ▬ ■■ ■ IP
★★☆

La première élaboration de ce mousseux il y a 3 ans avait donné un vin sérieux, un peu rigide (noté 14/20 dans le Guide 2011). Le voici aujourd'hui plus rond, plus charmeur, ce qui résulte davantage de la durée plus longue de la seconde fermentation que de l'apport de sirop d'érable dans la liqueur de tirage. L'effervescence est soignée, crémeuse, quoique fugace en finale, elle transporte des arômes nets de pommes, puis de fruits secs et l'on perçoit finalement de discrètes notes de pain beurré. C'est un bon mousseux québécois qui confirme ce que je pense depuis des années à propos de la province viticole : son potentiel pour les vins effervescents est plus que prometteur.

DOMAINE LE CEP D'ARGENT

L'un des premiers vignobles du Québec fondé dans les années 1980 par les frères Scieur, Champenois d'origine. Leurs premiers essais de double fermentation avec le cépage seyval ayant été concluants, leur vin effervescent est devenu aujourd'hui un incontournable de la dizaine de cuvées qu'offre le domaine.

www.cepdargent.com
Lieu : 1257, chemin de la Rivière – Magog J1X 3W5
Téléphone : 819 864 4441

Cuvée Sélection des Mousquetaires Brut 2010

15/20 ▮ ▮ ▮▮ ═ ▪▪ ✚ IP
★★◗

🐷

Une cuvée qui aurait pu se montrer moins rigide si la prise de mousse avait été conduite sur plus de mois. On y perçoit des arômes de levures, de fruits blancs, puis de miel après plusieurs minutes dans le verre. L'attaque en bouche est vive, un peu végétale, l'effervescence apporte une texture satinée qui transporte les arômes initialement perçus, toutefois les bulles sont fugaces et provoquent une finale écourtée. Un apéritif agréable.

VIGNOBLE GAGLIANO

En rachetant le Vignoble des Blancs Coteaux en août 2008, puis en le rebaptisant de son patronyme, Alfonso Gagliano a amorcé une retraite ambitieuse, mais calculée. Bénéficiant de l'expertise de l'agence ŒnoQuébec dans la conduite des 10 hectares de vignes et dans l'élaboration d'une gamme complète de vins (blanc, rouge, rosé, mœlleux et mousseux) issus de frontenac, de sabrevois et de seyval, le nouveau viticulteur se montre sérieux et déterminé lorsqu'on lui parle de ses vins. « Ce n'est pas un passe-temps ou un caprice, c'est une vraie passion, une nouvelle carrière entreprise avec ma femme Lia et mon fils Vincent. Le Québec élabore de bons vins et le meilleur vin de glace au monde. J'essaie d'être à la hauteur de mes collègues voisins qui m'ont donné des conseils lorsque je me suis installé. »

www.vignoblegagliano.com
Lieu : 1046 chemin Bruce Dunham (Québec) J0E 1M0
Téléphone : 450 295 35 03

Cuvée Donna Livia Rosé

15/20 ■ ■ ■■ ▬ ▪▪ ✚

★★✦

Vin effervescent élaboré en sec (40 gr de sucre), sa grande qualité est l'intégration du sucre qui ne vient pas masquer la fraîcheur du fruité (cerise, framboise). L'effervescence est maîtrisée, les bulles sont fines, on décèle une légère amertume qui apporte du mordant agréable en finale, c'est un mousseux soigné qui démontre le potentiel de qualité que la province peut obtenir dans cette catégorie de vin.

VIGNOBLE CÔTE DE VAUDREUIL

Serge Primi s'est lancé dans la viticulture en 2006 en reprenant une propriété qui disposait de vignes plantées en 2000. Le domaine s'est agrandi depuis. Sa surface plantée de 6 hectares présente autour de 20 000 pieds de cépages traditionnels québécois (Sabrevois, Frontenac, Sainte-Croix, Vandal-Cliche, etc...). Le premier mousseux commercialisé en 2012 est issu d'un lent et savant travail de vinification qui a assuré une vraie réussite.

www.cotedevaudreuil.com
Lieu : 2692, route Harwood - Vaudreuil-Dorion J7V 8P2
Téléphone : 450 424 1660

Cuvée Lolou – Vin Mousseux Rosé 2010 – Brut

16/20 ■ ■ ■ ■ ▬ ▬ ▪▪ ▪▪ ✚ IP

★★★

Le frontenac et le sabrevoix sont ici équitablement assemblés pour offrir une robe rougeoyante intense aux reflets de couleur brique. L'attaque est immédiatement vineuse, le vin est sec, sa texture est satinée, construite par une effervescence réussie, aux bulles menues et liées, et étonnamment persistantes après plus de 20 minutes dans le verre. On perçoit des arômes de cerises et de pruneaux dans un bel équilibre entre le fruité et l'acidité. La finale est courte, très légèrement rustique. Pour une première ébauche, c'est un coup de maître; ce mousseux soigné est actuellement, selon moi, le meilleur vin effervescent du Québec viticole. J'espère qu'il restera dans le Top 5 de la province dans les années à venir.

9

Les maisons
DU CHILI

CASILLERO DEL DIABLO

L'engouement local pour les vins mousseux et le champagne pousse le groupe Concha y Toro à créer de plus en plus d'effervescents. Sa marque Casillero del Diablo est la première à se lancer sur ce marché – Maycas del Limari le domaine créé en 2007 dans le nord du pays devrait bientôt commercialiser le sien - et son Brut Reserva est fidèle à sa réputation de vins tranquilles, abordables et bien faits.

www.casillerodeldiablo.com
Lieu : Avenida Virginia Subercaseaux 210, Pirque, Santiago
Téléphone : 56 2 4765680

Cuvée Brut Reserva
Valle del Limari

15/20 ■ ■ ■■ ═══ ██ ✚ IP
★★☆

Le chardonnay domine nettement le pinot noir, c'est un mousseux aux arômes qui rappellent une salade d'agrumes dans laquelle on aurait glissé un peu de miel. L'effervescence est abondante, gonflée, toutefois aérienne et légère, elle signe un vin davantage composé pour l'apéritif que pour un service à table. Une idée ? Un plateau d'huîtres, tout simplement !

CONO SUR

Une autre compagnie créée par le groupe Concha Y Toro en 1993 visant une production de vin haut de gamme qui, au fil des années, a augmenté son volume et sa gamme, pour également élaborer des mousseux.

www.conosur.com
Lieu : Avenida Nueva Tajamar 481 Torre Sur Oficina 2101,
Las Condes Santiago
Téléphone : 56 2 4765090

Cuvée Brut
15/20 ▮ ▮ ▮▮ ▭ ▦ ✚ IP
★★★

Du chardonnay, du riesling et du pinot noir de la vallée de Bio-Bio, autant écrire que la fraîcheur prime pour cet effervescent cristallin aux accents effectivement plus citronnés que pâtissiers dont les bulles légères et éparses, toutefois persistantes, accentuent le style aérien. Indispensable à l'apéritif.

MORANDÉ

Cette maison chilienne implantée dans la vallée de Casablanca fête ses 30 ans d'existence cette année. Elle est surtout reconnue pour ses vins rouges et blancs issus d'une trentaine d'hectares et, comme de nombreuses propriétés familiales, elle a attendu d'être experte en matière de vinification de vins tranquilles pour élaborer des vins effervescents. Elle a lancé son premier mousseux en 2012.

www.morande.cl
Lieu : Rosario Norte 615, 21st floor Santiago
Téléphone : 56 2 571 5600

Cuvée Morandé – Brut Nature
16/20 ▮▮ ▮▮▮ ▬▬ ▪▪▪ ✚ IP
★★★
🐷

Issue de chardonnay et de pinot noir récoltés en 2008, cette cuvée présente un premier nez délicat de fruits blancs légèrement grillés, puis se montre plus exotique à l'aération (ananas très mûrs, vanille, miel). Alors qu'on s'attendrait à un vin plus riche que tendu en bouche, on découvre une attaque assez vive, presque tranchante, que seules les bulles bien menées, nouées et persistantes viennent arrondir grâce à une texture veloutée et délicatement parfumée de soupçons boisés. Impeccable à l'apéritif, j'ose l'indiquer sur un plat de poisson à chair blanche grillé.

SANTA DIGNA ESTELADO
MIGUEL TORRES

Avec Cordillera (vin blanc mousseux), Santa Digna Estelado est le nom de la marque déposée pour le vin effervescent rosé de Miguel Torrès au Chili. Celui-ci est installé en Amérique du Sud depuis les années 1980 dans la vallée centrale, près de Curico. La surface du vignoble a été quadruplée en 30 ans, elle frôle les 450 hectares plantés.

www.torreschile.com
Lieu : Panamericana Sur Km. 195, Curicó, Chile
Téléphone : 56 75 564121

Cuvée Estelado Rosé
16/20 ▮▮ ▮▮▮ ▬▬ ▪▪▪ ✚ IP
★★★
🐷 🐷

On connaît l'attachement de Miguel Torrès pour la sauvegarde des cépages anciens, nous ne serons donc pas étonnés que ce soit le Pais (listan negro en Espagne) qui constitue à 100 % ce vin mousseux issu de la méthode traditionnelle. Le fruité rouge acidulé (groseille, canneberge) domine les quelques notes épicées qu'on relève au nez comme en bouche. L'effervescence est réussie, les bulles s'entremêlent de façon serrée et se font persistantes, conduisant des arômes de pamplemousses roses. La texture est satinée et longue. L'ensemble est néanmoins plus aérien que gourmand, il conviendra aisément sur un apéritif à canapés variés.

UNDURRAGA

Don Francisco Undurraga a fondé son entreprise viticole au XIXe siècle en faisant venir des cépages d'Allemagne et de France à Talagante, au cœur de la vallée de Maipo. Un siècle plus tard, ses descendants ont fait appel à Philippe Coulon, œnologue renommé qui a travaillé pour la maison Moët & Chandon, pour épauler son collègue Hernán Amenábar dans l'élaboration des mousseux du domaine.

www.undurraga.cl
Lieu : Camino a Melipilla, Km 34, ruta 78, Talagante
Téléphone : 56 2 372 2900

Cuvée Titillum – Blanc de Blancs – Brut

16/20 ▮ ▮ ▮ ▮ ▬ ▬ ▬ ▬ ▪ IP
★★★

🐷 🐷 🐷

Du chardonnay de la vallée de Leyda qui présente des arômes de fruits exotiques très expressifs laissant à peine passer ceux de macarons et d'amandes grillées. L'effervescence est particulièrement soignée, les bulles se comportent comme des perles serrées, elles construisent une texture crémeuse qui appuie la sensation gourmande générale que vient rafraîchir une légère finale citrique. Un bon mousseux qu'on pourra essayer sur un poisson gras grillé.

Cuvée Rosé Royal – Brut

15/20 ▮ ▮ ▮ ▮ ▬ ▬ ▬ ▬ ▪
★★⭒

🐷

Élaboré selon la méthode Charmat, cet effervescent rosé est un 100 % pinot noir plus parfumé que consistant. Le nez est particulièrement fruité, axé sur les petits fruits rouges comme les cerises, les fraises des bois ou les framboises. L'attaque en bouche se montre puissante et sensiblement dosée, elle est contenue par une effervescence aérienne aux bulles de calibre moyen qui apporte la fraîcheur générale. Peu complexe dans les arômes et dans le comportement, on la privilégiera à l'apéritif.

VALDIVIESO

Domaine fondé à la fin du XIXᵉ siècle, il a été le premier de son pays a élaborer exclusivement des vins effervescents. Ce n'est que dans les années 1980 que la compagnie s'orienta vers les vins tranquilles pour devenir aussi incontournable dans cette catégorie. Disposant de parcelles dans la vallée de Curico, elle achète également les raisins à plusieurs vignerons. Les méthodes Charmat et traditionnelle sont employées dans l'élaboration des vins effervescents qui compte neuf vins différents.

www.valdiviesovineyard.com
Lieu : Juan Mitjans 200, Macul, Santiago
Téléphone : 56 2 3819200

Cuvée Nature

15/20 ▮▮ ▮▮ ═ ▰▰ ✚ IP
★★★

Un mousseux tendu et citrique, orienté vers des arômes de fruits blancs (citron, pomme verte) qui occultent rapidement une touche à la fois exotique et pâtissière de tarte à l'ananas. L'effervescence quoiqu'enrichie par des bulles serrées se montre vaporeuse et légère, plus apéritive que nourrissante. Un mousseux construit pour les débuts de repas.

Les maisons
D'ESPAGNE, en Catalogne

AGUSTI TORELLO MATA

En un demi-siècle (1953), cette maison familiale a su non seulement se hisser parmi les meilleurs domaines élaborant du Cava, mais aussi parmi les meilleurs domaines dans le monde, élaborant des vins mousseux. Devenue l'ambassadrice de l'effervescence de qualité du Pénédès, la famille Mata dispose de 130 hectares de vignes.

www.agustitorellomata.com
Lieu : La Serra, s/n (camí de Ribalta). P.O. Box, 35
C.P. 08770 Sant Sadurní d'Anoia.
Téléphone : 93 891 11 73

Cuvée Reserva Barrica Brut Nature

17/20 ▮ ▮ ▮▮ ▮▮ ▭ ▪▪ ✚ IP
★★★☆

🐖 🐖

Un cava d'une grande intensité aromatique, à la fois toastée et épicée, au crescendo charmeur de pommes jaunes, de poires pochées, de pâte feuilletée, de caramel blond vanillé qui ne perd pas sa fraîcheur en cours de dégustation. L'effervescence est en parfaite harmonie avec les parfums, elle est à la fois soyeuse et longue, gourmande sans être lourde. Un grand vin mousseux de table pour une entrée soignée de poisson à chair grasse.

ALBET I NOYA

Le domaine familial existe depuis 110 ans, mais la marque fut créée à la fin des années 1970. L'exploitation viticole se nomme Can Vendrell, on y faisait déjà du vin au XIVᵉ siècle. Les problèmes de santé que Josep Maria Albet I Noia contracta, à cause des produits systémiques utilisés par le passé, poussa la famille vers la culture biologique. La moitié de la production provient des 76 hectares en propriété. L'autre moitié est achetée à des producteurs voisins, travaillant également selon les méthodes biologiques.

www.albetinoya.com
Lieu : Can Vendrell de la Codina, 08739 Sant Pau d'Ordal, Barcelona
Téléphone : 34 93 899 4812

Cuvée Brut Petit Albet

16/20 IP
★★★
🐷 🐷

C'est la cuvée de la maison qui présente les 3 cépages traditionnels de Catalogne. Minéral au premier nez, l'aération fait disparaître les terpènes pour nous offrir davantage de fruits blancs (poire, pomme, citron) qu'on retrouve dès l'attaque en bouche. Les bulles présentent un calibre moyen, elles sont néanmoins nouées et persistantes, en parfaite harmonie avec la tension qui parcourt la dégustation. Un cava d'une grande pureté.

Cuvée Barrica 21 – Brut

17/20 IP
★★★✦
🐷 🐷

Un mousseux plus expressif dans ses arômes que dans le comportement de son effervescence assez aérienne, voire fugace. Les parfums sont finement boisés et délicatement pâtissiers (acacia, croissant, macarons, pâte sablée), une légère touche d'amertume apporte du corps en finale de dégustation. C'est un cava original dans sa construction qui gagnerait sans doute en profondeur à passer quelques mois d'élevage supplémentaires en barrique. À déguster sur un dessert peu sucré.

CANALS & MUNNÉ

Montse Canals Torres, arrière-petit-fils du fondateur, dirige aujourd'hui ce domaine familial tandis que Oscar Medina Canals s'occupe des vinifications. Ils vont bientôt fêter un siècle d'existence puisque le premier cava, qui signa la création de l'entreprise, fut lancé en 1915.

www.canalsimunne.com
Lieu : Plaça de Pau Casals, 6 08770 Sant Sadurní d'Anoia
Téléphone : 34 938 910 318

Cuvée Serralet del Guineu
Brut Nature – Gran Reserva

16/20 ▰▰ ▰▰ ▬ ▰▰ ✚ IP

★★★

🐷 🐷

C'est sans doute l'apport du pinot noir qui confère une structure assez ferme à ce cava aux arômes primaires d'abord classiques, d'agrumes blancs et d'hydrocarbures, pour très rapidement révéler des accents exotiques de fruits blancs et enfin, après quelques minutes d'aération, des notes plus toastées que beurrées. La texture est veloutée, contruite par une effervescence aux bulles de calibre moyen, toutefois nouées. C'est un bon cava qu'on appréciera, par exemple, en entrée sur du poisson grillé.

CODORNIU

Fondé en 1872 par Joseph Raventos Fatjo le patronyme est devenu une marque mondialement connue qui possède aujourd'hui de multiples maisons viticoles hispanophones. Il ne faut pas hésiter à visiter la trentaine de kilomètres de caves qui veillent sur des dizaines de millions de bouteilles, à quelques kilomètres de Barcelone.

www.codorniu.com
Lieu : Avenue Jaume Codorníu s/n. 08770
Sant Sadurní d'Anoia.
Téléphone : 938 913 342

Cuvée Clasico – Brut

13/20 ■ ■ ■ ■ ▬ ▬ ▪▪ ✚
★★
🐷

Le nez est franc, net, presque prévisible (fruits secs et pâtisseries), c'est-à-dire accrocheur. L'effervescence est bien construite, les bulles sont moyennes, abondantes en bouche, fugaces en finale, elles accompagnent la flaveur initiale perçue et terminent leur course en s'évaporant sur une pointe d'acidité qui a son effet rafraîchissant. Correct et classique.

Cuvée Pinot Noir – Brut

15/20 ■ ■ ■ ■ ▬ ▬ ▪▪ ✚
★★★
🐷

De la fraise et de la cerise au nez comme en bouche qui, lorsque le vin se réchauffe dans le verre, tournent en notes de pêches séchées, voici donc le bouquet aromatique de cette cuvée dont les bulles moyennes dans un volume compact accompagnent une certaine opulence. C'est un mousseux rosé bien élaboré qui a du corps au point d'être presque tannique. Une pointe poivrée en finale lui donne du caractère et permet un accompagnement à table. Très intéressant.

Cuvée Clasico – Seco

14/20 ■ ■ ■ ■ ▬ ▬ ▪▪ ✚ IP
★★
🐷 🐷 🐷

Un mousseux sec parfaitement dosé, qui ne présente aucune lourdeur grâce à des bulles aériennes et une acidité d'agrumes qui rafraîchissent le palais tout le long de la dégustation. Simple, droit et abordable, on le prend à la place du thé de 16 h !

Cuvée Reserva Raventos – Brut

15/20 ▮ ▮ ▮▮ ▭ ▪▪ ➕

★★★

🐷 🐷

Subtilement vanillé au nez, on décèle des notes de noix de coco à l'aération, c'est pourtant l'aspect minéral, voire terpénique qui domine nettement les arômes décelés. Vif en bouche, juste assez dosé, presque puissant en fin de course, ses bulles sont abondantes, leur calibre est moyen, elles forment une texture veloutée, un peu fugace. Le volume est léger au palais jusqu'à la finale fraîche et toujours minérale. C'est un bon vin, très représentatif du cava catalan actuel, où les notes olfactives d'hydrocarbures sont très présentes.

Cuvée Reina Maria Christina – Non Plus Ultra

16/20 ▮ ▮ ▮▮ ▭ ▪▪ ➕ IP

★★★

🐷 🐷

Une excellente minéralité se présente d'abord au nez (farine, iode), puis des notes grillées qu'on retrouve immédiatement en bouche viennent couronner les parfums d'agrumes qui dominent pendant toute la dégustation. C'est un effervescent mordant, expressif, malgré une discrétion aromatique, à la fois tendu et enveloppant en bouche, quoique court en finale. Pour l'apéritif.

Cuvée Jaume Codorniu – Brut

16/20 ▮ ▮ ▮▮ ▭ ▪▪ ➕ IP

★★★

🐷 🐷

À la fois fin et riche, ce vin offre d'abord des notes herbacées (garrigue) aussi bien au nez qu'en bouche qui, rapidement, deviennent plus séduisantes et fruitées (poires, amandes grillées, citrons confits). Les perles glissent en bouche, formant un voile de satin plus glissant qu'enveloppant. Un peu incisif en milieu de bouche, le dosage équilibre la tension minérale de l'ensemble. C'est un vin qui doit être longtemps aéré dans le verre, car il développe alors des arômes mielleux, presque torréfiés, et son effervescence se fait plus suave. Pour une entrée chaude à base de poisson à chair blanche.

DURAN

La marque est jeune (2007) même si la famille Canals qui l'administre, est dans l'univers viticole depuis les années 1930, puisque, comme beaucoup de vignerons, elle distribuait son raisin au négoce. Ramon Canals dessine aujourd'hui de belles cuvées, symbole d'un renouveau qualitatif du Pénédès effervescent.

www.cavaduran.com
Lieu : Avenida M. de Déu de Montserrat, 9 08769
Castellví de Rosanes · Barcelona
Téléphone : 34 609 149 056

Cuvée Grand Reserva – Brut 2007
16/20 ▮ ▮ ▮ ▮ ▭ ▭ ▪▪ ▪▪ ✚ IP
★★★
🐷 🐷

Le long élevage sur lie a permis de créer une effervescence soyeuse et crémeuse, habillée par le temps; c'est ce qui lui apporte une belle longueur en bouche, tandis que les arômes se font plus adolescents, plus tranchants, plus traditionnels (agrumes, pâtisseries aux fruits blancs). Il se dégage une belle pureté dans un équilibre impeccable de l'attaque jusqu'à la finale. Plutôt pour une entrée de poisson.

FERRET

Domaine fondé par les frères Ferret dans les années 1940, il a diversifié sa production depuis cinquante ans en élaborant également des vins tranquilles.

www.cavasferret.com
Lieu : Avenida Catalunya, 36 - 08736 Guardiola de Font-rubí
Téléphone : 34 93 897 91 48

Cuvée Ezequiel – Gran Reserva – Brut Nature
16/20 ▮ ▮ ▮ ▮ ▭ ▭ ▪▪ ▪▪ ✚ IP
★★★
🐷 🐷

Une cuvée qui impressionne surtout par le comportement de son effervescence qui est d'une finesse et d'une onctuosité extrême grâce à des perles qui construisent une texture très soyeuse. Les arômes rappellent d'abord les fruits blancs au miel, puis quelques notes d'amandes fraiches, puis de pain beurré se laissent capter après plusieurs minutes d'aération. C'est un cava peu expressif dans sa jeunesse, il faut le laisser en cave quelques années après son achat ; on découvrira alors des accents plus pâtissiers et réglissés originaux qui complèteront parfaitement un service à table.

FREIXENET

Francesco Sala I Ferrer dirigeait depuis 1861 la première maison exportatrice de vin catalan. Son fils Joan Sala I Tubella lui succéda, mais c'est grâce au mariage de sa petite-fille Dolors Sala I Vivé avec Pere Ferrer I Bosh qu'une réelle entreprise de cavas prit forme en 1914. En effet, ce dernier était issu d'une famille qui élaborait du vin depuis le XIIIe siècle sous le nom de La Freixeneda. On décida de réunir les deux noms et les premiers cavas commercialisés prirent le nom de Freixenet Casa Sala. Un siècle plus tard, Freixenet est la plus grande entreprise vitivinicole espagnole.

www.freixenet.com
Lieu : 2 Joan Sala – 08770 Sant Sadurní d'Anoia
Téléphone : 938 917 000

Cuvée Cordon Negro – Brut
15/20 ■ ■ ■ ■ ━ ▪▪ ▪▪ ✚
★★★

On perçoit d'abord des notes de pamplemousses jaunes, puis de citron confit. Le dosage est sensible, il permet d'appuyer sur les arômes de pommes brunes, puis de fruits secs en bouche. L'effervescence est abondante, les bulles sont moyennes, elles tapissent fugacement le palais. C'est un vin parfait dans son équilibre où tout est doux, où aucune caractéristique n'empiète sur une autre. Polyvalent et international.

Cuvée Gran Cordon Negro
15/20 ■ ■ ■ ■ ━ ▪▪ ▪▪ ✚
★★★

Plus fin, mais tout aussi axé sur les agrumes que le Cordon Negro de la même marque, il se révèle plus toasté en finale et son effervescence est également plus satinée grâce à des bulles qui perdurent jusqu'à la finale puissante et aromatique.

GRAMONA

Même si la famille Gramona élaborait des vins depuis plusieurs décennies, c'est en 1921 que les premiers flacons de vins effervescents furent élaborés. Elle travaille aujourd'hui avec les raisins de 80 hectares, dont 50 % en propriété. Plusieurs particularités sont à noter : les raisins sont achetés aux vignerons voisins selon une valeur établie de l'hectare et non du kilo de raisins, et la liqueur d'expédition est composée de Xérès et de rhum. Enfin, 50 % de la production totale concerne les vins de Cava qui sont remués manuellement.

www.gramona.com
Lieu : 36 Industria – Sant Sadurni d'Anoia 08770
Téléphone : 938 910 113

Cuvée Allegro – Brut

15/20 ▌▌█▐ ══ ▀▀ ✚ IP
★★★

🐷

Florale, nette, fraîche et simple grâce à des notes légèrement grillées en bouche dans une effervescence légère, bien conduite, cette cuvée est moins profonde que les autres vins de la même maison, toutefois, elle reste abordable et constante dans son comportement.

Cuvée Reserva Brut 2007

16/20 ▌▐ █▐ ══ ▀▀ ✚
★★★

🐷 🐷

Les fruits jaunes perçus au niveau aromatique lors d'une première dégustation l'année dernière (édition 2012 du guide) se font aujourd'hui plus confits et généreusement beurrés. Cela lui donne aussi un point supplémentaire ! L'effervescence est nouée et consistante, toutefois fraîche grâce à un comportement légèrement aérien. C'est un cava aux contours plus délicats que fermes qui s'apprêtera tout de même facilement sur une entrée froide de poisson en salade.

JUVÉ Y CAMPS

Issue d'une lignée de vignerons depuis 1796, les Juvé Y Camps ont élaboré leurs premiers vins effervescents dans les années 1920. Profitant aujourd'hui de l'apport de raisins issus de 450 hectares, les cuvées de la famille Juvé sont devenues une référence de qualité en Catalogne.

www.juveycamps.com
Lieu : Sant Venat, 1 – 08770 Sant Sadurni d'Anoia
Téléphone : 938 911 000

Cuvée Brut Rosé – Pinot Noir

16/20 ■ ■ ■■ ═ ▪▪ ✚ IP
★★★

Très expressif dans la couleur et au premier nez, où les arômes de fraises et de framboises sont nets, on perçoit une petite pointe fumée à l'aération qu'on retrouvera en finale en bouche après avoir été comblé par un aspect très sec et tendu qui n'occulte pas le fruité général au sein d'une texture satinée. Un cava plus corsé que délicat, taillé pour la table.

Cuvée Brut Nature 2007
Reserva de la Familia

16/20 ■ ■ ■■ ═ ▪▪ ✚
★★★

Expressif et minéral, ce vin présente des notes d'hydrocarbures rapidement occultées par celles de pommes vertes à l'aération. On les retrouve en bouche dans une texture tendue, construite par des bulles fines et liées qui renforcent le caractère tranchant de la dégustation. Un plateau d'huîtres s'il vous plaît.

LLOPART

Comme de nombreux domaines catalans, celui-ci puise ses sources au Haut Moyen-Âge, toutefois, la maison élaboratrice de cava en tant que telle voit le jour en 1887. Il faudra attendre les années 1960 pour une réelle expansion commerciale. Elle est parmi les meilleures maisons élaboratrices de cava.

www.llopart.es
Lieu : Heretat Can Llopart de Subirats,
Carretera de St. Sadurni a Ordal, Km 4
Téléphone : 34 93 899 31 25

Cuvée Integral – Brut Nature

15/20 ▮ ▮ ▮▮ ═══ ▪▪ ✚ IP
★★⌒

🐷

Un cava expressif dans ses arômes de fruits jaunes, presque exotiques, et plutôt discret dans les arômes pâtissiers. On perçoit des notes d'ananas, de citrons confits et d'abricots au sein d'une effervescence aérienne, aux bulles abondantes et gonflées qui construisent une texture rafraîchissante et minérale. C'est un vin plus fruité que toasté que je préconise sur un apéritif avec canapés aux fruits de mer.

Cuvée Microcosmos – Rosé Brut Nature

16/20 ▮ ▮ ▮▮ ═══ ▪▪ ✚ IP
★★★

🐷 🐷

Un mousseux rosé plus minéral que fruité quoiqu'on y perçoive tout de même des notes acidulées de groseilles. L'effervescence est à la fois vive et persistante, elle distille des notes de pain frais et s'accroche jusqu'en finale pour nous laisser le souvenir très frais d'accents salins. Original et bien construit.

NAVERAN

Une entreprise qui élabore aussi bien des vins tranquilles du Pénédès que des cavas, issus d'une centaine d'hectares en propriété. Si les fondements du domaine remontent au Moyen-Âge, la propriété viticole a un siècle.

www.naveran.com
Lieu : Carretera C-15 St. Marti Sadevesa – Torrelavit – Barcelona
Téléphone : 93 89 88 400

Cuvée Blanc de Blancs – Brut

15/20 ▮ ▮ ▮▮ ▬ ▬▮ ✚

★★⤙

🐷

Un vin bien construit, frais et minéral, presque iodé au nez et à l'attaque, qui développe des notes citronnées en bouche et quelques accents beurrés en finale, notamment grâce à une effervescence onctueuse, un peu vaporeuse et fugace. Mousseux de plaisir très abordable.

MESTRES

Agricultrice depuis 6 siècles, comme de nombreuses familles du Pénédès, les Mestres ont vendu leur raisin à la noblesse catalane, puis se sont lancés dans l'univers commercial du vin à la fin du XIXᵉ siècle après avoir creusé des caves pour recevoir les bouteilles. Il faudra attendre les années 1920 pour que les premiers cavas soient élaborés et que la propriété s'étende jusqu'à atteindre 80 hectares répartis en 2 unités : le Clos Damiana et le Clos Nostre Senyor.

www.mestres.es
Lieu : Plaça de l'Ajuntament, 8 bajos, 08770
- Sant Sadurní d'Anoia
Téléphone : 34 938 910 043

Cuvée 1312 – Brut

15/20 ▮ ▮ ▮▮ ▬ ▪▪ 🇨🇭 IP
★★☆

🐷 🐷

Des arômes floraux se laissent percevoir, ils sont plus axés à l'aération sur les fruits blancs acidulés qu'on retrouve dès l'attaque en bouche au sein d'une texture veloutée, conduite par une effervescence plus aérienne que gourmande. C'est un cava accessible, peu complexe, léger et idéal à l'apéritif.

Cuvée Elena de Mestres
Brut Nature – Reserva

16/20 ▮ ▮ ▮▮ ▬ ▪▪ 🇨🇭 IP
★★★

🐷 🐷

Plus expressif en bouche qu'au nez, ce cava présente les arômes traditionnels de baies rouges et de noyaux de cerises dans une trame effervescente soigneusement construite, serrée et persistante qui apporte de la consistance à un ensemble qui finit sa course sur une touche acidulée très appétissante. Un très bon rosé effervescent.

ORIOL ROSSELL

Environ 85 hectares entourent le domaine Cal Cassanyes qui fut construit, comme souvent dans l'univers viticole, par le mariage de deux familles. Vins tranquilles et cavas constituent le portefeuille de la marque.

www.oriolrossell.com
Lieu : Proprietat Cal Cassanyes 08732 – Sant Marçal
Téléphone : 34 977 67 10 61

Cuvée Gran Reserva
Brut Nature

16/20 ■ ■ ■■ ══ ▪▪ ✚ IP
★★★

Xarelo et macabéo sont ici assemblés et offrent des arômes de pâtisseries aux fruits jaunes et blancs dans une expression complexe, tantôt beurrée, tantôt acidulée, comme lorsqu'on déguste une tarte sablée aux abricots. L'effervescence est onctueuse, elle accentue l'impression de richesse et de gourmandise des parfums, plus sucrés que minéraux. Toutefois, la fraîcheur est au rendez-vous, on la perçoit en finale, dans un élan acidulé qui s'associera agréablement à un dessert pâtissier à base d'agrumes confits.

PARÈS BALTÀ

Cinq superbes propriétés formant 180 hectares de vignes avec 18 variétés de raisins, c'est ce qu'a progressivement accumulé la famille Cusiné Carol depuis le début du XIXe siècle. Elle élabore aujourd'hui de somptueux vins secs et des cavas plus qu'intéressants.

www.paresbalta.com
Lieu : Masia can Baltà – 08796 Pacs del Pénédès
Téléphone : 34 93 890 13 99

Cuvée Brut
15/20 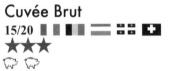 ★★★

Une cuvée de facture classique et prévisible, d'abord minérale (presque typée riesling) dans son premier nez, puis rapidement axée sur ses arômes de fruits blancs, légèrement rehaussés de notes pâtissières au sein d'une effervescence foisonnante, régulière et légère. Un Cava toujours constant dans ses caractéristiques.

Cuvée Brut Nature
16/20 ★★★

Axée au premier abord sur des arômes de thé, puis d'anis, cette cuvée s'ouvre ensuite sur des arômes de foin qu'on retrouve en bouche au cœur d'une texture ronde aux bulles fines et peu persistantes. Les flaveurs sont les mêmes qu'initialement perçues, délicatement pâtissières en bouche, plus grillées en finale. C'est un vin de grande qualité, sobre, droit, authentique.

Cuvée Selectio Brut
16/20 ★★★

Plus enveloppée que la cuvée Nature et moins pointue, cette Selectio garde toutefois un caractère iodé à l'attaque, rapidement occulté par des arômes d'agrumes et de pâtisseries à base de fruits secs (tarte amandine, nougat). L'effervescence est bien construite, les bulles sont gonflées et persistantes, elles illustrent un cava très bien élaboré, sans complexité, qui rafraîchira les apéritifs.

RAVENTOS I BLANC

Un vignoble de 60 hectares entoure un complexe architectural moderne et impressionnant, construit au début des années 1980 pour voir les héritiers de la célèbre marque Codorniu se lancer en affaires dès 1986. Dirigée aujourd'hui par Manuel Raventos, cette maison est rapidement devenue une référence en matière de cavas. Pepe Raventos, le fils de Manuel n'est pas seulement l'ambassadeur de son domaine dans le monde qu'il parcourt, il se fait le représentant du vin mousseux catalan authentique.

www.raventos.com
Lieu : Carrer del Roure ES-08770 San Sadurni de Noya
Téléphone : 938 183 262

Cuvée L'Hereu – Reserva Brut 2009
16/20 ▌▌▌▌▌ ▬▬ ▪▪ ▪▪ 🇨🇭 IP
★★★

🐷 🐷 🐷

Dégustée en mai 2012, cette cuvée se montre plus onctueuse que le millésime 2008. Les bulles sont fines et compactes, elles délivrent une texture satinée au sein de laquelle sont perçues des arômes d'agrumes, puis de pâtisseries légèrement beurrées, signe qu'on a laissé le temps au vin de s'auto-constituer. Une fois de plus, je préconise un plat d'huîtres peu salines pour se laisser gagner par le charme de ces bulles catalanes.

Cuvée De Nit 2009 – Rosé – Brut
17/20 ▌▌▌▌ ▬▬ ▪▪ 🇨🇭
★★★

🐷 🐷

Un rosé à la robe très pâle, davantage tâchée que colorée, et qui se révèle également délicat au nez et en bouche. Les arômes épicés (poivre blanc) et fruités (groseilles et agrumes) se rassemblent dans une onctueuse effervescence. Les bulles sont menues et persistantes, elles illustrent une seconde fermentation accomplie. C'est un cava gourmand qui saura facilement accompagner un plat de poisson à table ou un apéritif aux canapés généreux.

Cuvée La Finca 2007 – Gran Reserva

18/20 ▋▋▐▋ ═ ▆▆ ✚ IP

★★★★

🐷 🐷 🐷

Est-ce l'apport aux cépages catalans, même minime, du chardonnay et du pinot noir, qui rend ce vin moins minéral que les autres cuvées de la maison ? Toujours est-il qu'on est en présence d'un mousseux savamment construit et solide, au fruité d'agrumes confits et surtout, à l'enveloppe pâtissière, beurrée à souhait, avec une pointe d'amandes fraîches. Ferme à l'attaque, il se montre d'un volume compact et soyeux en bouche, développé par une effervescence aux bulles menues et persistantes qui transportent une longueur aromatique savoureuse. Sans aucun doute parmi les meilleurs cavas du moment.

RECAREDO

Recaredo est le prénom du père du fondateur de cette maison catalane Josep Mata Capellades qui le déposa en 1924 alors que les premières bouteilles de vin effervescents étaient commercialisées. La cave construite à Sant'Sadurni d'Anoia est aujourd'hui administrée par Josep et Antoni Mata Casanovas, les fils de Josep Mata, qui disposent d'une cinquantaine d'hectares en propriété.

www.recaredo.es
Lieu : Tamarit 10, P.O Box 15 – 08770 – Sant'Sadurni d'Anoia
Téléphone : 93 89 10 214

Cuvée Brut Nature 2006
Gran Reserva

16/20 ▋▋▐▋ ═ ▆▆ ✚ IP

★★★

🐷 🐷

Le nez est discret, toutefois net, axé sur la pomme verte, puis sur quelques accents d'hydrocarbures à l'aération. La texture est ronde grâce à une effervescence aux bulles nouées et fines qui démontre une grande maîtrise de l'elevage. L'ensemble se montre fruité pour un vin au dosage minime où la pureté rayonne fraîchement, c'est une réussite qui complètera de façon impeccable un apéritif à base de crevettes en bouquet.

Cuvée Rosat Brut Nature – Intens 2007

16/20 ▌▌▐█ ══ ▝▘ ✚ IP
★★★

🐖 🐖 🐖

Un cava rosé qui a gardé la même mâche que lors d'une première dégustation en 2011 ! Ferme et expressif en bouche (petits fruits rouges et boisé délicat), cet effervescent présente sa délicatesse à travers une effervescence quelque peu vaporeuse, mais son enveloppe, où perle une légère amertume (noyaux de cerise), apporte la structure qu'on attend d'un rosé pétulant. Un excellent vin mousseux qui pinote, facilement taillé pour la table.

Cuvée Brut de Brut
Gran Reserva Nature 2003

17/20 ▌▌▐█ ══ ▝▘ ✚
★★★

🐖 🐖 🐖

Le macabéo domine nettement l'assemblage et apporte ici rondeur et arômes d'élevage en fût (acacia, beurre frais), l'effervescence est grasse, nouée, longue, elle transporte l'expression du temps passé (champignons blancs, sous-bois). Dégusté une première fois en 2011, une seconde fois en juillet 2012, c'est un cava à laisser respirer dans le verre plusieurs minutes afin qu'il se livre comme un beau vin blanc sec et tranquille. Un effervescent de grande qualité, bien habillé par son âge.

Cuvée Reserva Particular 2001
Josep Mata Capellades

18/20 ▌▌▐█ ══ ▝▘ ✚
★★★

🐖 🐖 🐖

Cette cuvée n'étant pas dosée, sa rondeur et sa profondeur sont apportées par le travail du temps (elle a plus de 10 ans !), comme ses arômes pâtissiers (tarte amandine, meringue, croissant) toujours enveloppés par une minéralité plus iodée que terpénique. Les bulles se sont affinées, elles engendrent une texture satinée plus proche du frizzante que du spumante. C'est un très grand cava, rare et… un peu onéreux.

SEGURA VIUDAS

Au sein du groupe Freixenet, cette marque créée dans les années 1950 a connu un bel essor dans les années 1970.

www.seguraviudas.es
Lieu : Carretera St.Sadurni d'Anoia a Sant Pere
Km 5 – 08775 Torrelavit
Téléphone : 938 917 000

Cuvée Brut Reserva

13/20 ■ ■ ■■ ▬▬ ▪▪ ■
★⌐

🐷

Les bulles sont fines, le volume est compact, on sent le travail accompli dans l'élaboration de l'effervescence. Les arômes sont légers, plus herbacés que fruités (levures, poires et pommes). Plus droit que profond, donc un peu court.

Cuvée Aria – Brut

14/20 ■ ■ ■■ ▬▬ ▪▪ ■
★★

🐷 🐷

Il se présente d'abord avec des arômes de paille, d'herbes, puis de fumée. Il est assez sec en bouche et, curieusement, la grande finesse de ses bulles n'apporte pas de rondeur à la texture. Il reste marqué par son acidité, peu mordante, mais présente. C'est un cava d'entrée, très tonique et rafraîchissant, très pur, malgré une pointe de fruit mûr (dosage décelé en finale). Une agréable surprise.

Cuvée Lavit Brut Rosado

16/20 ■ ■ ■■ ▬▬ ▪▪ ■
★★★

🐷 🐷

La couleur fraise à l'eau concentrée est aussi attirante que la mousse est abondante. Le cépage trépas domine l'assemblage de tempranillo et de grenache. Frais et délicat, sans grande profondeur, toutefois vraiment sec, sans lourdeur, ce qui le distingue des autres cavas rosés souvent collants. Ses légères notes de fruits rouges et sa sveltesse en bouche accompagneront facilement une variété de tapas non épicés, une salade de riz au thon avec raisins de Corinthe qui apportent une touche sucrée ou des brochettes de crevettes grillées avec poivrons rouges.

Cuvée Reserva Heredad

16/20 IP
★★★

🐷 🐷

Vanillé et mielleux au nez, attractif par ses doux arômes exotiques (gingembre, coco) faciles et charmeurs, ce vin est toutefois plus complexe et riche en bouche. Les notes de poires apportent de la fraîcheur au cœur d'une mousse crémeuse qui donne de la consistance à l'ensemble. On retrouve le caractère à la fois parfumé et mordant du gingembre en finale. Original et inhabituel.

VILARNAU

Marque des cavas de Gonzalez Byass depuis 1982, les centres de vinification de Vilarnau sont situés à Sant Sadurni d'Anoia, au cœur du Pénédès, où est également élaboré du vin tranquille de la DOC éponyme. Élaborant du vin effervescent depuis 1948, la famille Vilarnau dispose d'une vingtaine d'hectares autour de la rivière Anoia.

www.vilarnau.es
Lieu : Carretera D Espiells Km 1,4 Finca Can Petit
08770 Sant Sadurni d'Anoia
Téléphone : +34 938 912 361

Cuvée Brut Nature

15/20 IP
★★★

🐷 🐷

Frais, léger, peu consistant, mais élégant, ce cava est axé sur des arômes de salade de fruits jaunes, de citron et d'anis. L'effervescence présente un volume gonflé, léger aux bulles toutefois tapissantes. Bel équilibre entre le fruité blanc et le dosage minime. Un cava simple, efficace, qui donne faim.

Cuvée Brut

14/20 ▮▮▮▮ ══ ▦ ✚ IP
★★

🐖 🐖

Franc, sur des notes d'anis, de poires, puis de pain blond à l'ouverture, ce cava se montre aérien en bouche. Les bulles sont moyennes, éparses et fugaces, elles illustrent un style léger et frais qu'on pourra rendre plus pénétrant en laissant reposer son verre dix bonnes minutes. Simple et agréable.

Cuvée Brut Rosé

17/20 ▮▮▮▮ ══ ▦ ✚ IP
★★★★

🐖 🐖

Couleur grenadine à l'eau, nez discret de fraise, puis de poivre gris à l'aération. Attaque franche en bouche, bulles fines et nouées, toutefois évanescentes. Le volume est léger et pourtant l'effervescence présente une belle mâche gourmande, les flaveurs sont quelque peu épicées, on perçoit un contact très sec, très pur en bouche. Aucun maquillage, fruité pur, c'est un excellent cava rosé, parmi les meilleurs d'Espagne.

11

Les maisons

DES ÉTATS-UNIS D'AMÉRIQUE,
en Californie

DOMAINE CARNEROS

Le Domaine Carneros a été créé en 1987 en Californie par la famille Taittinger des champagnes éponymes en association avec son distributeur américain, Kobrand Corporation. Il est l'un des rares producteurs californiens utilisant exclusivement des raisins issus de cette région. Ses vins portent donc la mention Carneros Sparkling Wine.

www.domainecarneros.com
Lieu : 1240 Duhig Rd., Napa – CA 94559
Téléphone : 800 716 2788

Cuvée Brut 2007

15/20 ■ ■ ■ ■ ▬ ▬ ▪▪ ▪▪ ✚
★★�✦

🐖 🐖 🐖

Expressive et net au niveau aromatique, on y perçoit des arômes de melon, de poire, occultés dès l'aération par ceux d'acacia et de pain au lait. Nerveux à l'attaque, presque tranchant, ce vin offre une effervescence crémeuse et serrée qui couvre la minéralité au profit de sa puissance, démonstrative de ses origines. Il peut assurément vieillir en cave au-delà de 2015.

Cuvée Brut – Rosé 2007

16/20 ■ ■ ■ ■ ▬ ▬ ▪▪ ▪▪ ✚
★★★

🐖 🐖 🐖

Le dosage est sensible dès l'attaque en bouche, mais plutôt que de couvrir le fruité très net d'agrumes confits, d'orangettes et d'amandes amères, il le soutient et permet de nous offrir un rosé californien très bien conduit. L'effervescence est fine, soignée, compacte et persistante, elle transporte jusqu'en finale une enveloppe mielleuse qui séduit les papilles. Excellent dès aujourd'hui.

Cuvée Le Rêve – Blanc de Blancs 2005 Brut

18/20 ■■ ■■ ═══ ██ ➕ IP
★★★★

🐷 🐷 🐷

Comme une tarte amandine qui glisse en bouche, ce mousseux révèle ses arômes pâtissiers de lente évolution au sein d'une effeverscence onctueuse et longue. Sans doute plus riche, plus fin et plus endurant que les millésimes 2004 et 2003, celui-ci devrait encore s'améliorer d'ici une décennie puisqu'on y perçoit la tranchante acidité citrique qui enveloppe toute la dégustation sans agresser les papilles, signature des effervescents accomplis. Sans doute dans le Top 5 des meilleurs effervescents du monde.

DOMAINE CHANDON

Fondé en 1973 par la maison de champagne Moët & Chandon au cœur de la Napa Valley, le domaine Chandon dispose de raisins provenant de Yountville et de Carneros. Il produit des vins effervescents issus de la méthode traditionnelle ainsi qu'une gamme de vins tranquilles à partir des trois cépages classiques champenois.

www.chandon.com
Lieu : 1 California Drive Yountville – CA 94599
Téléphone : 707 944 88 44

Cuvée Brut Classic

13/20
★↯

🐷 🐷

Certaines cuvées se sont révélées plus dosées depuis quelques années, mais les flaveurs plutôt citronnées, puis marquées par des notes pâtissières (cake aux fruits, croissant aux amandes) sont toujours présentes et offrent de la fraîcheur. L'effervescence est vive et fugace, la finale aromatique est courte. C'est un mousseux d'entrée de gamme qui manque parfois de constance de style. Le prix reste raisonnable.

Cuvée Blanc de Noirs

15/20 ▮ ▮ ▮▮ ▬ ▪▪ ✚
★★☽

🐖 🐖

Une cuvée expressive tant dans sa couleur aux reflets de couleur chair que dans ses premiers effluves de kirsch, de pêches séchées et de feuilles de menthe à l'aération qui apportent de la fraîcheur. En bouche, l'effervescence est ronde, plus nerveuse que crémeuse et grasse, les bulles sont moyennes, elles complètent l'élan dynamique initialement perçu. La finale est fruitée, c'est un vin mi-corsé très désaltérant, bien équilibré.

Cuvée Étoile

16/20 ▮ ▮ ▮▮ ▬ ▪▪ ✚ IP
★★★

🐖 🐖

Cette cuvée est orientée vers les agrumes et les fruits acides, vers la fraîcheur au nez comme en bouche (tarte au citron, pommes, groseilles), il faut lui laisser du temps dans le verre afin qu'elle respire, qu'elle offre des arômes plus charmeurs de crème pâtissière. Son effervescence soignée permet cette patience. On découvre alors de l'élégance autour d'une texture ronde et tapissante. Très beau vin.

GLORIA FERRER

Ce domaine californien, créé par Freixenet en 1982, a su se hisser parmi les valeurs sûres en matière de vins effervescents américains.

www.gloriaferrer.com
Lieu : 23555 Hwy Carneros Hwy (121) Sonoma – CA 95476
Téléphone : 707 996 72 56

Cuvée Sonoma Brut

15/20 ▮ ▮ ▮▮ ═ ▬▬ 🇨🇭 IP

★★★⌐

De facture très classique, ce vin présente une effervescence relativement fine, sans être caressante. Les flaveurs sont marquées par le pinot noir, ses tanins très agréables apportent un caractère corsé, vineux, qui n'occulte pas cependant l'élégance. C'est ce qui le distingue des autres effervescents du même type de la région. Les amateurs de mousseux puissants, correctement dosés, apprécieront.

Cuvée Blanc de Noirs

15/20 ▮ ▮ ▮▮ ═ ▬▬ 🇨🇭

★★★⌐

De facture : À la fois plein et tendu, ce vin effervescent présente les flaveurs habituelles de griottes et de fraises, mais il a un caractère minéral, voire crayeux, qui déconcerte très agréablement lorsqu'on connaît son origine. Il est concentré en bouche grâce à la compacité de ses bulles, tout en présentant un tranchant en finale qui le rend sobre, droit, vrai.

Cuvée Brut Rosé 2006

16/20 ▮ ▮ ▮▮ ═ ▪▪ ➕ IP
★★★

🐷 🐷

Un fruité d'agrumes roses avec une pointe d'épices (poivre) au nez comme en bouche, cet effervescent se montre aujourd'hui mature. Les bulles sont de calibre moyen, elles persistent toutefois en formant un volume aérien, déjà décelé en 2010. La finale est courte et aromatique, peu nerveuse, le dosage est sensible, ce vin est prêt à boire et peut facilement accompagner une entrée de poisson.

Cuvée Blanc de Blancs 2004 – Brut

16/20 ▮ ▮ ▮▮ ═ ▪▪ ➕
★★★

🐷 🐷 🐷

La même note que l'année dernière pour ce 2004 plus mûr et qui a perdu sa minéralité au profit d'une fraîcheur de salade d'agrumes. Légèrement briochée en bouche, l'onctuosité de son effervescence complète l'aspect général mature et gourmand. Pour un apéritif aux canapés variés et riches.

IRON HORSE

Situé sur l'appellation Russian Valley, dans la vallée verte célèbre pour son brouillard, ce domaine créé à la fin des années 1960 jouit de 80 hectares plantés de chardonnay et de pinot noir.

www.ironhorsevineyards.com
Lieu : 9786 Ross Station Road Sebastopol, CA 95472
Téléphone : (707) 887-1507

Cuvée Wedding Cuvée 2006 Brut

16/20 ▉ ▉ ▉▉ ▭ ▮▮ ✚ IP
★★★

🐷 🐷

Même si l'on aurait pu penser qu'avec un tel nom, le chardonnay aurait constitué cette cuvée pour en faire un blanc de blancs de « mariage », c'est le pinot noir qui domine l'assemblage. Légèrement taché dans la couleur, cet effervescent présente d'abord un nez de brioche aux fruits secs et d'amandes fraîches. L'attaque en bouche est plus puissante que minérale, les bulles sont de calibre moyen, elles forment toutefois une texture compacte qui se montre persistante. Le dosage est impeccable, c'est à dire non appuyé, il laisse la maturité du fruit s'exprimer. Encore jeune dans son expression, il peut facilement être laissé en cave jusqu'en 2016. Les gourmands pourront l'essayer sur une entrée chaude de poisson.

KORBEL

Même si elle dérange la Champagne viticole, c'est une clause d'antériorité dite clause du grand père, d'un texte de loi français, qui permet toujours à la marque Korbel d'apposer le terme champagne sur ses étiquettes. Fondée en 1882 par deux immigrés tchécoslovaques, la marque Korbel fut achetée en 1954 par Adolph Heck qui la transmit à son fils Gary. Ce dernier, président depuis 1982, a diversifié les branches viniques de Korbel (Brandy) et a fait décupler la production annuelle en 30 ans. Parmi les plus gros producteurs de vins aux Etats-Unis, Korbel est aujourd'hui un incontournable dans le domaine des effervescents.

www.korbel.com
Lieu : 13250 River Road – Guenerville – CA 95446
Téléphone : 707 824 7217

Cuvée Brut

14/20 ▓ ▓ ▓▓ ══ ▓▓ ✚ IP
★★

🐷

Croquant, légèrement toasté au nez comme en bouche, un peu citrique à l'attaque, ce mousseux présente une effervescence aérienne aux bulles moyennes, fugaces en finale. Peu complexe dans les arômes, toutefois équilibré dans le comportement, c'est un apéritif abordable.

MUMM NAPA VALLEY

C'est vers la fin des années 1970 que le projet de s'implanter en Californie a été pensé par la maison mère rémoise Mumm. Fondée en 1983, les premiers flacons de bulles californiennes signés Mumm Napa sortiront en 1986, grâce au travail de Guy Deveaux. 40 ans plus tard, le succès est considérable au point que la marque est aujourd'hui une référence dans l'effervescence nord-américaine. Ses cuvées sont régulièrement classées parmi les meilleurs vins du nouveau monde.

www.mummnapa.com
Lieu : 8445 Silverado Trail – P.O. Box 500
Rutherford, CA 94573
Téléphone : 707 967 77 00

Cuvée Brut Prestige

15/20 ▮ ▮ ▮▮ ═ ▪▪ 🇨🇭
★★⭒

🐖 🐖

Mûr, net au nez par ses arômes de salade de fruits d'été, il se révèle davantage sur la fraîcheur en bouche sans pour autant dévoiler de minéralité. Les bulles sont grosses mais paquetées, ce qui apporte une compacité chaleureuse et tendre en bouche. Les flaveurs se révèlent plus pâtissières (clafoutis, palmier), c'est un vin bien construit, plaisant et finalement abordable pour la garantie de plaisir qu'il offre.

Cuvée Brut Rosé

16/20 ▮ ▮ ▮▮ ═ ▪▪ 🇨🇭
★★★

🐖 🐖 🐖

Autoritaire et parfumé en bouche. Une belle et subtile palette de fruits rouges (cerises, framboise, groseille) forme les flaveurs. Les bulles sont moyennes et persistantes, le volume est compact. On est en présence d'un vin fait pour un mets ou un apéritif gourmand. Très bel effervescent.

Cuvée Brut Réserve

16/20 ▮ ▮ ▮▮ ▬ ▪▪ ✚
★★★

🐷 🐷 🐷

Biscuité, pâtissier, plus séduisant au nez que la cuvée Prestige, moins tendu en bouche, ce vin offre des bulles fines et ramassées, toutefois peu persistantes. On est en présence d'une texture savoureuse et riche, impeccable pour une viande blanche à table.

Cuvée Blanc de Noirs

16/20 ▮ ▮ ▮▮ ▬ ▪▪ ✚ IP
★★★

🐷 🐷

Attirant par ses reflets de couleur chair, il se montre très pinot noir, très mûr, très sucre candy au nez (noyaux de fruits, fraises), même si des notes florales lui confèrent de la fraîcheur à l'aération. Le comportement des bulles fines et fugaces, liées aux flaveurs originales (feuilles de tomates, roses, estragon) en bouche, confirme le côté aérien, jardinier et léger. Excellent à l'apéritif.

Cuvée DVX 2000

19/20 ▮ ▮ ▮▮ ▬ ▪▪ ✚ IP
★★★

🐷 🐷 🐷 🐷

Le premier nez rappelle le caoutchouc et le pain grillé brun, il est très expressif, l'aération s'ouvre sur des fruits confits, des fruits secs (noix, noisettes) et du pain d'épices. L'effervescence est d'une très grande qualité, les bulles sont des perles qui tournent en bouche au sein d'un volume serré et dense à la fois, elles forment une texture satinée qui transporte des notes de torréfaction illustrant la maturité de ce vin. Une légère pointe d'amertume qui rappelle le café enveloppe la dégustation jusqu'à la longue finale aromatique. Le temps lui a été bénéfique, cet effervescent signe un bel accomplissement et se positionne actuellement dans le Top 5 des meilleurs mousseux dans le monde.

PIPER SONOMA

Domaine créé à la fin des années 1970 grâce à un partenariat de 3 maisons, Sonoma Vineyards, Piper-Heidsieck et Renfield Importers, il sortit ses premières bouteilles sur le millésime 1980. En 1994, le groupe Rémy Cointreau rachète la marque qui appartient aujourd'hui au Groupe EPI. Raphaël Brisbois vinifie les vins de cette maison basée dans la Russian Valley depuis 15 ans.

www.pipersonoma.com
Lieu : 11447 Old Redwood Hwy Healdsburg, CA 95448
Téléphone : 707 433 88 43

Cuvée Brut

15/20 ▐▌ ▐ ▐▌ ══ ▪▪ ✚ IP
★★★

🐷 🐷 🐷

Droit et aérien, axé sur les agrumes légèrement confits au nez comme en bouche, cet effervescent joue la carte de la légèreté, se démarquant de la plupart de ses concurrents californiens. Laissé quelques minutes dans le verre, il a révélé quelques accents pâtissiers toujours orientés vers la fraîcheur (tarte au citron). Impeccable à l'apéritif.

ROEDERER ESTATE

Des nombreuses marques de champagne qui ont tenté de s'imposer en Californie, celle-ci est la plus accomplie. Ce domaine a été créé par Jean-Claude Rouzaud au début des années 1980. Jusqu'en 2003, Michel Salgues, le vinificateur, a su porter les cuvées du domaine au sommet des effervescents californiens, puis a transmis le relais à Arnaud Weyrich.

www.roedererestate.net
Lieu : 4501 Highway 128 Philo – CA 95466
Téléphone : 707 895 22 88

Cuvée Anderson Valley Brut
16/20 ▮ ▮ ▮▮ ▬ ▪▪ ✚
★★★

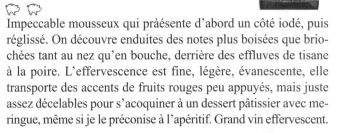

Impeccable mousseux qui pràesente d'abord un côté iodé, puis
réglissé. On découvre enduites des notes plus boisées que briochées tant au nez qu'en bouche, derrière des effluves de tisane
à la poire. L'effervescence est fine, légère, évanescente, elle
transporte des accents de fruits rouges peu appuyés, mais juste
assez décelables pour s'acoquiner à un dessert pâtissier avec meringue, même si je le préconise à l'apéritif. Grand vin effervescent.

Cuvée Anderson Valley Brut Rosé
16/20 ▮ ▮ ▮▮ ▬ ▪▪ ✚
★★★

Dégustée en juillet 2012, la petite pointe oxydative, que je perçois
toujours dans cette cuvée derrière quelques notes boisées,
rappelait davantage celle de fraises confites. Les parfums sont
donc plus harmonieux, axés sur un fruité délicatement rouge
(cerise, groseille) qui s'entremêle à la fraîcheur grâce à une
acidité présente et des bulles au calibre moyen, plus évanescentes
que nouées illustrant une effervescence légère. Un rosé parfumé,
plus délicat que consistant, impeccable à l'apéritif.

L'Ermitage 2003 – Brut
Roederer Estate
18/20 ▮ ▮ ▮▮ ▬ ▪▪ ✚
★★★★

Nez très expressif d'abord de tarte amandine, puis de tarte aux
pommes chaudes. On l'aura donc compris, les parfums sont
pâtissiers avec une petite touche du temps qui est passé par là
dévoilant un léger rancio (torréfaction). La bouche est enveloppante sans être lourde, légèrement amère, couronnée par la
puissance de l'ensoleillement du terroir qui est toutefois contenue
par une effervescence onctueuse, aux bulles de calibre moyen,
bien attachées entre elles. La finale est gourmande, bouquetée,
charmeuse, elle rappelle certains champagnes évolués de la Côte
des Bar. C'est un mousseux de très grande qualité qu'une assiette
de ris de veau aux cèpes saura mettre en valeur !

ALLIMANT LAUGNER

La famille Allimant est dans l'univers du vin depuis 1724 à Orchwiller. Elle offre aujourd'hui des vins de qualité constante qu'on peut, de plus, découvrir en s'installant quelques jours dans le gîte rural proposé.

www.allimant-laugner.com
Lieu : 10, Grand'Rue 67600 Orchwiller
Téléphone : 03 88 92 06 52

Cuvée Brut – Crémant

15/20 ▌▌▌▌ ▬▬ ▪▪▪ ✚ IP
★★☆

🐷

Un crémant d'excellente facture au crescendo aromatique délicieux. On est d'abord sur l'acidité de la pomme verte, puis sur les agrumes pour terminer avec une pointe de miel. Pas d'excès de sucrosité, la mousse est riche, pleine, sa fugacité finale est en équilibre avec la fraîcheur de l'ensemble et le mordant de l'attaque. Superbe.

ARTHUR METZ

Premier producteur de crémants alsaciens commercialisés sous plusieurs marques, Arthur Metz regroupe 750 vignerons bénéficiant de deux caves de vinification. Cette coopérative a été acquise par Les Grands Chais de France en 1991.

www.arthurmetz.fr
Lieu : 102, rue Général de Gaulle 67520 Marlenheim
Téléphone : 03 88 59 28 60

Cuvée Brut – Pinot Blanc/ Pinot Noir

14/20 ■ ■ ■ ■ ═ ═ ═ ■ IP
★★

Fraîche, incisive, citronnée et « levurée », cette cuvée se distingue surtout par son effervescence maîtrisée, aux bulles finement nouées qui apportent une impression satinée en bouche. Le volume est léger, le dosage équilibre la nervosité, c'est un effervescent d'apéritif.

Cuvée Brut – Chardonnay

14/20 ■ ■ ■ ■ ═ ═ ═ ■ IP
★★

Léger et aromatique, ce crémant offre des notes de fleurs, de pamplemousse et de beurre frais au sein d'une effervescence crémeuse et fugace. La nervosité de l'attaque en bouche est rapidement occultée par la souplesse de la texture, créée par un dosage sensible qui ne rompt toutefois pas la fraîcheur de la dégustation. Peu complexe et efficace.

Cuvée Brut Rosé – Michel Léon

15/20 ■ ■ ■ ■ ═ ═ ═ ■ IP
★★★

De facture très classique dans les arômes délicats de petits fruits rouges (groseilles, cerises, framboises) et dans l'effervescence foisonnante et légère, cette cuvée n'en demeure pas moins intéressante, car sa constance de goût et de comportement au fil des années signe la compétence de la cave qui l'élabore. Un crémant à la couleur soutenue et charmeuse, net et toujours fiable.

BARMÈS BUECHER

Les Barmès-Buecher sont reconnus à travers la France pour leur travail biodynamique de la vigne. Ce travail leur permet de ne pas modifier l'équilibre initial atteint à la vigne, de préserver tout le potentiel « terroir » et de réaliser de grands vins, en misant d'emblée sur pureté et complexité. Les vignes sont travaillées, les sols sont labourés, il n'y a aucun désherbage, ni engrais chimiques et les traitements sont à base de plantes. Les raisins sont triés à la vigne et à la cave et ensuite pressés délicatement. La cave ne voit ni chaptalisation, ni collage, ni enzymage, ni levurage... rien de rien ! Dans tous les cas, rien n'est ajouté et rien n'est nécessaire étant donné l'important travail réalisé en amont. Prématurément disparu en 2011, François Barmès.

www.barmes-buecher.com
Lieu : 30, rue Sainte-Gertrude 68920 Wettolsheim
Téléphone : 03 89 80 62 92

Cuvée Brut 2009
Zéro Dosage

16/20 ▮▮▮▮▮ ▬▬ ▰▰ ✚

★★★

Millésime après millésime, la vinosité de ce vin séduit dès l'attaque en bouche. Pure, sans être agressive, cette cuvée 2009 offre des arômes d'abord citriques, rapidement gommés par ceux de fruits blancs (pomme, poire) avec quelques notes d'eau-de-vie de mirabelle. Les bulles sont de calibre moyen, toutefois nouées et paquetées. Après plusieurs minutes dans le verre, la texture se montre logiquement plus satinée et longue, les arômes sont plus riches et plus pâtissiers (baguette, flan), l'effervescence perdure, un très beau crémant.

BESTHEIM

Avec plus de 700 hectares de vignes à sa disposition, cette marque, qui a son centre de vinification pour les vins effervescents à Westhalten, tandis que les vins tranquilles sont élaborés à Bennwihr, bénéficie depuis 1998 du savoir-faire de 2 caves coopératives réunies. La bulle représente 60 % de sa production totale.

www.bestheim.com
Lieu : 3 rue du Général de Gaulle 68630 Bennwihr

Cuvée Brut – Crémant d'Alsace

15/20 ★★⟩

Nez expressif axé sur les agrumes (citron, bergamote), touche discrète de pâtisserie à l'aération, l'effervescence est crémeuse, imprégnante, elle n'occulte cependant pas la fraîcheur, voire la minéralité un peu citronnée qui ponctue la dégustation. Vin vif et léger, bien élaboré, qui ouvre l'appétit.

Cuvée Brut – Rosé

15/20 ★★⟩

Un crémant axé sur les petits fruits rouges au niveau aromatique avec une petite pointe fumée après quelques minutes dans le verre. L'effervescence abonde, les bulles sont de calibre moyen, le volume est léger, on retrouve en finale des notes de cake aux fruits grâce à un dosage sensible, toutefois non appuyé. Efficace et fiable.

Cuvée Prestige – Brut – Crémant d'Alsace

16/20 ★★★ IP

Tendu et minéral à l'attaque. Les notes citronnées décelées séduisent tout en confirmant le caractère mordant de ce vin qui se montre plus séducteur en bouche grâce à des flaveurs beurrées et pâtissières. L'effervescence est maîtrisée, travaillée, on lui a donné du temps pour qu'elle s'affirme finement et profondément. Excellent crémant rhénan.

CAVE VINICOLE DE BEBLENHEIM

Créée en 1952 à l'initiative de quelques viticulteurs, cette coopérative propose toutes les appellations alsaciennes. Elle regroupe aujourd'hui 150 adhérents et bénéficie de 250 hectares de vignes répartis sur plusieurs communes, autour de Beblenheim.

www.cave-beblenheim.com
Lieu : 14, rue de Hoen BP03 – 68980 Beblenheim
Téléphone : 03 89 47 90 02

Cuvée Brut – Crémant Baron de Hoën

13/20 ▐ ▐ ▐▐ ═ ▪▪ ▪▪ ✚

★⌐

Léger, fin, fruité, ce vin mousseux aux notes discrètes de raisins blancs, de pommes et de foin s'articule autour d'une mousse relativement onctueuse, peu crémeuse et évanescente. Facile, peu complexe, à boire dès sa commercialisation, en apéritif.

CAVE VINICOLE DE HUNAWIHR

C'est en hommage au pape Calixte II, qui, en l'an 1123, prit la défense du village de Hunawihr, que la direction de cette cave a décidé de commercialiser ses crémants.

www.cave-hunawihr.com
Lieu : 48, route de Ribeauvillé – BP 10016
Hunawihr 68151 Ribeauvillé
Téléphone : 03 89 73 61 67

Cuvée Calixte – Crémant

14/20 ■ ■ ■ ■ ▬ ▬ ▪▪ ▪▪ ■

★★

Discret, frais, sans complexe. L'effervescence est englobante, les bulles sont moyennes et fuyantes. Le caractère pâtissier des arômes ne perdure pas, c'est un vin construit qui manque un peu de caractère, de profondeur. Laissé cinq minutes dans le verre, il a finalement révélé de la complexité. Il fallait donc l'oxygéner ! Les bulles sont alors fines, les flaveurs plus complexes (tarte amandine très légère, mie de pain, crêpes), il mérite qu'on l'associe à une entrée.

Cuvée Calixte Rosé

15/20 ■ ■ ■ ■ ▬ ▬ ▪▪ ▪▪ ■

★★★

Les flaveurs de fruits rouges et jaunes (griottes, pêches, noyaux de fruits) sont bien présentes au nez comme en bouche. L'attaque est peu nerveuse, le charme s'opère en bouche par son caractère vineux que des bulles délicates et fugaces viennent tempérer. Un crémant qui a évolué vers plus de matière et d'arômes au fil des années, lui permettant de passer de l'apéritif à une entrée consistante.

DOPFF & IRION

Passé sous le contrôle de Pfaffenheim en 1997, la maison Dopff & Irion est née de l'association de René Dopff et d'une Madame Irion, qui était veuve. Avec 32 hectares en propriété, 10 % de la production est consacrée à l'effervescence.

www.dopff-irion.com
Lieu : 1, cours du Château BP 31 68340 Riquewihr
Téléphone : 03 89 47 92 51

Cuvée Prestige – Brut
13/20 ▮ ▮ ▮▮ ═ ▪▪ ✚ IP
★★

Nez discret, axé sur les agrumes verts, perceptibles en bouche dès l'attaque un peu agressive. Les bulles sont fines, la texture est satinée, elle n'occulte pourtant pas la finale acidulée et mordante. Un effervescent léger et non aromatique.

Cuvée Comtes d'Isembourg – Brut
15/20 ▮ ▮ ▮▮ ═ ▪▪ ✚ IP
★★★

Nez discret, toutefois net et axé sur des arômes toastés. Le volume en bouche est léger, l'effervescence est aérienne, vaporeuse, elle conduit des notes d'amandes jusqu'à la finale fraîche et citronnée. Bel apéritif.

Cuvée L'Exception – Brut 2005
16/20 ▮ ▮ ▮▮ ═ ▪▪ ✚ IP
★★★

Un pinot gris effervescent qui offre des arômes de salade de fruits et de kirsch dans un comportement effervescent serré aux bulles bien nouées. Belle vivacité en finale. Mieux construit que les autres cuvées de la maison, ce crémant a sa place à table.

DOPFF AU MOULIN

Au milieu du XVIIᵉ siècle, Jean-Daniel Dopff s'établit à Riquewihr en tant que boulanger et aubergiste. Son fils Balthazar-Georges sera maître-tonnelier et le premier à associer le nom de Dopff à une profession du vin. Les douze générations qui suivront continueront à perpétuer la tradition viticole ou marchande de vin pour devenir incontournable dans toute l'Alsace.

www.dopff-au-moulin.fr
Lieu : 2, avenue Jacques Preiss – 68340 Riquewihr
Téléphone : 03 89 49 09 69

Cuvée Julien – Crémant

14/20 ∎∎∎∎ ══ ∎∎ ✚ IP
★★

Léger et floral au nez, il se montre plus parfumé en bouche grâce à des arômes plus appuyés de pomme et de citron qui tournent autour d'une mousse crémeuse au volume léger. Le dosage est réussi, il n'empiète pas sur les flaveurs finales de tarte amandine. Très classique dans l'ensemble.

Cuvée Bartholdi (Base 2007) – Crémant

15/20 ∎∎∎∎ ══ ∎∎ ✚ IP
★★★

Mature malgré sa jeunesse, légèrement confit, puis toasté dans les arômes d'agrumes et de pain qu'on décèle au nez comme en bouche. Ce vin n'agresse pas, son acidité ne tranche pas, et pourtant l'ensemble rafraîchit. L'effervescence est fine, endurante et réussie, elle signe un bon crémant.

EDGARD SCHALLER

Depuis 1609, cette famille est établie en Alsace. Elle offre aujourd'hui les meilleurs vins effervescents d'Alsace. Sans doute est-ce l'influence des études entreprises à l'École de viticulture d'Avize en Champagne par Patrick et Charles Schaller, et, évidemment, leur passion pour les bulles.

www.edgard-schaller.com
Lieu : 1, rue du Château – 68630 Mittelwihr
Téléphone : 03 89 47 90 28

Cuvée Extra-Brut – Crémant

15/20 ▮▮ ▮▮ ▬ ▪▪ ✚ IP
★★☆

Discrète par ses arômes de muguet, d'herbes fraîches et de tisanes, cette cuvée se montre plus biscuitée à l'ouverture. Pure, vive, l'effervescence tapissante et la finesse des bulles viennent arrondir une texture au caractère sec qu'une finale grillée et puissante vient parfumer.

KLUR

Une famille qui travaille dans le respect des 7 hectares de vignes qu'elle possède, en conversion depuis une décennie à la culture biologique et biodynamique.

www.klur.net
Lieu : 105, rue des Trois Épis 68230 Katzenthal
Téléphone : 03 89 80 94 29

Cuvée Brut

15/20 ▮▮ ▮▮ ▮ ══ ▪▪ ✚ IP
★★★◗

Minéral, axé sur des notes de silex puis de citron, ce crémant présente une effervescence aux bulles nouées quoique vaporeuses, en harmonie avec la fraîcheur de l'ensemble, Bon effervescent abordable.

PAUL DUSSOURT

Depuis l'établissement au milieu du XVIIIe siècle de François-Xavier Dussourt en tant que viticulteur, la famille n'a pas quitté l'univers de la vigne, s'agrandissant en rachetant des bâtiments et en élaborant toutes les appellations alsaciennes. Depuis 1987, elle élabore du crémant qui se distingue en étant parmi les meilleurs de la région.

www.domainedussourt.com
Lieu : 2, rue de Dambach – 67750 Scherwiller
Téléphone : 03 88 92 10 27

Cuvée Tradition – Crémant

13/20 ▮▮ ▮▮ ▮ ══ ▪▪ ✚ IP
★◗

Fin, fruité (pomme, raisins secs), un peu léger dans le volume et la texture, ce crémant s'appuie sur son effervescence crémeuse qui accompagne des notes mielleuses en finale.

Cuvée Brut Riesling – Crémant

15/20 ▌ ▌ ▌▌ ▬ ▪▪ 🇨🇭 IP
★★✦

La minéralité n'a pas été occultée par le dosage, le riesling s'impose et se fait charmeur grâce à des arômes provençaux (pêches, abricots secs) qu'une finale de citron confit vient rafraîchir. L'effervescence abonde sans être riche, elle est en parfait équilibre avec le style pur et élégant du vin. Excellent crémant d'Alsace.

PIERRE SPARR

Trente-quatre hectares en propriété et 150 hectares exploités par des viticulteurs permettent l'élaboration d'une gamme complète de vins alsaciens. La famille Sparr élabore du vin depuis le début du XVIIIe siècle. Les multiples invasions qu'a connues l'Alsace, entraînant les destructions du vignoble, n'ont pas découragé la famille Sparr qui, après 10 générations, perpétue la tradition viticole. Le site Internet manque de précision et devrait être travaillé.

www.vins-sparr.fr
Lieu : 2, rue de la 1re Armée française – 68240 Sigolsheim
Téléphone : 03 89 78 24 22

Cuvée Réserve Brut

14/20 ▌ ▌ ▌▌ ▬ ▪▪ 🇨🇭
★★

Citronné, puis rapidement axé sur des notes provençales (garrigue, pêches séchées), presque muscatées, cet effervescent se distingue davantage par ses parfums que par sa mousse aux bulles un peu grossières et fugaces. Et comme cela me gênait, j'ai laissé le verre au repos durant quelques minutes. Résultat : l'oxygénation a rétréci le calibre des bulles tout en satinant leur comportement. On obtient alors un vin plus rond, plus harmonieux aussi et agréable à boire en apéritif.

WOLFBERGER

Au tout début du XXe siècle, des vignerons d'Éguisheim ont décidé de créer une coopérative. Les crémants de la marque sont aujourd'hui présents dans le monde entier, ils sont des ambassadeurs de qualité de l'effervescence alsacienne.

www.wolfberger.com
Lieu : 6, Grand'Rue – 68420 Éguisheim
Téléphone : 03 89 22 20 20

Cuvée Brut – Crémant

14/20
★★
🐖

Les arômes sont un peu amyliques et poussiéreux au premier nez, puis, à l'ouverture, des parfums heureux d'agrumes (citron, pamplemousse) viennent occulter ces premiers. La mousse est abondante comme une crème fouettée, légère et fugace. Les flaveurs restent sur les agrumes quelque peu caramélisés en finale. Un crémant efficace et honnête.

Cuvée Brut Prestige – Crémant

15/20 ■ ■ ■ ■ ══ ▪▪ ✚
★★★⌐
🐖

Le dosage apparaît un peu appuyé, mais il ne dénature pas la minéralité de l'ensemble. Les flaveurs tournent autour de fruits très mûrs, voire cuits (compote de pommes à la cannelle, confiture de pêches) qui s'expriment dans une mousse fine, plutôt légère. La finale rappelle les biscuits roux au gingembre. Le caractère international de cet effervescent, presque californien, est très séduisant.

Cuvée Brut Bio – Crémant

14/20 ■ ■ ■ ■ ══ ▪▪ ✚ IP
★★
🐖

Tout est très fin et discret dans ce vin. Les arômes de camomille et d'amande, l'effervescence fugace, la texture légère en bouche, la finale pâtissière qui rappelle aussi le sucre glace. Bref, un mousseux d'entrée qui ne coupera pas l'appétit pour les plats qui suivent.

ZINCK

Le domaine viticole commercial, en tant que tel, existe depuis les années 1960, toutefois la famille Zinck est dans l'univers agricole depuis plusieurs générations. Créé par Paul Zinck, il est composé de 8 hectares conduits par son fils Philippe depuis 1997, lui-même épaulé par sa femme Pascale depuis 2007.

www.zinck.fr
Lieu : 18, rue des Trois Châteaux 68420 Eguisheim
Téléphone : 03 89 41 19 11

Cuvée Brut

15/20 ▌▌▌▌ ══ ▪▪ ✚ IP
★★★

Le nez est discret, il rappelle d'abord des arômes de pommes chaudes, d'agrumes confits, puis il se fait plus pâtissier à l'aération et après plusieurs minutes dans le verre. L'effervescence présente des bulles de calibre moyen, elles sont toutefois bien nouées et engendrent un volume caressant qui se dissipe en finale pour nous laisser une touche acidulée de pamplemousse jaune. Très apéritif, il conviendra aussi sur un fromage de chèvre crayeux.

Cuvée Brut Rosé

15/20 ▌▌▌▌ ══ ▪▪ ✚ IP
★★★

Du pinot noir effervescent qui se montre plus minéral et tendu qu'autoritaire et vineux, même si une trame acidulée, puis amère en finale, qui rappelle les arômes de noyaux de cerises, se laisse tout de même capter. L'effervescence accentue l'effet rafraîchissant, elle est aérienne et présente des bulles gonflées, idéales à l'apéritif.

Les maisons

DE FRANCE, à Bordeaux

JAILLANCE

Cette coopérative a vu le jour en 1950. Elle s'est depuis développée partout en France où l'effervescence est possible, en Aquitaine, dans la Loire et en Bourgogne. 225 viticulteurs couvrant plus de 1 000 hectares dans l'hexagone permettent une commercialisation annuelle de 8 millions de bouteilles. Il faut noter l'engagement biologique au niveau de la viticulture puisque 12 % des surfaces exploitées par Jaillance ont été converties.

www.jaillance.com
Lieu : avenue de la Clairette – BP 79 – 26150 Die
Téléphone : 04 75 22 30 00

Cuvée de l'Abbaye – Brut
Crémant de Bordeaux

16/20 ■ ■ ■ ■ ▬ ▬ ∷ ∷ ✚ IP
★★★

Le premier nez est axé sur la levure de boulanger, puis, dès l'aération, ce sont des arômes de pomme verte qui sont nettement décelés, suivis de notes d'eau-de-vie. Sec à l'attaque, curieusement vineux en bouche, ce mousseux se distingue surtout par son effervescence réussie. Les bulles sont très fines et persistantes, elles apportent une impression d'onctuosité que le vin de base ne semble pas avoir. C'est un crémant mordant et court qu'on appréciera à l'apéritif avec des canapés à base de fruits de mer.

Cuvée de l'Abbaye – Brut Rosé
Crémant de Bordeaux

16/20 ■ ■ ■ ■ ▬ ∷ ∷ ✚ IP
★★★

Plus rond et plus équilibré, moins rigide en bouche que la cuvée Brut traditionnelle, ce mousseux rosé présente des arômes de fruits rouges et beaucoup de fraîcheur florale dans une effervescence légère, illustrée par des bulles fuyantes en finale, toutefois nouées. C'est un mousseux aérien au dosage réussi pour un apéritif facile.

LES CORDELIERS

On pense surtout aux grands vins rouges classés de Saint-Émilion lorsqu'on parcourt les rues du célèbre village, toutefois, on y fait bien des bulles ! Le Cloître des Cordeliers élabore des crémants depuis plus d'un siècle qui dorment dans les souterrains restaurés de l'ancien bâtiment franciscain.

www.lescordeliers.com
Lieu : 2 bis rue de la Porte-Brunet 33330 Saint-Emilion
Téléphone : 05 57 24 42 13

Cuvée Prestige – Brut

16/20 ▮ ▮ ▮▮ ═ ▪▪ ✚ IP
★★★

Vive, citrique, apéritive, cette cuvée axée sur des arômes d'agrumes jaunes présente une effervescence abondante et aérienne qui contruit une texture légère et digeste, sans complexité. Un mousseux abordable et efficace.

Les maisons

DE FRANCE, en Bourgogne

BLASON DE BOURGOGNE

Blason de Bourgogne est l'une des marques de crémant élaborées par Les Caves Bailly-Lapierre. Enregistrée à Saint-Bris le Vineux, charmant et incontournable village médiéval bourguignon, elle a été créée au début des années 1990 et réunit plusieurs coopératives dont La Chablisienne, les Caves de Hautes-Côtes, les Caves de Buxy et Les Vignerons des Terres Secrètes sont les plus populaires. Même si cette marque a été fondée par l'agence HWCG, rachetée ensuite par le groupe PLB pour le marché essentiellement anglo-saxon, on peut déplorer jusqu'à aujourd'hui le site Internet exclusivement anglophone.

www.blason.com
Lieu : rue du Serein 89800 Chablis
Téléphone : 03 86 42 88 70

Cuvée Brut – Réserve

15/20 ▮ ▮ ▮ ▮ ▬ ▬ ▪▪ ▪▪ ▮ 🇨🇭
★★★

🐷

Nez net et charmeur de pralines et de fruits secs (noisettes, amandes) aussitôt plus intense à l'attaque en bouche. L'effervescence est réussie, les bulles assez fines glissent en bouche et transportent une fraîcheur légèrement dissipée par la trame mono-aromatique grillée sur laquelle le consommateur craquera ou non. Un crémant peu complexe, efficace et abordable.

Cuvée Brut – Rosé

14/20 ▮ ▮ ▮ ▮ ▬ ▬ ▪▪ ▪▪ ▮ IP
★★

🐷

Beau fruité d'agrumes et de groseilles au nez comme en bouche, bulles au calibre moyen, éparses et vaporeuses, l'accent est davantage porté sur les arômes que sur la texture, légère, peu profonde. Un rosé très frais et abordable.

CAVES BAILLY LAPIERRE

Cette coopérative va fêter ses 40 ans d'existence au cœur d'une région magnifique, celle de l'Auxerrois (Saint-Bris-le-Vineux, Irancy, Chitry-le-Fort et Coulanges-la-Vineuse). José Martinez, son directeur général, connaît tout du sujet, depuis le terroir local à l'origine des bouchons qui ferment les bouteilles. Il a su convaincre une centaine de vignerons que, pour partir à la conquête des marchés internationaux, il fallait donner leurs meilleurs raisins et investir un peu dans la cuverie et la technologie. Les résultats sont là. Encore trop méconnues selon moi, malgré le volume de crémant de qualité qu'elles produisent aujour- d'hui, les Caves Bailly Lapierre profitent aussi d'un site unique au monde.

www.caves-bailly.com
Lieu : Quai de l'Yonne – Bailly – BP 3
Téléphone : 03 86 53 77 77

Cuvée Pinot Noir – Brut
Crémant de Bourgogne

16/20 ■ ■ ■ ■ ── ▪▪ ▪▪ ■
★★★

Le nez est très expressif, curieusement orienté vers des agrumes, puis plus traditionnel à l'aération, vers des notes de noyaux de cerises et de petites baies. L'effervescence est d'une grande onctuosité, sa profondeur conjuguée à une délicate puissance vinique permet à ce vin de tenir facilement à table sur un plat de poissons, voire de fromages riches et faits. Un crémant qui s'affirme et qui laisse un beau souvenir.

Cuvée Vive-la-Joie
Brut 2006

16/20 ■ ■ ■ ■ ▬ ▬ ▬ ▪▪ ✚

★★★

🐷 🐷

Mieux noté que dans l'édition 2012, car tout simplement mature. Aujourd'hui axé sur la pomme plus mûre qu'acidulée au nez comme en bouche, ce mousseux présente un bel équilibre en bouche grâce à son effervescence crémeuse et persistante qui conduit des notes pâtissières (tarte amandine), suivies d'un fin rancio d'évolution. Il se présente donc à point avec une texture satinée qui tapisse agréablement les papilles. Une belle entrée chaude de poisson à chair blanche lui conviendrait parfaitement.

Cuvée Vive-la-Joie
Brut 2006 Rosé

16/20 ■ ■ ■ ■ ▬ ▬ ▪▪ ✚ IP

★★★

🐷 🐷

Cette cuvée était déjà au point au moment de sa commercialisation il y a 2 ans, elle semble ne pas avoir bougé. Nez de noyaux de cerises franc et net, attaque ferme en bouche, dosage modeste et maîtrisé au sein d'une effervescence onctueuse aux bulles fines et liées. Un crémant rosé juste assez ferme et agréablement parfumé pour soutenir quelques chipolatas grillées au barbecue.

CAVE DE LUGNY

La Cave de Lugny regroupe 250 vignerons qui apportent leurs raisins issus de 1 450 hectares de vignes. Elle a été fondée en 1926, s'est associée en 1966 avec la Cave de St Gengoux de Scissé, puis en 1994 avec la Cave de Chardonnay.

www.cave-lugny.com
Lieu : rue des Charmes – 71260 Lugny
Téléphone : 03 85 33 22 85

Cuvée Blanc de Blancs Brut – Crémant

13/20 ■ ■ ■■ ▬▬ ▪▪ ✚ IP
★↷

🐷 🐷 🐷

Quelques notes de cendre, de cigare froid, déroutent au premier abord, mais elles sont rapidement occultées par des accents fruités (pommes, pamplemousses), puis caramélisés. La mousse est fine et fugace, la texture est souple, le volume est très léger, le dosage est sensible. C'est un crémant qui devrait être davantage travaillé par la coopérative, dont le site Internet, essentiellement commercial, manque de précision et d'explications historiques.

CAVE DE VIRÉ

Créée à la fin des années 1920, cette cave coopérative s'est considérablement modernisée dans les années 1980. Ses adhérents ont notamment travaillé à l'ébauche de l'appellation Viré-Clissé décrétée en 1997.

www.cavedevire.fr
Lieu : 71260 Viré en Vercheron
Téléphone : 03 85 32 25 50

Cuvée Chardonnay
Brut – Crémant de Bourgogne
15/20 ▮ ▮ ▮▮ ══ ▪▪ ➕ IP
★★★

Discret au nez comme en bouche par ses arômes d'abord citriques, puis rapidement orientés vers la pomme et la poire, c'est un vin au dosage qui apparaît peu élevé. Il permet d'y découvrir une belle minéralité au sein d'une effervescence aérienne, toutefois crémeuse, car les bulles sont bien nouées. Je le conseille à l'apéritif.

CHÂTEAU L'ANGE GARDIEN

Un domaine splendide au cœur de la Bourgogne qui offre plusieurs appellations de la région dont deux crémants régulièrement fiables.

www.chateau-langegardien.com
Lieu : Rue des Barrigards 21550 Ladoix Serrigny
Téléphone : 03 80 21 68 72

Cuvée Dom Vincent
Rare Grand Brut N°1
16/20 ▮ ▮ ▮▮ ══ ▪▪ ➕ IP
★★★

L'aligoté se mêle au pinot noir dominant et au chardonnay dans ce crémant axé sur des arômes d'agrumes, puis de croissant aux amandes à l'aération. L'effervescence présente des bulles moyennes et fugaces, la texture se fait néanmoins tapissante, permettant une longueur aromatique plus citronnée que minérale. Un crémant léger et apéritif. À noter que la même cuvée (dégorgement non mentionné) d'une bouteille âgée de 9 ans (ma dernière) s'est montrée pâtissière et logiquement oxydative dans ses arômes, riche dans la texture et cuite au niveau des flaveurs (nez, bouche). Comme quoi, elle peut vieillir – mais pas trop - avec profit !

CLAUDE CHEVALIER

Le domaine est surtout reconnu pour l'excellence de ses grands crus bourguignons rouges et blancs. Claude Chevalier s'est amusé à faire élaborer du crémant pour sa consommation personnelle pendant quelques années, ses qualités ont rapidement fait le tour des amateurs. Il fallait donc que la production soit plus conséquente pour la commercialiser. Ainsi soit-il pour notre plus grand plaisir.

www.domaine-chevalier.fr
Lieu : Cedex 18 Buisson 21550 Ladoix-Serrigny
Téléphone : 03 80 26 46 30

Crémant de Bourgogne – Brut

16/20 ▌▌▐▌▌ ▬ ▪▪ ✚
★★★

🐷 🐷

Le premier nez rappelle les arômes de fenouil, puis ceux de pomme verte, on y perçoit quelques notes briochées après plusieurs minutes dans le verre. Tout apparaît délicat et fin. L'attaque est fraîche, axée sur les agrumes (tarte au citron), l'effervescence est soignée, tapissante et aérienne. Le dosage est sensible en finale, il soutient le fruité blanc de l'ensemble et permet un bel équilibre général. C'est un mousseux gracile qui ouvrira facilement l'appétit.

LOUIS BOUILLOT

Fondée en 1877 par Jean Bouillot à Nuits-Saint-Georges, cette maison est aujourd'hui administrée par la famille Boisset. 95 % des vins sont vinifiés par la maison qui respecte les origines de la Bourgogne en séparant, par cuve, les 4 cépages régionaux, issus d'une centaine de vignerons sous contrat. La production de Crémant de Bourgogne est de 2,5 millions de bouteilles. Georges Legrand, directeur général de la maison nuitonne, expert et passionné par l'effervescence est à l'origine de la construction de l'Imaginarium, le premier centre d'interprétation de l'effervescence en France qui, au-delà de la promotion de tous les vins mousseux du groupe, dont il a supervisé l'élaboration durant plusieurs années, permet à l'amateur de mieux connaître la complexité des techniques de vinification entraînant la naissance des bulles.

www.imaginarium-bourgogne.com
Lieu : avenue du Jura 21700 Nuits-Saint-Georges
Téléphone : 03 80 62 61 47

Cuvée Perle d'Ivoire – Blanc de Blancs Brut

15/20 ■ ■ ■ ■ ══ ▪▪ ✚ IP
★★★◝

Chardonnay (95 %) assemblé à de l'aligoté pour cette cuvée qui offre un nez fin de blanc en neige battu, puis de melon, puis de pulpe de citron. Même si le dosage est sensible dès l'attaque en bouche, il permet d'habiller les arômes initialement perçus sans les occulter. La texture est satinée, les bulles sont de calibre moyen et bien nouées, elles tapissent très agréablement les papilles. C'est un bon crémant de facture classique.

Cuvée Perle de Vigne
Grande Réserve

16/20 ▌▌▌▐▌ ▬▬ ▬▬ 🇨🇭

★★★

🐷 🐷

Nez discret, les flaveurs s'exposent surtout en bouche par des notes de petites baies rouges des bois, les bulles sont très fines, nerveuses, elles développent une mousse gourmande, chaleureuse. Après un bon quart d'heure dans le verre, des arômes de fruits blancs et de mie de pain se laissent capturer. C'est un crémant aux arômes typiques, dont la construction soignée et solide lui apporte un caractère distinctif. Excellent rapport qualité prix.

Cuvée Perle d'Aurore – Brut Rosé

15/20 ▌▌▌▐▌ ▬▬ ▬▬ 🇨🇭

★★★

🐷 🐷

Un vin qui présente un fruité rouge élégant (groseille, framboise, et même fraise), davantage perçu en bouche qu'au nez et une effervescence maîtrisée grâce à des bulles fines et liées quoiqu'évanescentes en finale. L'acidité de l'ensemble réveille cette dernière, tout apparaît frais. C'est un beau crémant au dosage quelque peu appuyé, mais qui n'entâche pas le fruité général. Un crémant aux accents populaires, très bien élaboré.

Cuvée Perle Rare 2008 – Brut

16/20 ▌▌▐▌ ▬▬ ▬▬ 🇨🇭

★★★

🐷 🐷

Dégusté en juin 2012, il se montre d'une grande tension minérale, plus citronné que le 2007, avec de très légères notes de fraises fraîches à l'aération après quelques instants dans le verre. Croquant et aérien en bouche, l'effervescence apporte de la matière grâce à des bulles moyennes qui habillent les papilles, tout en révélant quelques accents de pommes brunes en finale. Frais et équilibré, c'est selon moi, la cuvée la plus abordable au regard de la constance des qualités de la marque Bouillot.

Cuvée Perle d'Or 2007 – Brut

17/20 ■ ■ ■■ — ■■ ✚ IP
★★★★

🐷 🐷

Peut-être la cuvée la plus biscuitée au nez et en bouche des Crémants Bouillot. Les bulles apparaissent également plus fines et plus nouées en bouche que tous les autres crémants. Elles construisent une texture soyeuse dans laquelle quelques notes pâtissières se laissent capter derrière celles de fruits blancs, voire de fruits rouges. C'est un crémant de repas qui fera honneur, par exemple, à un poisson à chair blanche, très légèrement grillé.

Cuvée Grands Terroirs Dessus les Vermots 2005 Blanc de Noirs – Brut Nature

17/20 ■ ■ ■■ — ■■ ✚ IP
★★★★

🐷 🐷 🐷

Une cuvée désormais non dosée (tous les Grands Terroirs l'était sur les précédents millésimes) dont les raisins proviennent de Savigny-les-Beaune. Le premier nez rappelle un bouquet de fleurs, puis les raisins très mûrs écrasés et enfin le miel et la cire d'abeille. L'attaque est tout aussi miellée (puis cire d'abeille) au niveau aromatique, toutefois la sensation en bouche est celle d'un vin sec très frais. C'est un grand crémant, original et pur, pour amateur de bulles et de terroirs.

Cuvée Les Villages 2004 – Brut Nature

17/20 ■ ■ ■■ — ■■ ✚ IP
★★★★

🐷 🐷 🐷

Dégusté en juin 2012, ce vin présente un nez discret de raisins frais, de chair de pomme, puis de poire. La bouche offre un vin sec, voire austère, qui ne manque pourtant pas de charme grâce à des bulles nouées qui construisent une texture veloutée. Une grande fraîcheur minérale se dégage en finale, elle confirme la jeunesse de l'ensemble et son grand potentiel de garde. Un crémant assurément prometteur pour les patients qui le glisseront en cave.

Cuvée Grands Terroirs – Les Trois Saints 2003 – Blanc de Blancs – Brut Nature

18/20 ▮▮▮▮ ▬ ▬▬ ✚ IP
★★★★

🐷 🐷 🐷

Saint-Aubin, Saint-Véran et Saint-Romain (d'où le nom) sont les villages d'où sont issus les raisins de cette cuvée. Le premier nez présente des notes de levures qui sont rapidement occultées par des accents beurrés, pâtissiers et enfin toastés à l'aération. Délicates et soyeuses en bouche, les bulles sont d'une extrême finesse, elles créent une effervescence onctueuse, persistante et parfumée qui rappelle de bons champagnes au fin rancio, longtemps élevés sur lattes. Un excellent crémant, parmi les meilleurs de Bourgogne.

LOUIS PICAMELOT

Philippe Chautard dirige aujourd'hui la maison fondée par son grand-père Louis Picamelot en 1926. La maison a su évoluer au cours du XXe siècle notamment en achetant une carrière de craie à Rully qui jouxte la cuverie.

www.louispicamelot.com
Lieu : 12, place de la Croix Blanche – BP 2 - 71150 Rully
Téléphone : 03 85 87 13 60

Cuvée Brut

15/20 ▮▮▮▮ ▬ ▬▬ ✚
★★★

🐷 🐷

La cuvée dégustée l'année dernière m'avait déplu, celle-ci – qui est pourtant la même – apparaît mieux aboutie. Le premier nez rappelle un bouquet d'herbes avec quelques notes d'anis, puis à l'aération quelques accents toastés se laissent capturer. L'effervescence se présente aussi crémeuse à l'attaque qu'en milieu de dégustation, elle transporte les arômes initialement perçus. C'est un bon crémant d'apéritif.

Cuvée Brut Rosé

15/20 ⬛⬛⬛⬛ ═══ ▪▪▪▪ ➕
★★★

🐷 🐷

Nez net au fruité frais léger (cerise, framboise), juste assez vineux dans les flaveurs une fois le vin en bouche pour apporter un peu de corps. L'effervescence est réussie, les bulles tapissent et transportent des notes acidulées jusqu'en finale. C'est un bon vin d'apéritif.

MOINGEON

LA MAISON DU CRÉMANT

Fondée en 1895 à Nuits-Saint-Georges, cette maison a été acquise en 1995 par Mark et Éva Siddle, actuels propriétaires du Domaine Bertagna.

Lieu : RN 74 – 21190 Meursault
Téléphone : 03 80 21 66 22

Cuvée Prestige de Moingeon Crémant

15/20 ⬛⬛⬛⬛ ═══ ▪▪▪▪ ➕
★★★

🐷

Assez sec en bouche, il conserve du charme grâce une texture ronde et fraîche, portée par une effervescence fine, assez riche en bouche, puis soudainement fuyante. Les flaveurs sont très classiques (pommes vertes, pamplemousses, foin), elles sont avantageusement rehaussées d'une note briochée en fin de dégustation. Fiable et abordable.

PARIGOT & RICHARD

Émile Parigot aimait faire mousser les vins au début du XXᵉ siècle. Ses héritiers sont devenus spécialistes et incontournables en la matière.

www.cremant-parigot.com
Lieu : 9, rue du Jarron – 21420 Savigny-lès-Beaune
Téléphone : 03 80 21 50 66

Cuvée Blanc de Blancs – Crémant
15/20 ■ ■ ■ ■ ══ ▬▬ ✚ IP
★★★

Aérien et expressif dans ses arômes grillés et fumés au nez comme en bouche, ce vin a une effervescence nerveuse et concentrée grâce au comportement des perles qui l'habillent. Ce crémant est particulièrement bien construit et se distingue par ce côté fumé, presque « charcutier », derrière des notes de pistache. Original et impeccable.

Cuvée Prestige – Brut – Crémant
16/20 ■ ■ ■ ■ ══ ▬▬ ✚ IP
★★★

Plus corsée, plus fruitée (fraises, pêches, amandes), plus classique aussi (miel) que les autres cuvées de la même maison, celle-ci garde tout de même le style profond, ramassé, compact, apporté par l'effervescence fine et veloutée qui en fait un vin charnu, digne d'une harmonie avec une volaille en sauce.

Cuvée Bourgogne Brut Rouge
16/20 ■ ■ ■ ■ ══ ▬▬ ✚ IP
★★★

C'est peu connu, mais l'AOC Bourgogne est autorisée en vin effervescent rouge. Cette cuvée démontre en plus que cela peut être savoureux. La typicité du pinot noir n'est pas occultée par le dosage, les arômes sont axés sur la griotte et l'amertume des noyaux de petits fruits, la texture est riche grâce à des bulles très fines, néanmoins fugaces. L'ensemble est léger, davantage digeste que les cuvées effervescentes océaniennes du même type. Un vin original qu'il faut goûter plutôt frais lorsqu'on tombe dessus.

PAUL CHOLLET

Élaboratrice spécialisée en vins effervescents depuis les années 1950, la maison Paul Chollet est devenue une référence en matière de crémant pour les amateurs de bulles.

www.paulchollet.fr
Lieu : 18, rue Général Leclerc BP 28 21420
Savigny-Les-Beaunes
Téléphone : 03 80 21 53 89

Cuvée Brut Zéro

14/20 ▮ ▮ ▮▮ ▬ ▪▪ ✚ IP
★★
🐷

Nez discret de fenouil, puis de beurre frais après un quart d'heure dans le verre, bulles fines un peu disparates au sein d'un volume onctueux. Sec dans le comportement, rafraîchissant toutefois, tout en gardant une certaine onctuosité générale. Bon crémant de début de repas.

Cuvée Brut Blanc de Blancs

16/20 ▮ ▮ ▮▮ ▬ ▪▪ ✚
★★★
🐷 🐷

Vin particulièrement séduisant tout en restant sobre, les bulles sont d'une finesse remarquable au sein d'un volume rond où pointent des arômes subtils de fruits blancs et de brioche. On pense parfois à un bon champagne tant la minéralité s'acoquine à la profondeur. Une belle surprise.

Cuvée Brut Œil de Perdrix

16/20 ▮ ▮ ▮▮ ▬ ▪▪ ✚ IP
★★★
🐷 🐷

Excellent rosé aussi vif et pimpant grâce à des notes de groseilles que riche et savoureux dans l'expression de son effervescence. La texture est légère, toutefois soyeuse et tapissante, elle termine sa course sur une note acidulée qui réveille les papilles. Charmant et efficace.

SIMMONET-FEBVRE

Maison chablisienne établie depuis 1840, acquise en 2003 par la maison Louis Latour, elle avait été créée par un tonnelier, Jean Febvre qui, suite au succès de l'effervescence, avait décidé d'y consacrer exclusivement ses vins.

www.simmonet-febvre.com
Lieu : route de Saint-Bris 89530 Chitry-Le-Fort
Téléphone : 03 86 98 99 00

Cuvée Pinot Noir – Brut

15/20 ▮ ▮ ▮▮ ▬ ▬ ▬▬ ✚
★★☆

🐷 🐷

Nez léger de baguette, dominé par quelques notes de Xérès. Le vin mord un peu à l'attaque en bouche, il révèle un dosage peu élevé, qui laisse la place à de la fraîcheur sans verdeur. Le volume du vin est léger, les bulles sont de calibre moyen, l'ensemble aromatique est axé sur les agrumes. Après 20 minutes dans le verre, il se montre plus flatteur. Poires, pommes et pain blond se laissent enfin capturer, le volume se comprime, il est bien meilleur.

Cuvé Brut Rosé

15/20 ▮ ▮ ▮▮ ▬ ▬ ▬▬ ✚ IP
★★☆

🐷 🐷

Belle robe de couleur fraise à l'eau, nez très net de salade de fruits rouges, le dosage semble plus élevé que sur la cuvée Pinot noir Brut alors que le producteur indique le contraire. Ce taux de sucre soutient par ailleurs les arômes perçus initialement plutôt que de les gommer ou d'effacer la fraîcheur. Bulles de calibre moyen, volume léger, ensemble légèrement corsé après plusieurs minutes dans le verre, c'est un crémant efficace et abordable.

VEUVE AMBAL

Il n'y avait pas que de riches veuves en Champagne au XIXe siècle ! Marie Ambal, originaire de Rully, y a fondé sa propre maison en 1898, à la suite du décès de son mari qui œuvrait dans la finance. Les héritiers ont su par la suite construire leur notoriété sur la qualité des vins provenant de la Côte chalonnaise.

www.veuveambal.com
Lieu : Le Préneuf – 21200 Montagny-les-Beaunes
Téléphone : 03 80 25 01 70

Cuvée Excellence – Brut
Crémant de Bourgogne

15/20 ▮▮ ▮▮ ══ ▪▪ ✚ IP
★★★

🐷 🐷

Riche, opulent, crémeux, peu minéral, ce crémant présente un volume charnel, compact, axé sur des flaveurs pâtissières (macarons, croissants), heureusement rehaussées de pointes acides (abricots secs, zestes de pamplemousses confits) qui apportent de la fraîcheur en finale. Le parfait mousseux pour une entrée de vol-au-vent aux moelleux ris de veau.

Cuvée Grande Cuvée – Brut

15/20 ▮▮ ▮▮ ══ ▪▪ ✚ IP
★★★

🐷 🐷

Élégant et toasté dans l'ensemble, ce crémant se présente avec des flaveurs d'abord citronnées, puis anisées. La mousse est fine, évanescente, elle procure une sensation de légèreté en bouche et mène à une finale quelque peu grillée. C'est un vin délicat qui gagnera peut-être en corpulence à être attendu deux années après son achat.

VITTEAUT-ALBERTI

Fondée en 1951 à Rully par Lucien Vitteaut, cette maison, qui se voue complètement à l'effervescence, a planté un vignoble spécifique à l'élaboration du crémant lorsque ce dernier a enfin reçu ses lettres de noblesse de l'INAO en 1975. Depuis, les enfants qui ont suivi n'ont cessé d'améliorer la qualité des vins qui sont, en Bourgogne, devenus une référence

www.vitteaut-alberti.com
Lieu : 16, rue de la Buisserolle – 71150 Rully
Téléphone : 33 03 85 87 23 97

Cuvée Blanc de Blancs – Brut
Crémant de Bourgogne

16/20 ■■ ■■ ══ ▪▪ ✚ IP
★★★

🐷 🐷

Intense, charnelle et complexe, cette cuvée a tout de la typicité du crémant avec ce petit plus qui fait les grands vins. Le crescendo des flaveurs est classique (pamplemousses, pommes, fruits confits, fruits secs, pain d'épices), mais il déroute par sa finesse conjuguée à une effervescence d'une finesse rare. Pur et profond, bref, remarquable.

Cuvée Blanc Brut
Crémant de Bourgogne

16/20 ■■ ■■ ══ ▪▪ ✚ IP
★★★

🐷 🐷

Plus corsée que les autres cuvées, celle-ci se montre également plus rustique, tout en offrant de l'élégance. Les flaveurs sont fruitées, marquées par l'acidité de fruits rouges, elles offrent des notes d'orangettes et de tisane. Complexe et gras, en raison d'une mousse fine et satinée qui tapisse sans déborder, ce vin est l'hôte obligatoire d'un mets raffiné à base de poisson.

Cuvée Bourgogne Rouge
Mousseux Brut
Méthode Traditionnelle

16/20 ▮ ▮ ▮▮ ▬ ▪▪ ✚ IP
★★★

🐷 🐷

Un vin amusant, vineux, tannique, qui n'a rien à envier aux vins rouges mousseux du nouveau monde, car il ne tombe pas dans l'excès de sucre, mais présente réellement la typicité fruitée et épicée, noyautée, du pinot bourguignon (cerises, cassis). Les bulles se noient chaleureusement dans la texture veloutée, on baigne dans le plaisir et dans l'originalité. Encore !

Les maisons

DE FRANCE, dans le Jura et la Savoie

12.4

ANDRÉ ET MIREILLE TISSOT

Domaine établi depuis 1962, rapidement devenu une référence parmi les vignobles du Jura, il est aujourd'hui conduit par Stéphane et Bénédicte Tissot, fervents défenseurs de la biodynamie (certifié en 2005) dont ils utilisent les principes sur les 38 hectares en propriété.

www.stephane-tissot.com
Lieu : 39600 Montigny-les-Arsures
Téléphone : 03 84 66 08 27

Cuvée Brut – Indigène

15/20 ▮▮ ▮▮ ▬ ▪▪ ✚ IP
★★☀

🐖 🐖

Un effervescent sec, pur et minéral, au fruité axé sur les fruits blancs vifs (pomme, poire, citron) au nez comme en bouche. L'effervescence transporte quelques notes beurrées, elle foisonne dans un volume léger que l'acidité contourne, la finale mord un peu. Je préconise ce crémant en apéritif lorsqu'il est consommé jeune. Il révèle quelques accents de praline et de miel, voire d'oxydation jurassienne, après 4 à 6 années de patiente garde. Avis aux amateurs, c'est un effervescent de connaisseurs.

CAVES JEAN BOURDY

Lointains descendants de la famille Cusin qui avait établi le vignoble et le domaine au XVIᵉ siècle, Jean-Philippe et Jean-François Bourdy dirigent aujourd'hui 10 hectares de vignes converties en biodynamie depuis 2006.

www.cavesjeanbourdy.com
Lieu : 41, rue Saint-Vincent 39140 Arlay
Téléphone : 03 84 85 03 70

Cuvée Brut

15/20 ▮▮ ▮▮▮ ▭ ▪▪ ➕ IP
★★⌐

Net et solide, ce vin offre un volume plus compact en bouche que celui d'autres crémants jurassiens, notamment grâce à une effervescence de belle tenue, aux bulles finement nouées. Presque beurré au niveau aromatique, les notes de levures et d'agrumes dominent tout de même la dégustation. C'est un crémant qui a suffisamment de corps pour tenir sur une entrée chaude de crustacés.

DOMAINE BERTHET-BONDET

Dans une fermette typique de la région dont la cave date du XVIᵉ siècle, la famille Berthet-Bondet élabore du vin depuis 1985 grâce à une dizaine d'hectares en propriété.

www.berthet-bondet.net
Lieu : rue de la Tour 39210 Château-Châlon
Téléphone : 03 84 44 60 48

Cuvée Brut

15/20 ▮▮ ▮▮▮ ▭ ▪▪ ➕ IP
★★⌐

Un crémant tonique, axé sur les agrumes au nez comme en bouche, dont la vivacité est atténuée par une onctueuse effervescence. Quelques notes toastées ponctuent la dégustation, mais l'on retient surtout le souvenir d'une fraîcheur minérale dans un volume léger. Un vin simplement bien fait.

DOMAINE BAUD

La famille Baud est dans l'univers du vin depuis Louis XV, elle conduit aujourd'hui une vingtaine d'hectares sur les principales appellations du Jura.

www.domainebaud.fr
Lieu : 222, route de Voiteur 39210 Le Vernois
Téléphone : 03 84 25 31 41

Cuvée Brut Sauvage

16/20 ■ ■ ■■ ═ ■■ ➕ IP
★★★

Sec et vif en bouche, à la fois sur des notes de céréales, de fenouil et d'agrumes qui s'orientent vers des arômes pâtissiers après quelques minutes dans le verre, ce crémant a une belle tenue grâce à son effervescence aux bulles finement nouées qui transportent une remarquable pureté de fruit. Un vin fougueux et très frais.

DOMAINE DE LA PINTE

Converti à la culture biodynamique, ce domaine a pour devise : « Plante beau, cueille bon, pinte bien ». Un programme simple et réussi quand on a fini de déguster les Arbois, Arbois Pupilin, Vin Jaune, Vin de Paille et bien sûr le crémant de la maison.

www.lapinte.fr
Lieu : route de Lyon 39600 Arbois
Téléphone : 03 84 66 06 47

Cuvée Brut

15/20 ■ ■ ■■ ═ ■■ ➕ IP
★★★

Le chardonnay domine nettement le savagnin et laisse échapper des arômes de fruits secs (amandes, raisins, pistaches) qu'une minéralité presque alsacienne viendrait titiller. L'effervescence est légère, les bulles fugaces illustrent la fraîcheur aérienne qu'offre ce vin sobre et abordable.

DOMAINE DE LA TOURNELLE

Évelyne et Pascal Clairet sont aussi sympathiques que compétents. Leur domaine devient incontournable lorsqu'on visite la région. Le site Internet est très bien fait et régulièrement mis à jour.

www.domainedela tourelle.com
Lieu : 5, Petite Place – 39600 Arbois
Téléphone : 03 84 66 25 76

Cuvée Brut – Crémant du Jura

16/20 ▓ ▓ ▓▓ ══ ▪▪ ◼ IP

★★★

🐷

Un crémant nerveux, expressif, sur les agrumes et la pomme qui joue la carte de la fraîcheur et de la minéralité. Les bulles tapissent, fuient rapidement, manquent un peu leur effet enveloppant qui atténuerait le caractère tranchant de l'ensemble du vin. C'est un crémant très pur, aérien, qui ouvre l'appétit.

DOMAINE DE SAVAGNY

Propriété de La Maison du Vigneron qui appartient au groupe Grands Chais de France, ce domaine bénéficie de l'apport des 5 cépages jurassiens issus des 8 hectares en propriété.

www.gcfplanet.com
Lieu : route de Champagnole 39570 Crancot
Téléphone : 03 84 87 61 30

Cuvée Brut

12/20 ▓ ▓ ▓▓ ══ ▪▪ ◼ IP

★

🐷

Axé sur des arômes de fruits blancs (raisins mûrs, pommes) couronnés d'une pointe amylique, ce crémant présente un volume léger en bouche, en harmonie avec des bulles fugaces qui transportent les parfums initialement perçus, soutenus par un dosage sensible. Un crémant simple et facile.

DOMAINE JACQUES TISSOT

Le domaine a fêté ses 50 ans. Il s'étend aujourd'hui sur 30 hectares, réparti en AOC Arbois, Arbois-Pupillin et Côtes du Jura, conduit en culture raisonnée. La vinification est traditionnelle (fûts de chêne, cuves thermo régulées).

www.domaine-jacques-tissot.fr
Lieu : 39, rue de Courcelles BP 88 39600 Arbois Cedex
Téléphone : 03 84 66 24 54

Cuvée Brut – Crémant du Jura

15/20 ▮ ▮ ▮▮ ▭ ▪▪ ✚ IP
★★★
🐷

Un chardonnay effervescent au nez délicat de fleurs blanches, de levures et de poires qui s'exprime surtout en bouche à travers une belle texture, illustrée par des bulles fines, foisonnantes et accrocheuses. Un apéritif délicatement parfumé.

DOMAINE LABET

Domaine familial créé en 1974 par Alain et Josie Labet qui cultivaient déjà du raisin qu'ils vendaient à la coopérative locale. La surface s'est alors agrandie, elle est progressivement passée de 2,5 hectares à 12 hectares.

Lieu : place du Village 39190 Rotalier
Téléphone : 03 84 25 11 13

Cuvée Crémant du Jura – Brut 2008

15/20 ▮ ▮ ▮▮ ▭ ▪▪ ✚ IP
★★★
🐷

Dégusté en février 2012, ce vin se montre plus beurré que brioché derrière des arômes de champignons et d'humidité. L'effervescence est bien menée, les bulles sont fines, peu persistantes, toutefois tapissantes en bouche. Il a suffisamment de structure pour convenir à une entrée chaude de poisson.

DOMAINE ROLET
PÈRE ET FILS

Désiré Rolet a créé son domaine dans les années 1940, ses enfants en ont hérité et l'ont hissé parmi les beaux vignobles, et les meilleurs, qui élaborent la plupart des appellations de la région.

www.rolet-arbois.com
Lieu : Domaine Rolet – B.P. 67 – 39602 Arbois
Téléphone : 03 84 66 00 05

Cuvée Brut – Crémant du Jura

16/20 ■ ■ ■■ ═ ▪▪ ✚
★★★

🐖 🐖

Le dosage est sensible, mais il apporte une richesse et soutient des parfums agréables sans déranger l'équilibre global. On passe de flaveurs de lait chaud sucré à celle d'amandes, l'ensemble est charnu, les bulles manquent un peu de finesse mais développent, malgré tout, une texture veloutée et filent jusqu'à une finale où pointent des accents de raisins blancs frais et vifs. C'est un très bon crémant.

Cuvée Cœur de Chardonnay – Brut

17/20 ■ ■ ■■ ═ ▪▪ ✚ IP
★★★★

🐖 🐖

Sans doute l'un des crémants jurassiens les plus aboutis tant dans le crescendo des arômes que dans l'onctuosité et la persistance de l'effervescence. Tisanes, fenouil, riz au lait, chocolat blanc, hydromel, noix de Grenoble, tous ces arômes s'entremêlent au nez et en bouche au sein d'un volume et d'une texture remarquablement maîtrisés. C'est un excellent vin effervescent français.

FRUITIÈRE VINICOLE D'ARBOIS
CHÂTEAU BÉTHANIE

Fondée en 1906, la Fruitière vinicole d'Arbois s'installe 66 ans plus tard dans le Château Béthanie. 107 vignerons exploitent aujourd'hui 240 des 850 hectares de l'AOC Arbois et 24 hectares des 640 de l'AOC Côtes du Jura faisant de cette coopérative un des premiers producteurs jurassiens, notamment en Savagnin et Trousseau.

www.chateau-bethanie.com
Lieu : 2, rue des Fossés – 39600 Arbois
Téléphone : 03 84 66 11 67

Cuvée Brut – Crémant du Jura

15/20 ▪️ ▪️ ▪️▪️ ═ ▪️▪️ 🇨🇭 IP
★★★

Saisissante, cette cuvée présente un panier de pommes multiples, vertes et brunes, jeunes et mûres, au cœur d'une mousse riche et enveloppante dont on a l'impression qu'elle décuple les parfums. Tout est tendre et chaleureux sans pour autant être trop lourd, trop exagéré. L'art de l'équilibre qui séduit dès la première gorgée.

HENRI MAIRE

La famille Maire va fêter ses 400 ans en tant que viticultrice dans le Jura ! Ambassadrice incontestée de cette région viticole trop méconnue, elle offre toutes les appellations du vin jurassien. Ses mousseux dits festifs sont aussi équilibrés que simples, sans prétention. Ils sont à l'image de la famille, francs, transparents, courtois et sympathiques.

www.henri-maire.fr
Lieu : Château Boichailles – BP 106 – 39600 Arbois
Téléphone : 03 84 66 12 34

Cuvée Crémant du Jura

14/20 ▐▌ ▐▐ ▬ ▪▪ 🇨🇭
★★

🐷

Souple et fin, ce crémant aux accents d'abord herbacés (foin, paille) présente rapidement des notes de pommes au four et de biscuits roux. Les bulles fines abondent, elles ne s'accrochent pas, elles coulent rapidement en bouche, transportant une pointe d'acidité d'agrumes jusqu'en finale pour redonner de la minéralité. Bel équilibre dans le comportement.

Cuvée Mousseux de Qualité – Henri Maire Méthode Traditionnelle

13/20 ▐▌ ▐▐ ▬ ▪▪ 🇨🇭 IP
★⌐

🐷

Léger, vaporeux, le vin se comporte comme une sphère creuse en bouche. Les bulles relativement fines en forment l'enveloppe qui s'écrase au fur et à mesure de l'avancée du vin en bouche. Peu complexes, les parfums oscillent entre la tisane de tilleul et les agrumes. Très correct pour le prix.

Cuvée Vin Fou – Brut – Blanc de Blancs
12/20 ▊ ▊ ▊▊ ══ ▪▪ 🇨🇭

★

Un vin effervescent amusant, sans prétention, que les crèmes ou les sirops de fruits viendront parfaitement agrémenter, les bulles peu exubérantes ont un calibre assez fin grâce à la méthode rurale, complexe à maîtriser. Elles éclatent rapidement, apportant alors une texture souple aux flaveurs délicatement cuites (pommes) et herbacées (paille coupée). Vin facile et abordable.

HUBERT CLAVELIN
ET FILS

Patrick et Christian Clavelin gèrent aujourd'hui un domaine de 25 hectares fondé en 1845.

Lieu : BP 29 39210 Le Vernois
Téléphone : 03 84 25 31 58

Cuvée Brut – Comte Chardonnay
Tête de Cuvée
15/20 ▊ ▊ ▊▊ ══ ▪▪ 🇨🇭 IP

★★★

Quelque peu toastée, cette cuvée est surtout axée sur les pommes à peau brune au premier nez. L'attaque en bouche confirme l'analyse olfactive, l'effervescence est maîtrisée, assurée par des bulles au calibre moyen qui s'effacent jusqu'à la finale citronnée. Un vin juste assez mordant pour ouvrir l'appétit.

ALAIN RENARDAT-FACHE

Avec un peu plus de 12 hectares, la famille Renardat-Fache a quadruplé la surface de sa propriété en 30 ans, depuis qu'Alain Renardat-Fache, après des études d'œnologie, a repris le vignoble en main aux côtés de son père Léon dans les années 1970. C'est Élie, l'un des trois enfants d'Alain qui aujourd'hui s'occupe des vignes et de la vinification. Le domaine, toujours modeste et familial, est en conversion biologique.

www.alain-renardat-fache.com
Lieu : Le Village 01450 Merignat
Téléphone : 04 74 39 97 19

Cuvée Cerdon (base 2011)
Méthode Ancestrale – Rosé demi-sec pétillant par fermentation spontanée

16/20 ▮ ▮ ▮▮ ▭ ▪▪ ✚ IP
★★★

Gamay et poulsard composent cette cuvée au premier nez d'une grande fraîcheur minérale où l'on percevrait presque des accents de silex. On perçoit ensuite un fruité rouge de cerise et une note florale qu'on retrouve conjugués dans le velouté de l'effervescence en bouche. Comme d'habitude, l'ensemble est très soigné et même si le dosage est appuyé comme le veut la catégorie, on termine la dégustation comme elle a commencé : sur la pureté.

BERNARD RONDEAU

Un domaine particulièrement jeune (1998) qui démontre déjà une remarquable compétence avec la méthode ancestrale. Leurs propriétaires, Marjorie et Bernard, ont fait leurs classes à Bordeaux.

Lieu : Hameau de Cornelle – 01640 Boyeux-Saint-Jérôme
Téléphone : 04 74 37 12 34

Cuvée Cerdon – Méthode Ancestrale
Vin du Bugey

16/20 ▌▌ ▌▌ ══ ▪▪▪▪ ✚ IP
★★★

🐷

Fringant, léger, fruité, ce vin à la mousse fine et souple développe des accents de fruits rouges des bois et une agréable vinosité qui ne couvre pas le mordant général. Tout est frais et simple, le plaisir est au rendez-vous.

CAVEAU SANDRINE BIGOT

Bientôt 10 ans que Sandrine Bigot a repris l'exploitation familiale. Ses vins sont simples, authentiques et abordables.

www.cave-sandrine-bigot.com
Lieu : Caveau Sandrine Bigot - Cornelle
01640 Boyeux Saint-Jérôme
Téléphone : 04 74 36 92 47

Cuvée Cerdon – Méthode Ancestrale

15/20 ▌▌ ▌▌ ══ ▪▪▪▪ ✚ IP
★★✦

🐷

Un effervescent léger comme les bulles qui l'illustrent et qui conduisent des arômes de petites baies rouges. L'attaque est légèrement amère, elle apporte un caractère original à cette cuvée classique et bien élaborée.

MAISON ANGELOT

Un domaine qui est passé en 50 ans de 2 hectares à 25 hectares et qui a vécu toute l'évolution du vignoble régional et de l'appellation. Les fils de Maxime Angelot, Éric et Philippe, sont aujourd'hui à la tête d'une exploitation familiale qui présente tout ce que Bugey a d'authentique.

www.maison-angelot.com
Lieu : Maison Angelot 01300 Marignieu
Téléphone : 04 79 42 18 84

Cuvée Bugey Extra-Brut

15/20 ▮ ▮ ▮▮ ▭ ▪▪ ✚ IP
★★⌒

Le premier nez est discret, axé sur les levures et le fenouil, puis à l'aération on découvre les arômes classiques de pomme verte et de citron. L'attaque en bouche est mordante sans être agressive, l'effervescence est conduite par des bulles au calibre assez large, mais nouées, ce qui donne une texture satinée qui apporte la matière à un vin de facture globale aérienne.

MAISON YVES DUPORT

Une dizaine d'hectares dont le tiers est consacré à l'effervescence pour ce domaine familial repris il y a vingt ans par Yves Duport qui, depuis quelques années, récolte les honneurs de plusieurs concours.

www.yvesduport.fr
Lieu : Le Lavoir – Pont de Groslée 01680 Grolée
Téléphone : 04 74 39 74 33

Cuvée Montagnieu 2009
Bugey Brut

16/20 ■ ■ ■ ■ ═ ═ ═ ✚ IP
★★★

🐷

Plus onctueux en bouche que lors de la précédente dégustation en 2011, ce vin est aujourd'hui mature, toutefois parcouru de notes florales et d'agrumes confits. Il faut le laisser s'ouvrir quelques minutes dans le verre pour qu'il révèle un soupçon de parfums boulangers, voire un subtil rancio en finale. Impeccable avec un fromage jeune à pâte molle et croûte lavée.

Cuvée Bugey – Perle de Rose
Demi-Sec

16/20 ■ ■ ■ ■ ═ ═ ═ ✚ IP
★★★

🐷

Une excellente cuvée à l'équilibre agréable tant dans le crescendo des arômes que dans le comportement de l'effervescence : cerise, poivre gris, bulles fines et nouées. La finale se montre curieusement courte pour un demi-sec, sans doute pour nous inviter à reprendre un verre !

PATRICK BOTTEX

Installé depuis 1991 dans le hameau de La Cueille, qui compte à peine 40 habitants (!), Patrick Bottez a repris l'exploitation familiale autrefois délaissée pour en faire aujourd'hui, avec son fils Carl, un beau domaine qui respecte l'environnement et qui est passé de 2 à 5 hectares.

http://cerdon-bottex.pagesperso-orange.fr
Cerdon-bottex.pagesperso-orange.fr
Lieu : La Cueille 01450 Poncin
Téléphone : 04 74 37 24 55

Cuvée Cerdon – La Cueille
Méthode Ancestrale

16/20 ■ ■ ■■ ═ ∷ ✚ IP
★★★

Une cuvée plus rigide que celles qu'on a l'habitude de découvrir sur l'appellation. Elle présente les arômes attendus de baies rouges, de cerises et de poivres au sein d'une effevescence qui fait son originalité à travers son aspect à la fois aérien et enveloppant. Plus linéaire qu'onctueux, presque corsé, ce vin pourra avantageusement se présenter sur une entrée de carpaccio de viande rouge. Très intéressant.

12.5

Les maisons

DE FRANCE, Languedoc-Roussillon

ANTECH

Françoise Antech-Gazeau a hérité d'une formidable entreprise, créée en 1933 par son grand-père Edmond Antech. Les méthodes de travail se sont évidemment modernisées, elles n'ont pas entâché, au contraire, l'excellence des vins.

www.antech-limoux.com
Lieu : Domaine de Flassian – 11300 Limoux
Téléphone : 04 68 31 15 88

Cuvée Brut Nature

16/20 ⬛ ⬛ ⬛⬛ ══ ▪▪▪ ✚ IP
★★★

Nez très expressif, très « mauzac », axé sur les fruits blancs (pommes vertes, poires) et quelques notes de levure. Plus charmeur en bouche grâce à des accents beurrés sans doute apportés par l'absence de fermentation malolactique, ce vin est à la fois sec et rond, voire gras. La fraicheur est apportée par une effervescence aérienne illustrée par des bulles de calibre moyen. Impeccable à l'apéritif.

Cuvée Doux et Fruité – Blanquette de Limoux Méthode Ancestrale

16/20 ⬛ ⬛ ⬛⬛ ══ ▪▪▪ ✚ IP
★★★

Magnifique crescendo original au niveau des arômes qui passent d'abord par des notes de cerises, de poires, puis de lait au chocolat. Le corps est onctueux, presque gras, et pourtant léger dans son comportement, il est conduit par des bulles serrées, curieusement fuyantes. On retrouve en finale des notes plus habituelles de pommes et une touche minérale qui ajoute à la fraîcheur. Bel apéritif.

Cuvée Émotion – Rosé 2009

16/20 ▌▌▐▌ ══ ▪▪

★★★

🐷 🐷

Beaucoup plus expressive au nez que le millésime 2008 (fruité rouge : fraises, canneberges, cerises), cette cuvée se montre également plus corsée en bouche et moins aérienne dans son volume. L'effervescence s'illustre par des bulles menues, nouées dans une sphère compacte qu'on retrouve peu souvent dans la jeunesse d'un vin effervescent. Cette qualité, couronnée par une finale légèrement fumée au niveau aromatique, place ce mousseux parmi les plus originaux à Limoux, toute méthode confondue.

Cuvée Héritage – Brut 2008
Crémant de Limoux

17/20 ▌▌▐▌ ══ ▪▪

★★★★❯

🐷 🐷

Nez élégant, voire discret (fruits dorés et pain au lait), attaque en bouche assez tendue presque ferme, signe d'une jeunesse encore bien présente. Cette fougue se montre toutefois charmeuse grâce au comportement de l'effervescence fine et soyeuse. Les arômes sont pâtissiers, ils rappellent ceux initialement perçus. C'est un mousseux accompli.

Cuvée Expression
(Eugénie pour le marché Français)
Crémant de Limoux

16/20 ▌▌▐▌ ══ ▪▪

★★★

🐷 🐷

Un vin fin dans son ensemble, d'abord floral, puis sur des arômes légèrement pâtissiers où des notes de miel se laissent percevoir. L'effervescence abonde à travers des bulles plutôt moyennes, toutefois nouées, qui procurent une texture ronde en bouche. Le bouquet développe un joli rancio d'amandes et de fruits secs après quelques minutes dans le verre. La fraîcheur reste au rendez-vous. Ce crémant est réussi et, en plus, il est abordable !

DOMAINE DE FOURN

Ce domaine s'est constitué durant la Seconde Guerre mondiale. Pierre Robert n'avait alors que 2 hectares de mauzac. Ses enfants reprirent l'exploitation dans les années 1960, augmentant la surface des vignes pour atteindre aujourd'hui 80 hectares, dont la moitié plantée en mauzac.

www.robert-blanquette.com
Lieu : GFA Robert, domaine de Fourn – 11300 Pieusse
Téléphone : 04 68 31 15 03

Cuvée Brut 2009
Blanquette de Limoux

15/20 ▋▐ ▋▋ ▬ ▰ ▪

★★★

Une blanquette soignée et réussie, classique dans ses arômes de fruits blancs (poires, pommes, melons), efficace dans le comportement onctueux de son effervescence qui tapisse agréablement les papilles. L'ensemble est plus droit que profond, plus minéral que pâtissier, malgré quelques notes de baguette fraîche. À essayer sur un fromage de chèvre.

DOMAINE J. LAURENS

Si le domaine a considérablement changé depuis 2003, les vins sont restés aussi travaillés et savoureux.

www.jlaurens.com
Lieu : route de la Digne-d'Amont – 11300 La Digne d'Aval
Téléphone : 04 68 31 54 54

Cuvée Clos des Demoiselles
Brut 2010
Crémant de Limoux

16/20 ■ ■ ■ ■ ▬ ▬ ▪▪ ✚

★★★

Un mousseux très expressif grâce à des arômes délicats de pâtisseries aux fruits confits, voire tropicaux, qu'on décèle dans une effervescence crémeuse et persistante qui pourra convenir sur un fromage à pâte molle et croûte fleurie.

SIEUR D'ARQUES

À la fin de la Seconde Guerre mondiale, 254 vignerons décident de créer la Société des producteurs de Blanquette de Limoux. Grâce à leur travail, le chardonnay est introduit dans leur terroir au cours des années 1960, puis, dans les années 1970, ils définissent leurs terres autour de 40 clochers. Leur solidarité permet enfin la construction de caves pour l'élevage des vins. Rebaptisée aujourd'hui Les Vignerons du Sieur d'Arques, cette coopérative est devenue l'ambassadrice de Limoux dans le monde entier.

www.sieurdarques.com
Lieu : avenue de Carcassonne – 11303 Limoux cedex
Téléphone : 04 68 74 63 00

Cuvée Sieur d'Arques
Premières Bulles
Brut 2010 – Blanquette de Limoux

15/20 ■ ■ ■ ■ ▬ ▬ ▪▪ ▪▪ ✚

★★☆

Le crescendo aromatique est à la fois classique, discret et efficace :
poire, pomme, pamplemousse, pain grillé blond. L'effervescence
est abondante et aérienne, très rafraîchissante, la finale juste
assez acidulée pour nous rafraîchir. C'est un vin mousseux
d'apéritif ou de dessert peu sucré.

Cuvée Sieur d'Arques
Grande Cuvée 1531
Crémant de Limoux

15/20 ■ ■ ■ ■ ▬ ▬ ▪▪ ▪▪ ✚ IP

★★☆

Graphite au nez, presque crayeux au premier abord, cette cuvée
se montre plus axée sur les fleurs à l'aération, puis sur des notes
briochées. Ronde en bouche, sa mousse tapisse convenablement,
sans imprégner, elle semble fuir et, pourtant, c'est elle qui développe alors une texture délicatement parfumée (meringue, pain
d'épices) et d'une longueur incroyable. Un comportement
déroutant et très séduisant.

12.6

Les maisons
DE FRANCE, dans la Vallée de la Loire

Exceptionnellement, pour l'édition 2013, un cahier spécial consacré à l'appellation Touraine (vins effervescents) est présenté à la fin de ce guide. Veuillez vous y reporter pour la présentation générale de l'appellation et le commentaire des cuvées sélectionnées.

ACKERMAN

RÉMY PANNIER

En 1811, Jean Ackerman s'implante dans la vallée de la Loire à Saumur pour élaborer du vin effervescent. Deux siècles plus tard, la maison est devenue la plus importante entreprise saumuroise, reprise par la société Rémy-Pannier. La maison Ackerman a racheté la maison Monmousseau en décembre 2010.

www.remy-pannier.com
Lieu : rue Léopold-Palustre – 49400 Saumur
Téléphone : 02 41 53 03 10

Cuvée X Noir – Brut Rosé
Vin Mousseux

15/20 ▮ ▮ ▮ ▮ ▬ ▬ ██ ✚

★★★

Le cépage pineau d'Aunis de la Loire dans tous ses états avec ses arômes discrets de fraises, de clémentines et de roses poivrées au nez comme en bouche. C'est un vin mousseux réussi, mature et bien construit. Il charme grâce à son dosage sensible qui soutient le fruité net et délicat. La méthode Charmat est achevée, les bulles sont fines et persistantes, c'est un mousseux accompli et finalement abordable.

Cuvée Royal – Brut 2008
Saumur

15/20 ▮ ▮ ▮ ▮ ▬ ▬ ██ ✚ IP

★★★

Poire, mandarine, fenouil se retrouvent dans une texture aérienne, guidée par des bulles au calibre moyen. Le cabernet apparaît en retrait du chenin et du chardonnay, voire du dosage, il aurait pu apporter davantage de fermeté et de fruit. C'est un bon Saumur effervescent, classique et fiable.

Cuvée Bio Brut – Crémant de Loire

15/20 ▪ ▪ ▪▪ ═ ▪▪ ✚ IP

★★★

🐷

Discrète, voire fermée au nez, cette cuvée est davantage diserte en bouche à travers une belle tension qui parcourt toute la dégustation. Minérale, axée sur des notes de fruits blancs, les bulles sont fines et persistantes, un très beau crémant.

Cuvée Grande Réserve – Crémant de Loire

15/20 ▪ ▪ ▪▪ ═ ▪▪ ✚ IP

★★★

🐷

Les arômes de fruits secs sont discrets au nez, ils s'entremêlent à des notes citronnées qu'on décèle également en bouche après une petite pointe d'amertume. Cette cuvée est nerveuse à l'attaque, ronde en bouche, curieusement abrupte en finale; cela lui apporte un caractère plus sérieux, plus rigide que les autres cuvées de la maison.

Cuvée Blanc de Noirs – Brut – Crémant de Loire

17/20 ▪ ▪ ▪▪ ═ ▪▪ ✚ IP

★★★↙

🐷

J'ai adoré cette cuvée où le cabernet franc, présent à plus de 70 %, apporte un réel caractère aromatique et la typicité ligérienne (poivrons rouges, thym, limette) aux antipodes, certes, du goût actuel pour le sucre et la confiture, mais tellement plus authentique. Les bulles sont fines, la texture est satinée, le dosage est (encore) sensible, selon moi, mais quel plaisir. Bravo !

Cuvée du Bicentenaire
Méthode traditionnelle sans appellation

16/20 ▪ ▪ ▪▪ ═ ▪▪ ✚ IP

★★★

🐷 🐷

Huit cépages assemblés composent ce vin effervescent où la rondeur est la caractéristique principale. Les notes florales et pâtissières s'entremêlent au sein d'une effervescence réussie, charnelle et charmeuse, illustrée par des bulles menues que le temps a su habiller. Quel dommage qu'il y en ait si peu de tiré.

ALBANE ET BERTRAND MINCHIN

Sur la commune de Morogues, en appellation Menetou-Salon, Albane et Bertrand Minchin ont planté en 1988 16 hectares de vignes sur une terre qui appartenait au grand-père de Bertrand qui y cultivait déjà la vigne dans les années 1930. En 2004, ils ont repris un domaine à Valençay, « Le Claux Delorme ». Si leurs vins tranquilles rouges et blancs sont devenus des références du Centre-Loire, leur « bulle » est méconnue et confidentielle, toutefois bien élaborée.

Lieu : Saint-Martin-les-Lacs, 18340 Crosses
Téléphone : 02 48 25 02 95

Cuvée Pure Bulles – Vin de table pétillant
14/20
★★

Du gamay effervescent, léger et agréable en bouche qui étonne par ailleurs au nez par des arômes à la fois rustiques et lactés (foin, pâte à tarte fraîche, lait à la fraise) qui disparaissent après plusieurs minutes dans le verre. L'effervescence est réussie, les bulles sont nouées et aériennes, elles construisent un mousseux atypique, simple et original que je préconise à l'apéritif.

BOUVET-LADUBAY

Créée en 1851 par Étienne Bouvet, cette maison a été rachetée en 1932 par la famille Monmousseau. Patrice Monmousseau en est l'actuel PDG. Particulièrement dynamique et communicateur, il ne cesse de promouvoir sa maison au travers d'événements sportifs et culturels.

www.bouvet-ladubay.fr
Lieu : 1, rue de l'Abbaye – 49400 Saint-Hilaire-Saint-Laurent
Téléphone : 02 41 50 24 32

Cuvée Brut de Blanc – Saumur

15/20 ▮ ▮ ▮▮ ▬ ▪▪ ✚ IP
★★★

Un caractère classique dans les arômes (fleurs, amandes, pommes, hydromel) qui se distingue surtout en bouche grâce à une effervescence compacte et longue, sans doute créée par un temps de repos dans le verre. Une pointe d'amertume en finale signe l'originalité. Du plaisir à prix abordable.

Cuvée Saphir – Brut 2008 – Saumur

16/20 ▮ ▮ ▮▮ ▬ ▪▪ ✚ IP
★★★

Nez très original de mie de pain chaude, de levure de boulanger, puis d'agrumes à l'aération. L'attaque est nerveuse, fraîche, puis le vin tourne rapidement en bouche, tapisse agréablement les papilles grâce à une effervescence très fine, compacte et moelleuse, très réussie. Un vin à la fois droit et serré, au dosage bien intégré.

C.GREFFE & FILS

Cette maison élabore des vins depuis 1965, mais sa marque fut lancée en 1973. Elle dispose d'une cave de plus de 1 000 m^3 comprenant 3 boyaux, chacun d'une longueur supérieure à 100 mètres, est creusée dans la roche à 23 mètres sous le coteau. Christiane Greffe a pris la direction de l'entreprise il y a 17 ans, puis elle s'est associée à Jacques Savard. Repris par la cave de Vouvray, la marque est aujourd'hui intégrée au sein du groupe Alliance Loire.

www.c-greffe.fr
Lieu : 35, rue Neuve – 37210 Vernou-sur-Brenne
Téléphone : 02 47 52 12 24

Cuvée Brut – Carte Noire
Vouvray
16/20 ▮▮▮▮▮ ▬▬ ▀▀ ✚ IP
★★★

On est dans les fruits secs et la brioche tout au long de la dégustation de cette cuvée qui développe une mousse onctueuse et longue. Pas de complexité, mais un grand équilibre, idéal pour ouvrir l'appétit.

CHÂTEAU D'AVRILLÉ

Pascal Biotteau dirige aujourd'hui ce domaine viticole de 200 hectares que son aïeul Eusèbe Biotteau avait repris à la fin des années 1930.

www.chateau-avrille.com
Lieu : 49320 St Jean des Mauvrets
Téléphone : 02 41 91 22 46

Cuvée Brut – Crémant de Loire

16/20 ▉ ▌ ▉ ▉ ▆ ▬ ▬ ✛ IP

★★★
🐷 🐷 🐷

D'abord axé sur des arômes de citron, de pamplemousse, puis de pâtisseries légèrement beurrées à l'aération, ce mousseux présente une effervescence veloutée conduite par des bulles serrées et persistantes qui distillent des accents de foin et de tisanes, très originaux. Beau comportement en bouche, bel équilibre. À essayer sur un fromage de chèvre.

CHÂTEAU TOUR GRISE

Manoir construit au XVe siècle, géré par Philippe et Françoise Gourdon depuis 1990, il dispose de 15 hectares conduits depuis 14 ans en biodynamie.

www.latourgrise.com
Lieu : 1, rue des Ducs d'Aquitaine 49260 Le-Puy-Notre-Dame
Téléphone : 02 41 38 82 42

Cuvée 2001 – Non Dosé
16/20 ▮ ▮ ▮▮ ▬ ▪▪ ➕ IP
★★★

🐖 🐖

Dégusté de mutiples fois depuis 2009, ce vin mousseux est aujourd'hui à point avec un nez toujours légèrement anisé (réglisse noire), des bulles fines et très nouées démontrant l'empreinte du temps sur l'effervescence qui transporte des notes de brioches aux fruits confits. La fraîcheur est délicate, mais bien présente (pamplemousse), elle pointe en finale juste pour nous égayer les papilles. Une réussite.

CLOS DE LA BRIDERIE

Quatre générations de vignerons ont précédé Vincent Giraud qui a repris le vignoble familial de 10 hectares en 2000. Les vins tranquilles forment bien sûr la majorité des cuvées du domaine puisqu'on est en appellation Touraine-Mesland et Montlouis sur Loire, il ne faut cependant pas négliger l'excellent crémant.

www.vincent-girault.com
Lieu : 70, rue Pol Tanguy 41150 Monteaux
Téléphone : 02 54 70 28 89

Cuvée Pureté de Silex
Crémant de Loire

15/20 ▮▮ ▮▮▮ ▬▬ ▪▪▪ ✚ IP
★★★

🐷 🐷

Bouche flatteuse grâce au dosage sensible, bulles moyennes, volume dense, arômes de poires, de fruits secs pour finir sur une touche d'agrumes en finale qui rafraîchit la dégustation, c'est un crémant de facture classique, très bien élaboré et plus abordable que ceux du négoce.

CHRISTOPHE MAILLARD

Domaine familial basé au sud-est de Nantes, dans le pays du Muscadet, Christophe Maillard dispose d'une douzaine d'hectares essentiellement consacrée à l'élaboration de Muscadet. Toutefois, en sortant de l'appellation, il s'amuse à élaborer un vin pétillant amusant et sans prétention.

www.maillard-vigneron.com
Lieu : Le Pé de Sèvre
44330 Le Pallet

Perles de Lotus

15/20 ▮ ▮ ▮▮ ▬ ▬ ▮▮ ▮▮ 🇨🇭 IP
★★⟩

Un vin mousseux gazéifié à base de gamay, de sauvignon, de melon et de folle blanche qui s'oriente nettement vers les arômes de bonbons anglais grâce à un dosage élevé, mais charmeur, qui ne tombe pas dans une effervescence collante et indigeste. Les bulles sont très fines, elles se conjuguent à travers des notes florales (rose) et végétales (foin) qui mordent juste assez en finale pour apporter de la fraîcheur.

DE CHANCENY
ALLIANCE LOIRE

De Chanceny est le nom d'une gamme de vins effervescents d'Alliance Loire, un regroupement de 8 coopératives ligériennes, établi depuis 2002 qui, en une décennie, est devenu le premier producteur de vin de la région avec 20 millions de bouteilles élaborées. Le groupe dispose de 3600 hectares depuis Nantes jusqu'à Tours et du soutien de 800 vignerons.

www.allianceloire.com
Lieu : route des Perrières 49260 Saint-Cyr-en-Bourg - France
Téléphone : 02 41 53 74 44

Cuvée De Chanceny – Crémant de Loire Brut

16/20 ▉ ▉ ▉▉ ▬ ▪▪ ✚ IP
★★★

🐷 🐷 🐷

Nez élégant, fin, axé sur les agrumes qu'on retrouve en bouche au sein d'une effervescence crémeuse aux bulles particulièrement fines et persistantes. Jeune dans l'ensemble, c'est un mousseux facile et croquant, toutefois très soigné et d'un bel équilibre. L'apéritif de toutes les occasions.

Cuvée Excellence 2009 – De Chanceny Vouvray – Brut – Tête de Cuvée

16/20 ▉ ▉ ▉▉ ▬ ▪▪ ✚ IP
★★★

🐷 🐷

Nez délicat et biscuité avec un soupçon de citron perçu à l'aération qu'on retrouve à l'attaque en bouche dans une tension agréable qui précède une effervescence abondante et aérienne, aux bulles fines toutefois accrocheuses. Les arômes sont subtilement pâtissiers et persistants, l'équilibre est réussi, c'est un bon vouvray qui aurait cependant gagné à être commercialisé plus tardivement afin qu'il développe un délicat

DOMAINE DE LA BERGERIE

Yves et Marie-Annick Guégniard dirigent une exploitation de 36 hectares achetée par la grand-mère d'Yves en 1961, à la bougie ! Il ne faut surtout pas manquer d'aller se restaurer au restaurant construit en plein cœur des vignes, la table de la Bergerie, tenu par David Guitton.

www.yves-guegniard.com
Lieu : 49380 Champ sur Layon
Téléphone : 02 41 78 85 43

Cuvée Préambule – Brut Rosé Crémant de Loire

16/20 ▋ ▋ ▋▋ ▀ ▀▀ ✚ IP
★★★

Un mousseux très expressif aussi bien dans la robe qu'au nez axé sur des arômes de fraises des bois, de pamplemousse rose et de grenadine. L'attaque est vive, presque mordante, le fruité qui la suit s'appuie sur une belle matière de fines bulles, toutefois fugaces en finale. C'est un bon mousseux qui a assez de mâche pour tenir tête à une entrée de poisson grillé.

DOMAINE DE BRIZÉ

Vignoble familial (5ᵉ génération) administré aujourd'hui, depuis 1992, par Line Delumeau et Luc Delumeau, sœur et frère, qui ont succédé à leur père sur l'exploitation de 40 hecares.

www.domainedebrize.fr
Lieu : Village de Cornu 49540 Martigné Briand
Téléphone : 02 41 59 43 35

Cuvée Crémant de Loire – Brut Méthode Traditionnelle

15/20 ▮ ▮ ▮▮ ▭ ▪▪ ➕ IP
★★✦

Nez discret, axé sur les arômes de fruits blancs très légèrement confits. L'attaque en bouche est plus citrique, les bulles au calibre moyen et nouées construisent un volume compact en bouche. La finale offre une petite pointe d'amertume – sans doute apportée par la présence de cabernet franc – qui donne du corps à cet effervescent que je classe tout de même parmi les vins mousseux élégants.

Cuvée Saumur – Brut Rosé

16/20 ▮ ▮ ▮▮ ▭ ▪▪ ➕ IP
★★★

Nez net et expressif d'arômes de fraises et de framboises qu'on retrouve à l'attaque en bouche et qui perdurent dans une texture satinée, guidée par des bulles fines et nouées. Le dosage est légèrement sensible en finale, il n'entâche pas pour autant la fraîcheur. C'est un très bel effervescent.

Cuvée Saumur – Brut

16/20 ▮ ▮ ▮▮ ▭ ▪▪ ➕ IP
★★★

Nez expressif, à la fois minéral et pâtissier (brioche aux raisins), qui précède une attaque en bouche fraîche (citrique) immédiatement servie par une effervescence aérienne aux bulles toutefois nouées. La finale accroche, elle est axée sur les agrumes, on termine la dégustation dans un bel équilibre. C'est un effervescent digne d'une belle entrée de crustacés.

DOMAINE DE LA GACHÈRE

32 hectares situés au sud d'Angers qu'Alain et Gilles Lemoine exploitent depuis la transmission du domaine par leur père Claude Lemoine, qui avait repris le travail de la vigne en 1950.

www.gachere-lemoine-vins.fr
Lieu : 79290 Saint-Pierre à Champ
Téléphone : 05 49 96 81 03

Cuvée Brut – Crémant de Loire

15/20 ▊ ▊ ▊▊ ═ ▪▪ ✚ IP
★★⌐

Plus axé au nez sur des arômes de salade de fruits jaunes que sur des arômes de pâtisseries, on perçoit davantage ces derniers en bouche au sein d'une effervescence aérienne, conduite par des bulles au calibre moyen. Un crémant rafraîchissant, peu complexe, toutefois équilibré et bien élaboré.

DOMAINE
DE LA ROULETIÈRE

Un vignoble de 17 hectares cultivé en lutte raisonnée par la famille Gilet depuis 5 générations, jouissant de caves exceptionnelles creusées dans le tuffeau, ouvertes au public sur demande. Jean-Marc Gilet gère ce domaine depuis 2003.

www.vouvray-gilet.com
Lieu : 20, rue de la Mairie 37210 Parcay-Meslay
Téléphone : 02 47 29 14 88

Cuvée Brut – Gilet – Vouvray

16/20 ▮▮ ▮▮ ▬ ▪▪ ✚ IP
★★★

Le nez est plus floral et exotique que pâtissier, on y décèle des arômes de lys, d'amande fraîche, de pamplemousse confit et de citronnelle qu'on capte en bouche dans le même crescendo. L'effervescence est soignée, riche et longue, en harmonie avec la concentration du fruité blanc et acidulé. Le dosage est réussi, il accompagne jusqu'en finale l'impression de gourmandise. Pour un apéritif gourmand.

DOMAINE
DE LA TAILLE AUX LOUPS

Devenu un incontournable vigneron ligérien depuis les années 1980, Jacky Blot exploite 25 hectares sur ce domaine dont certaines vignes vont avoir un siècle ! Ses effervescents comme ses vins tranquilles sont taillés pour la table, on les retrouve parmi les grandes cuvées étoilées.

www.jackyblot.fr
Lieu : 8, rue des Aîtres-Husseau 37270 Montlouis Sur Loire
Téléphone : 02 47 45 11 11

Cuvée Triple Zéro

16/20 ▊ ▊ ▊▊ ▬ ▪▪ ▪▪ ■ IP
★★★

Un pétillant naturel « surnaturel » ! À la fois rafraîchissant grâce à une pureté de fruits blancs (raisins, citron, pamplemousse) et une effervescence soyeuse, plus frizzante que spumante, très sec dans son comportement, il se distingue par son endurance et sa minéralité en bouche. Une belle expérience parmi les nombreux « Pet' Nat' » en vogue actuellement...

Cuvée Tradition – Brut
Montlouis-sur-Loire

16/20 ▊ ▊ ▊▊ ▬ ▪▪ ▪▪ ■ IP
★★★

Curieusement, cet effervescent apparaît souvent plus tendre, moins sec et percutant que le Triple Zéro du même domaine... Reste un vin subtil dans ses arômes de silex, de bergamote, puis de pâtisseries peu beurrées à l'aération qu'on capte aussi en bouche dans une crème de bulles fines et nouées. Très harmonieux et apéritif.

DOMAINE DES CAPRIADES

Pascal Potaire soigne sa terre, son travail et ses vins avec le souci des vignerons qui ont embrassé la culture biologique. Sa spécialité ? Les bulles ! Ça tombe bien pour le guide, non ?

Lieu : 6, route de Tours 41400 Faverolles sur Cher
Téléphone : 02 54 75 58 80

Cuvée Pépin La Bulle 2010 – Pétillant Sec Vin de France

16/20 ▌▌▐▌ ══ ▀▄ ✚ IP
★★★

Le nez est très discret, le chardonnay s'est laissé habiller par quelques notes florales. D'une grande fraîcheur aérienne en bouche, très croquant, l'attaque est quelque peu herbacée, les bulles sont d'une belle finesse et surtout d'une sérieuse endurance (prouvant la maîtrise de l'unique fermentation), les arômes de peaux d'agrumes parcourent la dégustation avec la juste pointe fermière, conjuguée à la minéralité en finale pour nous rappeler le travail entièrement naturel. Un pet'nat' qui garantit beaucoup de plaisir simple.

DOMAINE DES ROCHES NEUVES

Les vins tranquilles d'appellation Saumur-Champigny de Thierry Germain sont bien connus. Depuis 2 ans maintenant, il élabore un Saumur mousseux issu d'un clos de Puy-Notre-Dame.

www.rochesneuves.com
Lieu : 56, bd Saint-Vincent 49400 Varrains
Téléphone : 02 41 52 94 02

Cuvée Bulles de Roches
Saumur – Brut

17/20 ▮ ▮ ▮▮ ▬ ▪▪ ✚ IP
★★★⸝

🐷 🐷

Le nez est élégant, frais, minéral, puis subtilement beurré, voire toasté à l'aération. L'attaque en bouche est mordante et iodée, elle est immédiatement gommée par une effervescence charnelle, soyeuse, « plus frizzante que spumante » qui dégage une vinosité au fruité rouge discret. Tout est ample, pur et rafraîchissant à la fois. Le chenin se rappelle à nous en finale de dégustation par un soupçon d'agrumes, il conviendra parfaitement sur un poisson à chair blanche grillé.

DOMAINE DE VODANIS

Créé en 2007 par Nicolas Darracq et François Gilet, le cousin de Jean-Marc Gilet (Domaine de la Rouletière), ce domaine compte une quinzaine d'hectares, dont 4,5 autrefois exploités par le domaine Huet.

Lieu : 19, rue de la Mairie 37210 Parçay-Meslay
Téléphone : 02 47 29 10 74

Cuvée François Gilet – Brut

16/20 ▌▐ ▌▌ ═ ▪▪ ✚ IP
★★★

Nez expressif et charmeur de fruits blancs confits avec quelques notes de miel. L'attaque est fruitée, peu minérale, le dosage est sensible en bouche sans toutefois empiéter sur les arômes initialement perçus. Les bulles sont fines et nouées, elles illustrent une texture satinée vraiment agréable qui s'acoquinera facilement à des canapés gourmands.

DOMAINE DU BOIS MOZÉ

Domaine repris en 1996 à la famille Boury par René et Odile Lancien, qui ont demandé en 2003 à Mathilde Giraudet de gérer la vinification. La plupart des appellations de l'Anjou viennent compléter quelques vins effervescents de grande tenue, issus de 28 hectares de vignes plantées sur des sols argilo-calcaires.

www.ansamble.fr
Lieu : 49320 Coutures
Téléphone : 02 41 57 91 28

Cuvée Crémant de Loire – Brut Tradition

16/20 ▌▐ ▌▌ ═ ▪▪ ✚ IP
★★★

Le nez est discret, l'attaque en bouche est franche, axée sur les céréales et les agrumes. Les bulles sont nouées, elles forment un volume compact en parfait équilibre avec le dosage. C'est un crémant d'une grande fraîcheur aromatique, impeccable à l'apéritif.

Cuvée Blanc Secret – Brut et Nature 2008
Crémant de Loire

17/20 ▮ ▮ ▮▮ ═ ▪▪ ✚ IP
★★★

Un vin étonnant, car le nez est expressif et légèrement exotique (coco, vanille, ananas grillé) alors que, dès l'attaque en bouche, on découvre une grande fraîcheur minérale, presque tendue au sein d'une effervescence particulièrement soignée, compacte et longue. On reste sur les agrumes. Un excellent effervescent de repas.

Cuvée Désirée Anne 2008
Crémant de Loire – Brut

16/20 ▮ ▮ ▮▮ ═ ▪▪ ✚ IP
★★★

100 % de cabernet franc assez discret au nez, mais qui, dès l'attaque en bouche, montre sa typicité aromatique (poivrons rouges, laurier, cerises) au sein d'une effervescence aérienne. La finale dévoile un dosage sensible qu'une fine amertume apportée par le cépage vient corriger et équilibrer. Un bon rosé pour apéritif gourmand.

DOMAINE DU CLOS NAUDIN

Philippe Foreau dirige ce domaine depuis le début des années 1980. Il dispose d'une douzaine d'hectares situés sur un plateau calcaire (tuffeau) avec une majorité d'argiles à silex, localement appelées Perruches. Son domaine fut construit avant La Grande Guerre et fut le premier à élaborer ses propres vins puisque la plupart des vignerons d'alors vendaient au négoce. Un tiers de la production est consacrée aux bulles.

Lieu : 14, rue Croix Buisée 37210 Vouvray
Téléphone : 02 47 52 71 46

Cuvée Réserve Brut 2007 – Vouvray

16/20 ▮▮▮▮ ▭▭ ▪▪ ✚ IP
★★★

🐷 🐷 🐷

Très apéritif, très vif et minéral, sans doute encore jeune, il est axé sur des notes d'agrumes confits à l'aération. Après plusieurs minutes dans le verre, il se révèle d'une belle pureté en bouche tout en étant velouté grâce au comportement de son effervescence crémeuse et longue qui transporte des notes de beurre fouetté. Un mousseux habillé de subtilité que je préconise aujourd'hui sur une entrée de poisson à chair blanche grillé.

DOMAINE DU MOULIN
DE L'HORIZON

Le domaine est jeune, il appartient à la famille Des Grousilliers-Lefort, des nordistes qui ont tout lâché à 40 ans pour se lancer dans l'univers du vin en 2002. Un pari aussi fou que réussi puisqu'aussi bien pour les vins tranquilles que mousseux, la qualité est constante.

www.moulindelhorizon.com
Lieu : 11 bis, rue Saint-Vincent Sanziers 49260
Le-Puy-Notre-Dame
Téléphone : 02 41 52 25 52

Cuvée Brut – Saumur

15/20 ▮▮▮▮ ▭▭ ▪▪ ✚ IP
★★☆

🐷

Le cabernet franc apporte un mordant très intéressant dans cette cuvée toutefois dominée par le chenin et le chardonnay où les notes de fenouil se laissent capturer au premier nez, avant celles d'agrumes. Les bulles sont de calibre moyen dans une texture aérienne, la finale est courte, toutefois aromatique, c'est un mousseux d'une belle fraîcheur.

DOMAINE FRANÇOIS CHIDAINE

Ce domaine est jeune, il a fêté ses 30 ans d'existence, dont 20 ans de travail en culture biodynamique sur les appellations Vouvray et Montlouis. François Chidaine et ses associés se font un devoir de ne cultiver que du chenin « biologiquement » élevé, devenu une référence pour toute la région.

Lieu : 5, Grande Rue – Husseau 37270 Montlouis-sur-Loire
Téléphone : 02 47 45 19 14

Cuvée Brut – Montlouis-sur-Loire

16/20 ■ ■ ■ ■ ═ ▪▪ ▪▪ ■

★★★

🐖 🐖

La robe est presque dorée, le premier nez est net, très charmeur, plus fruité que minéral, L'attaque en bouche est nerveuse et originale grâce à une grande finesse de bulles qui transportent des accents de Xérès, sans notes oxydatives. Le volume est compact, on déguste une belle matière, le plaisir est au rendez-vous.

DOMAINE LA CROIX DES LOGES

Domaine constitué en 1920, il est aujourd'hui conduit par Jean-Christian et Sophie Bonnin qui représente la 5e génération.

www.domainelacroixdesloges.eu
Lieu : 49540 Martigné-Briand
Téléphone : 02 41 59 43 58

Cuvée Capucine – Brut – Saumur

15/20 ■ ■ ■ ■ ═ ▪▪ ▪▪ ■ IP

★★★

🐖

Nez expressif et charmeur, floral, puis axé sur un fruit blanc (lys, pomme, pamplemousse), bulles aériennes et légères, toutefois bien nouées formant une texture satinée et rafraîchissante. Un mousseux impeccable sur un fromage de chèvre.

Cuvée Eden – Brut – Saumur

16/20 ▮▮ ▮▮ ▬ ▪▪ ✚ IP
★★★

Issues de la base 2007, les bulles se montrent plus menues que sur la cuvée Capucine, et pourtant l'effervescence est tout aussi aérienne. Les arômes se concentrent sur les fruits blancs, les macarons, le miel. Le dosage apparaît sensible, il n'enraye pas la fraîcheur de l'ensemble. C'est un très bon mousseux.

DOMAINE LEDUC-FROUIN

Domaine familial (4e génération) d'une trentaine d'hectares aujourd'hui géré par Nathalie et Antoine Leduc, frère et sœur, qui se partage les différentes tâches du métier. Les vins rosés secs et demi-secs représentent la majorité de l'exploitation.

www.leduc-frouin.com
Lieu : Sousigné 49540 Martigné-Briand
Téléphone : 02 41 59 42 83

Cuvée Saumur – Brut
Méthode Traditionnelle

17/20 ▮▮ ▮▮ ▬ ▪▪ ✚ IP
★★★★

100 % chenin blanc, issu essentiellement de la récolte 2010, il se montre sec et tranchant, tout en étant plein et délicatement parfumé (pomme cuite, pamplemousse confit, croissant, macaron). Alors qu'il n'a fait que 12 mois sur lattes, cet effervescent étonne surtout par son onctuosité et sa longueur. Le dosage est réussi, il ne gomme pas la minéralité qui tourne en bouche. Un grand vin mousseux.

Cuvée Crémant de Loire – Brut

15/20 ▮▯▮▮▯ ▭▭ ▦▦ ✚ IP

★★✦

🐖

Le millésime 2009 domine l'assemblage de chenin, de chardonnay et de cabernet franc de cet effervescent fruité et frais dans les flaveurs (pamplemousse, pomme), aérien au niveau de l'effervescence. Le dosage se montre sensible en finale, mais il n'occulte pas le caractère apéritif de la dégustation. Pour l'apéro donc !

Cuvée Crémant de Loire – Brut Rosé

15/20 ▮▮▮▮▯ ▭▭ ▦▦ ✚ IP

★★✦

🐖

Nez délicat de fraises et de fleurs blanches au nez comme en bouche, ce crémant se montre – comme le blanc – plus aérien que le Saumur Brut du Domaine. Très délicat pour un cabernet franc, je me serai attendu à plus de corps et plus de présence aromatique (cerise, groseille). Un rosé effervescent plus minéral que consistant que je préconise sur un dessert peu sucré.

DOMAINE LES LOGES

Situé sur la discrète appellation Montlouis, ce domaine en culture biologique est parmi les plus jeunes de la région puisqu'il n'a pas 10 ans. La qualité de toutes les cuvées est très prometteuse.

www.les-loges-de-la-folie.com
Lieu : 21, rue des Rocheroux 37270 Montlouis sur Loire
Téléphone : 02 47 45 18 30

Cuvée Brut Nature

15/20 ▮▮▮▮▯ ▭▭ ▦▦ ✚ IP

★★✦

🐖 🐖 🐖

Nez fugace de sueur, puis plus appuyé de fruits confits, de menthe et surtout de réglisse à l'ouverture, on est sur une attaque au caractère sec et frais dans une effervescence maîtrisée et fine qui offre surtout des notes de zan et de discrète vanille. Bel effervescent.

DOMAINE OCTAVIE

Isabelle et Noël Rouballay gèrent une trentaine d'hectares où domine le sauvignon qui est exploité selon le cahier des charges Terra Vitis.

www.domaineoctavie.com
Lieu : 41700 Oisly
Téléphone : 02 54 79 54 57

Cuvée Pauline – Brut – Méthode Traditionnelle

15/20 ■ ■ ■ ■ ═ ═ ▪▪ ▪▪ ✚ IP
★★⯪
🐷 🐷 🐷

Belle fraicheur au nez comme en bouche illustrée par des notes minérales et d'agrumes, toutefois couvertes par un dosage appuyé que seule une pointe d'amertume (zeste) vient enrayer afin de donner du corps et de la présence. Je la préconise à l'apéritif ou sur un fromage de chèvre crayeux.

DOMAINE PIERRE CHAUVIN

15 hectares conduit depuis 2005 en agriculture biologique sur la commune de Rablay sur Layon par Paul-Eric Chauvin et Philippe Cesbron. Paul-Eric est en charge de la vinification, Philippe de la conduite du vignoble. En 2010, Mireille Vigneron a rejoint le domaine, elle est en charge de la commercialisation et de l'administration.

www.domainepierrechauvin.fr
Lieu : 45 Grande Rue 49750 Rablay-sur-Layon
Téléphone : 02 41 78 32 76

Cuvée Mam'zelle Bulle
Pétillant naturel rosé– Demi-Sec

16/20 ■ ■ ■ ■ ═ ═ ▪▪ ▪▪ ✚ IP
★★★
🐷

Du grolleau et du gamay équitablement répartis qui offrent des notes de bonbons acidulés à la fraise qui se montrent plus naturelles après aération (groseilles, cerises). On les capte en bouche au sein d'une texture soyeuse, animée par de fines bulles peu persistantes, toutefois vives à l'attaque. La finale se fait originale grâce à des accents épicés, c'est un pétillant plus frizzante que spumante comme diraient les Italiens, un effervescent ligérien peu vineux, toutefois solidement construit, qui animera facilement les débuts comme les fins de soirée.

DOMAINE RICHOU

Domaine familial ancré dans le schiste depuis plus de 3 générations, les Richou offrent des vins qui leur ressemblent : authentiques, naturels et droits. Surtout cotés pour les vins tranquilles, leurs crémants de Loire sont aussi parmi les bons vins effervescents de la région.

www.domainerichou.fr
Lieu : Lieu-dit « Chauvigné », route de Denée 49610
Mozé-sur-Louet
Téléphone : 02 41 78 72 13

Cuvée Brut Classique

15/20 ▮ ▮ ▮▮ ▬ ▬▬ ➕ IP
★★✦

🐷

Notes de foin, de pamplemousse, de riz au lait au nez comme en bouche, bulles moyennes dans une effervescence presque crémeuse, un peu courte, toutefois vive grâce à laquelle l'ensemble est frais, simple et bien fait. Une cuvée qui porte bien son nom. Classique et fiable.

DOMAINE VINCENT CARÊME

Une quinzaine d'hectares travaillés en bio permettent à Vincent
Carême d'élaborer plusieurs vins ligérens aux accents minéraux et
tendus, depuis le début des années 2000. Plus que prometteur,
ce domaine est déjà un incontournable de la nouvelle génération.

Lieu : 1, rue du Haut-Clos 37210 Vernou-sur-Brenne
Téléphone : 02 47 52 7128

Cuvée Pétillant Naturel Rosé

15/20 ▮ ▮ ▮ ▮ ▮ ═ ▪▪ ✚ IP
★★⌒

🐖

Une cuvée qui présente l'assemblage des raisins rouges locaux
(gamay, grolleau, cabernet, côt) dans une effervescence veloutée, très fine, fugace et légère qui transporte des notes de cerises
et de grosseilles, enveloppées d'une fine acidité rafraîchissante.
Un apéritif simple et abordable.

Cuvée – Brut – Vouvray

16/20 ▮ ▮ ▮ ▮ ▮ ═ ▪▪ ✚ IP
★★★

🐖 🐖

Une effervescence crémeuse, conduite par des perles nouées qui
taquinent les papilles et transportent des arômes de tisane, de
citron confit, de pamplemousse, puis de pomme tout en présentant
une trame vineuse d'une belle pureté. Un Vouvray au caractère
minéral profond qui ne manque pas de charme et qu'on pourra
facilement déguster, accompagné d'un fromage de chèvre.

FRANTZ SAUMON

Un parcours atypique que celui de Frantz Saumon, ancien techni-cien forestier venu à la vigne il y 10 ans. Il exploite aujourd'hui 5 hectares de chenin dans le respect de l'esprit biologique.

Lieu : 15, chemin des Cours 37270 Montlouis-sur-Loire
Téléphone : 02 47 35 83 65

Cuvée Vouvray – Brut 2010

15/20 ▮ ▮ ▮▮ ══ ∷ ➕ IP
★★★)

🐖 🐖

Tranchant et minéral, plus axé sur les agrumes que sur les fruits jaunes bien mûrs quoiqu'une fois en bouche quelques accents de pâtisseries (tarte aux pommes) se laissent capter. L'effervescence est soignée, les bulles sont fines, éparses, plus aériennes que com-pactes. Un Vouvray de belle facture pour apéritif gourmand.

GRATIEN ET MEYER

En 1864, Alfred Gratien fonde sa maison à Saumur. Elle est reprise par son associé Jean- Albert Meyer en 1885. Elle n'a cessé depuis d'exceller dans l'univers de l'effervescence.

www.gratienmeyer.com
Lieu : route de Montsoreau – BP 22 – 49400 Saumur
Téléphone : 02 41 83 13 30

Cuvée Brut – Crémant de Loire

14/20 ▮ ▮ ▮▮ ══ ∷ ➕ IP
★★

🐖

Léger dans son comportement, ce vin se montre pourtant sur un fruité très mûr (pêches, abricots, melons), très enjôleur, qui habille une mousse svelte et caressante. Belle simplicité et bel équilibre.

Cuvée Flamme Brut
Crémant de Loire

14/20 ▮ ▮ ▮▮ ▭ ▪▪ 🇨🇭 IP
★★★

Nez discret de pâtisserie aux fruits blancs qu'on retrouve en bouche dès l'attaque, maquillée toutefois par une légère amertume métallique. Les bulles sont nouées et fines, la texture est satinée, c'est un crémant agréable et classique, qui présente les atouts typiques de la région.

Cuvée Flamme d'Or
Crémant de Loire

15/20 ▮ ▮▮ ▭ ▪▪ 🇨🇭 IP
★★✦

Fin, velouté, ce vin présente des bulles enveloppantes qui transportent d'abord des notes de citron, d'herbes, puis de pâtisseries légèrement beurrées. Assez droit dans son comportement, voire austère, malgré les quelques notes boisées en finale, il faut le laisser s'aérer dans le verre afin qu'il s'offre de façon plus suave en bouche. Pour l'apéritif.

J. DELMARE

Mathias Levron et Régis Vincenot, deux amis d'enfance, se sont lancés dans l'aventure viticole au début des années 2000 en achetant le château Princé en 2002, puis le château de Parnay en 2006. Cette dernière propriété jouit d'un clos d'un demi hectare, le « Clos d'entre les murs », qui a appartenu au fameux Antoine Cristal. Entre Angers et Saumur, Mathias et Régis possèdent une quarantaine d'hectares. Ils ont lancé la marque J. Delmare en 2002, exclusivement réservée aux vins effervescents. En moyenne, 40 000 cols de bulles sont commercialisés chaque année.

www.chateaudeparnay.fr
Lieu : Le Petit Prince 49610 Saint-Melaine-sur-Aubance
Téléphone : 02 41 38 10 85

Cuvée Crémant de Loire – Brut

17/20 ■ ■ ■ ■ ▬ ▬ ▪▪ ✚ IP
★★★★

Assemblage de chenin blanc, de chardonnay et de grolleau noir, qui se présente au nez avec des notes citriques qui disparaissent dès l'attaque en bouche pour laisser la place à des accents beurrés au sein d'une effervescence très soignée : les bulles sont fines et nouées, on a laissé le temps au temps de les habiller, ce qui est rare dans la Loire où la majorité des vins effervescents font à peine 15 mois de lattes. Le dosage étant de plus particulièrement bas, on goûte la pureté des fruits blancs entremêlés à des notes pâtissières dans un équilibre réussi. Ce crémant est tout simplement excellent.

Crémant de Loire – Brut Prestige

18/20 ■ ■ ■ ■ ▬ ▬ ▪▪ ✚ IP
★★★★

Un rosé qui mérite 3 étoiles tant il est expressif dans ses arômes de groseilles, de canneberges, de noyaux de cerises. Ferme à l'attaque, l'élégance est illustrée par une fine acidité, un peu mordante, qui apporte fraîcheur et disposition à la garde. Un bon rosé qui a du goût et de la personnalité.

LANGLOIS CHÂTEAU

En rachetant la maison Delandes, fondée en 1885, Édouard Langlois se lance dans l'univers de l'effervescence. Sa propre marque est créée en 1912, mais il n'a pas le temps de voir ses vins conquérir la France, car il meurt en 1915, lors de la Grande Guerre. Jeanne Château, sa femme, va alors s'occuper de l'entreprise jusqu'en 1949. En 1973, cette dernière passe sous le contrôle de la maison familiale Bollinger d'Aÿ-Champagne. Langlois-Chateau possède 73 hectares de vignes (45 ha à Saumur, 13 ha à Saumur-Champigny et 15 ha à Sancerre), conduites selon le cahier des charges Terra Vitis (viticulture raisonnée).

www.langlois-chateau.fr
Lieu : Saint-Hilaire-Saint-Florent – BP 57
49400 Saumur Cedex
Téléphone : 02 41 40 21 40

Cuvée Langlois – Crémant de Loire

14/20 ▮▮ ▮▮ ▬▬ ▪▪ ✚ IP

★★

🐖 🐖 🐖

Très classique dans sa facture, la mousse abonde sans déborder, les bulles ont un calibre moyen, l'ensemble est très équilibré, toutefois plus autoritaire que charmeur. On va des flaveurs d'agrumes à celle de la croûte de pain, en passant par celle du tilleul, c'est une cuvée très droite, très linéaire, à la finale courte, faite pour l'apéritif.

Cuvée Langlois – Rosé Brut – Crémant de Loire

15/20 ▮▮ ▮▮ ▬▬ ▪▪ ✚ IP

★★★

🐖 🐖 🐖

Un bon mousseux rosé qui, grâce au cabernet franc, présente une certaine mâche en bouche que viennent caresser des bulles persistantes. Le fruité rouge s'impose, le dosage sensible le soutient dans la longueur où l'on décèle une fine amertume permettant une application facile à table sur une entrée chaude, par exemple des calamars farcis à la Portugaise.

Cuvée Quadrille de Langlois-Château
Crémant de Loire
Extra-Brut 2004

16/20 ▌ ▌ ▌▌ ══ ▫▫ ✚ IP
★★★

🐷 🐷

Le « quatre-quarts » effervescent de la Loire ! Il se présente d'ailleurs avec des notes de gâteau beurré aux zestes de pamplemousses. Les bulles sont fines, paquetées, elles développent une mousse plus légère que riche. Les flaveurs rappellent le pain au lait, la tarte aux poires, tout est tendre et, pourtant, la fine acidité finale, un peu mordante, prédispose ce vin à une garde de deux, trois ans après son achat.

LOUIS DE GRENELLE

Au cœur de la Loire viticole depuis le milieu du XIXᵉ siècle, cette société a connu plusieurs directions. Disposant du Château de la Durandière à Montreuil Bellay pour les vins tranquilles, ses propriétaires actuels offrent également des vins effervescents d'appellation Saumur et Crémant de Loire.

www.louisdegrenelle.fr
Lieu : 839, rue Marceau 49415 Saumur
Téléphone : 02 41 50 17 63

Cuvée Ivoire – Brut – Saumur

15/20 ▮ ▮ ▮▮ ▭ ▪▪ ✚ IP

★★☽

🐷

Chenin et chardonnay composent cette cuvée au nez expressif de poire chaude et d'amande douce qu'on retrouve en bouche au sein d'une texture légère, assez aérienne. Les bulles sont nouées, mais fuyantes. Je préconise ce mousseux à l'apéritif.

Cuvée Corail – Sec – Saumur

16/20 ▮ ▮ ▮▮ ▭ ▪▪ ✚ IP

★★★

🐷

Le nez est aussi discret que les arômes sont expressifs et nets, une fois le vin en bouche. Axé sur les fleurs blanches et les fruits blancs dans une effervescence aérienne, ce rosé est d'une grande fraîcheur pour cette catégorie où le sucre est présent. Un dosage réussi donc, qui se prêtera aisément à un dessert fruité.

Cuvée Saumur – Grande Cuvée – Brut
15/20 ▮ ▮ ▮▮ ═ ▪▪ ✚ IP
★★☆

🐖

Nez très léger de poire, puis d'agrumes. Ce sont ces derniers qu'on retrouve dès l'attaque en bouche avec une petite pointe d'amertume qui apporte du mordant à l'ensemble de la dégustation. L'effervescence est légère, plus aérienne que riche, c'est un mousseux plus apéritif que gourmand.

Cuvée Louis de Grenelle – Brut – Certifié AB
16/20 ▮ ▮ ▮▮ ═ ▪▪ ✚ IP
★★★

🐖 🐖

Un effervescent frais et tendu sans pour autant être herbacé. Croquant en bouche, les agrumes s'entremêlent à de petites notes amères sans doute apportées par du cabernet franc. La texture est satinée, la structure est affirmée, l'effervescence est soignée. C'est une très belle cuvée.

Cuvée L de Grenelle 2007 – Brut
16/20 ▮ ▮ ▮▮ ═ ▪▪ ✚ IP
★★★

🐖 🐖

Un millésime plus fruité, plus rapidement mature que le 2006. Nez expressif d'orge, d'ananas confit, de beurre, voire de champignons frais. L'attaque est vive, le vin est toutefois rapidement plus fruité que minéral en bouche, il se montre sensiblement dosé. Sur ce millésime, la texture est plus riche que dans les autres cuvées de la maison, on perçoit la recherche de l'équilibre au cours de la vinification avec la personnalité tranchante du chenin blanc. Les bulles sont aériennes, elles apportent une légèreté agréable dans le volume qui se dessine en bouche, c'est l'effervescence qui offre la fraîcheur nécessaire pour signer une cuvée adroitement élaborée.

MONCONTOUR

Plus de 40 vins que la famille Féray élabore sur un domaine qui a mille ans !

www.moncontour.com
Lieu : Château Moncontour, rue de Moncontour – 37210 Vouvray
Téléphone : 027 52 60 77

Cuvée Prédilection 2010 – Vouvray

15/20
★★✦

🐷

Nez d'orge, de pamplemousse, de citron, puis de boulangerie (baguette) avec, comme souvent sur cette cuvée, quelques notes de gingembre à l'aération. Les bulles sont fines, délicates, éparses, toutefois persistantes, elles alimentent une texture aérienne. Les arômes d'agrumes s'imposent en bouche, l'ensemble est de facture classique et réussi. Pour l'apéritif.

MONMOUSSEAU

Le domaine est superbe, il a vu le jour en 1886 grâce à Alcide Monmousseau. Un réseau de 15 km de caves creusées dans le tuffeau rappelle qu'autrefois, ce sous-sol a servi à la construction des châteaux de la Loire

www.monmousseau.com
Lieu : 71, route de Vierzon – BP 25 – 41401 Montrichard
Téléphone : 02 54 71 66 66

Cuvée Monmousseau – Brut
Crémant de Loire

15/20 ▊ ▊ ▊▊ ▬ ▪▪ ✚ IP

★★⌐

Un effervescent plus rond que le Touraine Brut de la même maison, plus pâtissier également dans les arômes au nez comme en bouche. La texture est soignée, réussie, les bulles sont menues et paquetées, toutefois un peu fuyantes. C'est un vin qui sera très apprécié à l'apéritif avec des canapés garnis de fruits de mer.

PAUL BUISSE

En achetant les caves de la Boule blanche, dans les années 1950, à Montrichard, Jean Buisse imaginait-il que son fils Paul Buisse deviendrait un incontournable dans l'univers des vins du Val de Loire, cinquante ans plus tard ? En 2011, le domaine Pierre Chainier, basé à Amboise, a racheté la maison Paul Buisse.

www.paul-buisse.com
Lieu : 69, route de Vierzon – BP 112 – 41402 Montrichard
Téléphone : 02 54 32 00 01

Cuvée Brut – Crémant de Loire

16/20 ▌▌ ▌▌ ▬ ▪▪ ✚ IP

★★★

🐷

Le chardonnay ne domine pas l'assemblage, il s'impose toutefois par son côté enveloppant et fin, tandis que les flaveurs un peu herbacées laissent parler l'apport du cabernet franc. Entre des notes de tisanes aux agrumes, de mie de pain chaude et de beurre doux, on découvre un crémant finalement riche dans son comportement grâce à une effervescence bien menée.

Cuvée Clos de Nouys – Brut – Vouvray

15/20 ▌▌ ▌▌ ▬ ▪▪ ✚ IP

★★★

🐷 🐷

Le nez est discret, très légèrement citronné. Axée sur des arômes d'agrumes confits en bouche, sans doute dûs au dosage sensible, la texture est satinée grâce à une effervescence bien menée, enveloppante, quoique les bulles soient de calibre moyen. Un Vouvray plaisant et abordable pour des apéritifs gourmands.

Les maisons
DE FRANCE, la Vallée du Rhône

JAILLANCE

Cette coopérative a vu le jour en 1950. Elle s'est depuis développée partout en France où l'effervescence est possible, en Aquitaine, dans la Loire et en Bourgogne. 225 viticulteurs couvrant plus de 1 000 hectares dans l'hexagone permettent une commercialisation annuelle de 8 millions de bouteilles. Il faut noter l'engagement biologique au niveau de la viticulture puisque 12 % des surfaces exploitées par Jaillance ont été converties.

www.jaillance.com
Lieu : avenue de la Clairette – BP 79 – 26150 Die
Téléphone : 04 75 22 30 00

Cuvée Pur Muscat (Organic) Clairette de Die

15/20 ▮ ▮ ▮▮ ▭ ▰▰ 🇨🇭 IP
★★⌣

Nez très aromatique de pommes confites, d'abricots secs, immédiatement accentué en bouche par une effervescence appuyée, collante que les bulles très fines et vives n'arrivent pas à rafraîchir. La dégustation est toutefois très agréable, très digeste et appétissante.

Cuvée Pur Clairette (Organic) Brut – Clairette de Die

16/20 ▮ ▮ ▮▮ ▭ ▰▰ 🇨🇭 IP
★★★

Nez de raisins blancs, de pommes brunes, attaque ferme et fraîche, volume en bouche léger illustré par une effervescence soyeuse et légère. Voici un effervescent parfumé, rafraîchissant, bien construit de l'attaque à la finale.

Cuvée Tradition – Clairette de Die

16/20 ■ ▌ ■ ▌ ▌ ══ ▪▪ ✚ IP

★★★

Très sèche en bouche, rafraîchissante et florale dans les arômes, cette clairette présente une effervescence aérienne aux bulles gonflées qui mènent à une fine amertume de peau de pommes brunes en finale de dégustation, ce qui la rend à la fois originale, sérieuse et de bonne tenue. L'apéritif tendrement sucré idéal.

Cuvée Brut – Crémant de Die

16/20 ■ ▌ ■ ▌ ▌ ══ ▪▪ ✚ IP

★★★

À base de clairette, d'aligoté et de muscat à petits grains, ce vin dégage un fruité très pur et curieusement mono-aromatique, très axé sur la pomme, tandis que les notes muscatées se font discrètes. Plus rond qu'habituellement en bouche, il a gardé son amertume à l'attaque qui le rend original et sec, sans être mordant. Le dosage n'est pas appuyé, il n'occulte pas le fruité général, ce vin mousseux excellera à l'apéritif.

Cuvée Blanche – Icône 2009
Clairette de Die

15/20 ▮ ▮ ▮▮ ═ ▪▪ ➕ IP

★★★

Nez discret axé sur les fleurs et les fruits secs, puis sur des notes de tisane à l'aération. L'attaque est très fruitée (muscatée) sans être lourde, l'ensemble est fin, agréable et frais. Les bulles sont menues et paquetées, l'effervescence est soignée, c'est un très bel apéritif pour amateur de vin au contour sucré.

Cuvée Impériale – Tradition
Clairette de Die

15/20 ▮ ▮ ▮▮ ═ ▪▪ ➕

★★★

Ce vin est aussi bon qu'abordable, exotique et original dans ses arômes (rose, litchi, abricots secs, pêches), à la fois sensuel et délicat dans le comportement de sa mousse, tout est suave et pénétrant, sans être lourd. Quelques notes de thé se laissent saisir en finale de dégustation, soutenues par une sucrosité naturelle digeste. Le parfait apéritif qu'on pourra prendre avec du foie gras.

12.8

Les maisons

DE FRANCE, le Sud-Ouest

DOMAINE DE TRES CANTOUS

Ce domaine est celui de la famille Plageoles. Doit-on encore présenter Robert Plageoles ? À plus de 70 ans, ce vigneron est tout à la fois archéologue, historien, climatologue et ampélographe. Grâce à lui, le vignoble de Gaillac redevient populaire. Son fils Bernard assure aujourd'hui l'avenir du vignoble.

Lieu : 81140 Cahuzac sur Vere
Téléphone : 05 63 33 90 40

Cuvée Mauzac Nature « Quand Même »
Vin de table de France

15/20 ▮ ▮ ▮▮ ▮ ═ ▪▪ ✚ IP

★★⌐

🐷

Tout est léger, mais précis et court dans ce vin. Les flaveurs de pommes et d'estragon parsèment une mousse subtile, aérienne, vaporeuse. L'ensemble est comme une douce caresse, parfait pour l'apéritif ou un dessert pâtissier peu sucré.

13

Les maisons
DE GRÈCE

C.A.I.R

Sans doute la marque la plus connue en Grèce en matière d'effervescence. Cette coopérative créée à la fin des années 1920 sur l'île de Rhodes présente une grande panoplie de vins dont 5 mousseux. Trois d'entre eux sont élaborés selon la méthode traditionnelle.

www.cair.gr
Lieu : 2nd klm. Rhodes-Lindos 85100 Rhodes
Téléphone : 30 22410 68770

Cuvée C.A.I.R – Brut

14/20 ▐ ▐ ▐▐ ══ ▪▪ 🇨🇭 IP

★★

🐷

À base du cépage athiri, ce mousseux présente des arômes floraux, puis de fruits secs au sein d'une effervescence légère et aérienne. Peu complexe, rafraîchissant, c'est un vin original à essayer sur une salade de poulet.

TSELEPOS

40 hectares en propriété et 20 hectares de raisins achetés aux vignerons voisins permettent à ce domaine, établi en 1989, d'élaborer autour de 360 000 bouteilles par année, dont un vin effervescent intéressant.

www.tselepos.gr
Lieu :14th klm. Tripolis - Kastri Road GR 22012, Arcadia
Téléphone : 30 2710 544440

Cuvée Amalia – Brut – Méthode Traditionnelle

15/20 ▐ ▐ ▐▐ ══ ▪▪ 🇨🇭 IP

★★★

🐷

Élaboré à base de mosco folero, le nez est net et muscaté, l'attaque en bouche se montre sur un dosage sensible qu'une effervescence aux bulles de calibre moyen vient rafraîchir. Une petite pointe d'amertume en finale lui apporte du mordant, c'est un vin effervescent qui convient parfaitement à l'apéritif

14

Les maisons

DE HONGRIE

GRAN HUNGARIA
TÖRLEY

Productrice et distributrice de plusieurs marques hongroises (Hungarovin, BB, Hungaria, Walton, François), allemandes et françaises, cette marque a été fondée par Joseph Törley en 1882. Toutes les méthodes de vinification effervescente sont employées. La gamme des vins est particulièrement vaste et complète.

Lieu : 1222 Budapest, Háros u. 2-6.
Téléphone : 06 1 424 2500

Cuvée Törley – Chardonnay
Méthode Traditionnelle

14/20 ▉ ▎ ▊▊ ══ ▪▪ ✚ IP

★★

Des arômes de fruits secs mélangés (comme ceux vendus pour l'apéritif) se dévoilent, on les retrouve en bouche au cœur d'une mousse abondante aux bulles fines, éparses, plus tapissantes qu'enveloppantes. Les flaveurs sont à la fois exotiques (bananes, ananas) et amyliques (eau-de-vie de céréales), le dosage est sensible, notamment en finale où il caramélise des notes grillées. C'est un vin qui peut convenir en entrée, sur un feuilleté de jambon et de fromage, par exemple.

Cuvée Gran Hungaria – Brut

14/20 ▉ ▎ ▊▊ ══ ▪▪ ✚ IP

★★

Les premières notes sont florales, puis, à l'aération, on perçoit des accents d'abricot sec. Dans ce vin sec et ferme en bouche, les bulles sont moyennes, elles forment un beau volume qui s'allonge sans perdurer. La finale est très légèrement briochée, mais on garde davantage le souvenir de zestes d'agrumes et de fraîcheur. Impeccable pour l'apéritif.

Les maisons

D'ITALIE, en Émilie-Romagne

PODERE CASTORANI
(VOIR AUSSI EN VÉNÉTIE)

Le succès commercial des vins élaborés par ce domaine a été aussi rapide que son propriétaire, le pilote de F1, Jarno Trulli. Fils de vigneron, cet athlète a su particulièrement bien s'entourer pour faire rayonner les vins tranquilles du domaine émilien répertorié depuis 1793, et aujourd'hui spécialisé en culture agrobiologique. Les vins tranquilles comme les vins effervescents sont toujours de très haute qualité. Jarno Trulli a cédé son volant en 2012 pour se consacrer définitivement à ses propriétés viticoles.

www.poderecastorani.it

Cuvée Amarcord – Lambrusco di Sorbara Amabile

15/20 ■ ■ ■■ ══ ▪▪ ✚ IP

★★✦

Légèrement vineux au premier nez, quelques notes de noyaux de cerises se laissent détecter, puis une pointe de poussières à l'aération, c'est un vin qui reste sec en bouche pour un vin dans la catégorie « amabile » et c'est ce qui lui apporte de la fraîcheur et du mordant. Les bulles sont un peu effacées et fugaces, plus « frizzante » que « spumante ». Il est recommandé de le boire bien frais.

15.2

Les maisons
D'ITALIE, en Lombardie

BELLAVISTA

La maison Bellavista représente la perle viticole du Groupe Terra Moretti ainsi que de l'appellation tout entière. C'est en 1977 que Vittorio Moretti décide d'élaborer un grand vin mousseux lombard. Plus de 3 décennies plus tard, force est de constater que ses efforts et ceux de son œnologue Mattia Vezzola ont permis de porter l'appellation au sommet de l'effervescence dans le monde. Toutes les cuvées Bellavista sélectionnées pour ce guide ont été dégustées en avril 2011 à Erbusco.

www.bellavistasrl.it
Lieu : Via Bellavista, 5 – 25030 Erbusco BS
Téléphone : 39 030 7762000

Cuvée Brut

16/20 ■■ ■ ■■ ▬ ▬ ▪▪ ▪▪ ✚

★★★

Tout est discret au nez et comparativement à la même cuvée dégorgée en 2009 et sélectionnée dans le précédent guide, celle-ci offre immédiatement des notes florales et pâtissières de tarte amandine sans passer par les habituels accents anisés. Le volume en bouche est léger, l'effervescence est vaporeuse, toutefois, la texture est ronde, le style satiné de la maison est reconnaissable. Après quelques minutes dans le verre, le vin révèle l'élevage sous bois d'une partie des crus assemblés. C'est un vin très frais, peu tendu, exactement comme le désire Mattia Vezzola, son vinificateur : rond, parfumé, prêt à boire.

Cuvée Gran Cuvée Saten – Brut

16/20 ■■ ■ ■■ ▬ ▬ ▪▪ ▪▪ ✚

★★★

Enveloppantes et riches, les flaveurs sont toutes aussi multiples que délicates, elles rappellent davantage un bouquet de fleurs qu'une salade de fruits blancs, plus fréquentes à l'attaque sur cette cuvée. Le fruité se révèle après que le vin aura été attendu une bonne vingtaine de minutes dans le verre. Saten signifiant une pression de moins de 6 bars, l'effervescence est crémeuse, abondante et fine. C'est un vin blanc charmeur et charnel.

Cuvée Gran Cuvée Pas Opéré 2005 Dégorgement 2010

17/20 ▮ ▮ ▮▮ ══ ▪▪ 🇨🇭 IP

★★★↗

🐷 🐷 🐷

Sec et ferme dans l'attaque, axé sur les agrumes au nez comme en bouche, le millésime apporte ici la rondeur nécessaire comparativement au 2004, plus tranchant, sans doute plus endurant aussi. Ce vin plaira aux amateurs de vin pur et droit, tout en reconnaissant l'ampleur de la texture Bellavista.

Cuvée Gran Cuvée 2005 – Brut

17/20 ▮ ▮ ▮▮ ══ ▪▪ 🇨🇭 IP

★★★↗

🐷 🐷 🐷

Nez profond et net d'agrumes confits, voire d'écorces d'oranges et, curieusement, c'est à l'aération qu'on y perçoit des notes de fenouil. L'attaque en bouche est plus ferme que sur les autres cuvées, mais l'on reconnaît l'onctuosité des vins Bellavista dans le comportement de la texture. Élégant et aérien, c'est un grand effervescent pour apéritif luxueux ou une entrée de poisson délicat.

Cuvée Gran Cuvée 2006 – Brut

18/20 ▮ ▮ ▮▮ ══ ▪▪ 🇨🇭 IP

★★★★

🐷 🐷 🐷

Nez de fruits secs (amandes, raisins), de vanille et de noix de coco, réellement charmeur. Bulles moyennes dans une texture veloutée qui expriment encore la jeunesse de ce vin, pourtant déjà superbe. Le volume est encore gonflé en bouche, il devrait se rétrécir d'ici 3 ans. La finale est axée sur des notes pâtissières de macarons et de tarte amandine, on est véritablement dans ce qui se fait de meilleur en matière de vin effervescent dans le monde.

Cuvée Gran Cuvée – Rosé 2004
Dégorgement 2008 – Brut

17/20 ▌▐ ▌▌ ══ ▌▌ ✚ IP

★★★★

🐷 🐷 🐷

Un vin qui arrive à maturité, qui présente des arômes de fruits rouges légèrement cuits, de pamplemousse confit et de noisettes grillées. L'effervescence est soyeuse, enveloppante et longue, elle distille un soupçon de notes boisées. La texture porte l'empreinte du temps, elle est dense, pleine, nourrissante sans être lourde, elle conviendra sur un plat de poisson gras et sa cuisson en grillade rehaussera les légères saveurs fumées qui pointent en finale de la dégustation. Un excellent mousseux rosé à boire aujourd'hui.

Cuvée Gran Cuvée – Rosé 2006
Dégorgement 2010 – Brut

16/20 ▌▐ ▌▌ ══ ▌▌ ✚ IP

★★★

🐷 🐷 🐷

Nez discret de groseilles, de framboises et curieusement de noisettes après 20 minutes dans le verre. L'effervescence est vaporeuse, moins pleine que sur le millésime 2005. Elle signe, certes, le style de Bellavista, toutefois l'ensemble est plus léger, moins ferme, voire moins aromatique que le précédent millésime. C'est un vin rosé qui se comporte comme un vin blanc; j'aurais aimé y trouver plus d'ossature. Il est prêt à boire.

Cuvée Vittorio Moretti – 2004 Extra-Brut – Dégorgé en 2010

19/20 ▌▌▐▌ ═ ▪▪ 🇨🇭
★★★★✦

🐷 🐷 🐷

Issu des meilleurs crus de Franciacorta (Erbusco, Nigoline, Torbiato et Colombaro), ce vin qu'on a judicieusement laissé mûrir 7 ans pour sa prise de mousse offre une suavité exceptionnelle en bouche. Le cappuccino en moins, mais le boisé plus sensible, on retrouve exactement les mêmes arômes, très subtils, que sur le précédent millésime : fruits secs, oranges confites, miel et amandes. Le volume est encore vaporeux, la texture a gardé une fermeté de jeunesse, les années de garde vont lui apporter plus de compacité. Ce vin séduit davantage aujourd'hui par ses arômes – notamment un boisé très fin - que par son comportement en bouche, il faut absolument le placer sur les clayettes, car il sera assurément parmi les meilleures cuvées Bellavista vers 2016.

Cuvée Gran Cuvée Pas Opéré 2003 Dégorgement 2009

17/20 ▌▌▐▌ ═ ▪▪ 🇨🇭 IP
★★★✦

🐷 🐷 🐷

La particularité de ce vin, issu de chardonnay (65 %) et de pinot noir, est que 40 % des vins assemblés a fermenté en fût de chêne. À la suite du tirage, il a profité de 5 années en cave avant de subir son dégorgement. À l'analyse olfactive, on est dans un paysage de garrigue, très méditerranéen, où l'anis côtoie la verveine, le tilleul. En bouche, la vanille apportée par la futaille développe une rondeur exemplaire, soutenue par des perles qui tapissent les papilles. Des notes de sous-bois (autolyse), de fruits à chair jaune très mûrs, voire cuits et de nougat s'entremêlent en finale, longue et savoureuse. On tutoie la perfection dans l'univers mondial de l'effervescence non champenoise.

BERLUCCHI

Cette compagnie va bientôt fêter ses 60 ans. Elle est devenue incontournable en matière d'effervescence italienne, notamment en ce qui concerne le Franciacorta dont 90 hectares en propriété apportent l'essentiel.

www.berlucchi.it
Lieu : Piazza Duranti 4 – 25040 Fraz. Borgonato di Corte
Franca, Brescia
Téléphone : 0309 84381

Cuvée Impériale Brut

15/20 ▮ ▮ ▮▮ ▬ ▪▪ ➕ IP

★★☆

🐷 🐷

Un effervescent tendrement et discrètement brioché au nez, toutefois plus axé sur les agrumes une fois en bouche. Les bulles sont de calibre moyen, l'effervescence est aérienne, elle ouvre l'appétit. Simple et abordable

Cuvée Brut Max Rosé Chardonnay Pinot Nero

16/20 ▮ ▮ ▮▮ ▭ ▪▪ 🇨🇭 IP

★★★

🐷 🐷 🐷

Avec un fruité rouge (fraises, cerises) au nez comme en bouche et un soupçon de notes de mandarines qu'on retrouve en finale, cet effervescent se distingue aussi par une onctuosité de bulles foisonnantes, quoique fugaces. Le pinot couvre le chardonnay, il permet un accord à table plutôt que le simple apéritif. Pizza à la puttanesca ?

BOSIO

Disposant d'une trentaine d'hectares, la famille Bosio offre une gamme complète de vins effervescents depuis les années 1990.

www.bosiofranciacorta.it
Lieu : Via Mario Gatti 25040 Timoline di Corte Franca
Téléphone : 39 030 984398

Cuvée Brut

14/20 ▮ ▮ ▮▮ ▭ ▪▪ 🇨🇭 IP

★★

🐷 🐷

Vin floral et tendu, jeune dans son expression et ses arômes orientés vers les levures, les fleurs et les fruits acidulés (tilleul, citron). Les bulles sont moyennes, abondantes, en harmonie avec la fraîcheur de l'ensemble. Un vin d'apéritit.

Cuvée Satèn

15/20 ▮ ▮ ▮▮ ▭ ▪▪ 🇨🇭 IP

★★★

🐷 🐷 🐷

Arômes discrets de fleurs blanches, de crème pâtissière, qui, une fois le vin en bouche, se font plus charmeurs, plus exotiques dans une effervescence nouée, nerveuse, puis fugace en finale. À la fois tendue et délicate, cette cuvée peut se prêter à une entrée de fruits de mer.

CA'DEL BOSCO

C'est dans les années 1960 que Maurizio Zanella entama son aventure dans le Bosco. Après avoir fréquenté la Faculté agricole de l'Université catholique de Piacenza, il a approfondi ses connaissances pendant deux ans en France, à la Station œnologique de Bourgogne et à l'Université d'œnologie de Bordeaux. Quatre décennies plus tard, ses vins sont classés parmi les meilleurs vins effervescents d'Italie, voire du monde.

www.cadelbosco.com
Lieu : Via Case Sparse, 20 – 25030 Erbusco (BS) Téléphone : Téléphone : 030 7766111

Cuvée Brut – Prestige

16/20 ▮ ▮ ▮▮ ▭ ▰▰ ✚ IP
★★★

🐷 🐷

Les parfums qui se dégagent de ce vin sont particulièrement séduisants et attractifs. On perçoit ceux de la noix de coco, du pain au lait, tout est doux, feutré. La même impression se dégage en bouche, illustrée par les bulles serrées qui caressent le palais et diffusent des notes de prunes. C'est un vin tendre dans le bon sens du terme, car il n'est pas mou et reste sec. Sa nervosité est dans le frisson qu'il laisse en fin de parcours. Délicat, surprenant, féminin, un apéritif d'amoureux.

Cuvée Brut – Prestige Rosé

16/20 ▮ ▮ ▮▮ ▭ ▰▰ ✚ IP
★★★

🐷 🐷

Ce sont sans aucun doute les 2 années et demi d'élevage pour la prise de mousse de ce vin qui font son excellence et surtout, la constance de ses caractéristiques : à la fois ferme, aromatique (dominance du pinot) et tendu (chardonnay séparé lors de la vinification), conjugué à une effervescence endurante et menue. Floral d'abord, on aborde progressivement des arômes de cerises, puis de fumée, au sein d'une belle tenue en bouche où rien ne fuit. Un grand vin mousseux rosé.

Cuvée Dosage Zéro 2005

17/20 ▮ ▮ ▮▮ ▮ ═ ▪▪ ▪ ➕ IP
★★★✦

🐷 🐷 🐷

C'est sans aucun doute le quart de pinot blanc utilisé dans cette cuvée qui apporte de la rondeur à un ensemble tranchant que le temps, aujourd'hui, a fini par patiner. Les 4 années d'élevage sur lie apportant une finesse exemplaire de l'effervescence. Ce vin, qui rayonnait encore par des accents floraux en 2011, se montre aujourd'hui sur les fruits presque exotiques, des notes de miel et d'amandes grillées. On perçoit un fin rancio en finale, en parfaite harmonie avec la texture dense et riche qu'on acoquinera à table, par exemple, à un filet de bar rayé en sauce hollandaise.

CASTELVEDER

Depuis 1975, ce domaine familial produit autour de 80 000 bouteilles par année, se tournant davantage vers les vins effervescents que vers les vins tranquilles de l'appellation.

www.castelveder.it
Lieu : Via Belvedere, 4 Monticelli Brusati
Téléphone : 03 06 52 308

Cuvée Brut

16/20 ▮ ▮ ▮▮ ▮ ═ ▪▪ ▪ ➕ IP
★★★

🐷 🐷

100 % de chardonnay expressif et charmeur, où la blondeur règne tant dans la couleur que dans les arômes (toast, pomme jaune, beurre léger). Il est riche dans sa texture grâce à une effervescence aux bulles menues, foisonnantes, toutefois fugaces. C'est un très bon franciacorta plus chaleureux qu'élégant.

CONTADI CASTALDI

L'autre belle maison du Groupe Terra Moretti, fondée par Vittorio Moretti en 1991, est aujourd'hui conduite par Mario Falcetti.

www.contadicastaldi.it
Lieu : Via Colzano, 32 – Fornace Biasca – 25030 Adro (BS)
Téléphone : 030 7450126

Cuvée Zéro

15/20 ▮ ▮ ▮▮ ═ ▪▪ ➕ IP

★★⌐

🐷 🐷

Pure, très naturelle, cette cuvée est tranchante et présente des notes de citron, d'infusion de camomille, d'herbes coupées. Les bulles sont fines, cependant fugaces, elles répondent au style léger, désaltérant, minéral. Quelques années en cave après son achat devraient lui apporter de la rondeur et des arômes plus laiteux, plus enveloppants.

COSTARIPA

Domaine créé en 1936 par le grand-père de Mattia Vezzola, l'actuel chef de cave de la maison Bellavista, les 40 hectares offrent surtout un vin rosé tranquille reconnu localement. Les vins effervescents sont des Vino Spumante, car le domaine est sur le lac de Garde et ne peut accéder à l'appellation Franciacorta. On reconnaît toutefois l'approche Vezzola à travers de subtiles notes boisées qui parcourent chaque cuvée élaborée. Un domaine que se doivent de découvrir tous les amateurs de bulles de qualité.

www.costaripa.it
Lieu : Via della Costa n. 1/A – 25080 Moniga del Garda - Brescia
Téléphone : 39 0365 502010

Cuvée Brut – Metodo Classico – 2004

17/20 ▮ ▮ ▮▮ ▬ ▪▪ ✚ IP

★★★★

Nez boisé, très légèrement fumé, couronnant des notes de pommes mûres qu'on saisit dès l'attaque en bouche au sein d'une texture compacte et grasse qu'une pointe d'amertume vient parcourir. Celle-ci apporte du corps à l'ensemble de la dégustation dont la finale encore pointue signe l'excellence du millésime qui permet assurément de laisser cette cuvée sur les clayettes du cellier jusque 2015. Une très agréable surprise.

Cuvée Brut Rosé

16/20 ▮ ▮ ▮▮ ▬ ▪▪ ✚ IP

★★★

Nez léger de fenouil, puis de fruits rouges très mûrs (groseilles, cerises, framboises) effacés par un joli boisé dès qu'on aère le verre. Une belle fermeté de texture se présente en bouche, l'acidité est marquée, elle apporte de la fraîcheur sans occulter la pureté du fruit. C'est un très bon mousseux rosé qui causerait bien des surprises dans une dégustation anonyme réunissant des vins de même catégorie.

VILLA CRESPIA

Marque de franciacorta fondée en 2005 et appartenant au groupe italien Arcipelago Muratori, elle jouit de l'apport des raisins de vignerons répartis sur une soixantaine d'hectares autour du village d'Adro.

www.arcipelagomuratori.it
Lieu : Via Valli 31 Adro – Brescia 25030
Téléphone : 39 030 7451051

Cuvée Miolo Villa Crespia – Brut

15/20 ▓ ▓ ▓▓ ═ ▪▪ ✚ IP

★★✦

Nez très discret de fruits blancs confits, de poire et de guimauve vanillée. Attaque fraîche, peu minérale, précédant une texture veloutée aux bulles de calibre moyen. On retrouve des arômes d'agrumes couronnés par une acidité enveloppante, accentuée en finale. Dégustée 3 jours plus tard, à mi-bouteille déjà ouverte, le vin s'est montré meilleur, plus charmeur, logiquement plus frizzante que spumante. Faites l'essai sans crainte, le vin sera toujours aussi effervescent et délicieux.

MAJOLINI

Basé sur la commune de Ome, au cœur de l'appellation Francia-corta depuis le XVᵉ siècle, la famille Majolini se consacre à la viti-culture depuis les années 1960. Toutefois, c'est au milieu des années 1990 qu'elle investit dans de nouveaux chais afin de se consacrer à l'élaboration de Franciacorta de haut de gamme.

www.majolini.it
Lieu : Via Manzoni 3-25050 Ome - Brescia
Téléphone : 39 030 6527378

Cuvée Brut
16/20 ■ ■ ■ ■ ══ ▪▪ ✚ IP
★★★

🐷 🐷

Le chardonnay est très présent à travers des arômes d'agrumes confits qu'on décèle nettement au nez puis qu'on retrouve dès l'attaque en bouche. Les bulles sont très fines et soignées, elles apportent une texture satinée dans un volume toutefois peu imposant, voire fuyant. La finale légèrement amère apporte une heureuse intensité où s'entremêlent des notes de noyaux de cerise et de pêche. Original et bien construit.

MIRABELLA

Fondée en 1979, cette marque dispose de 50 hectares de vignes dont 40 hectares utilisés exclusivement pour les vins effervescents. Ces vignes appartiennent en fait à plusieurs propriétaires qui ont décidé de s'associer et de créer une seule et même entreprise.

www.mirabellavini.it
Lieu : Via Cantarane, 2 – 25050 Rodengo Saiano (BS)
Téléphone : 030 611197

Cuvée Demetra Brut

15/20 ▮ ▮ ▮▮ ▬ ▪▪ ✚ IP
★★⟩

🐷 🐷

Son dosage est le moins élevé des autres cuvées de la marque,
le pinot blanc apporte suffisamment de fruité et complète la finesse
du chardonnay. Notes de poires et d'herbes fraîches au nez
qu'on retrouve en bouche avec un soupçon de fruits tropicaux.
L'enveloppe suave (mousse fine) équilibre la tension générale
de ce vin presque trop sec. Les amateurs de pureté apprécieront.

MONTE DELMA

La Tenuta Monte Delma dispose de vignes de chardonnay, de
pinot blanc et de pinot noir qu'administre Piero Berardi. Elle est
située dans le village médiéval de Vaenzano.

www.montedelma.it
Lieu : Via Valenzano, 23 – 25050 Passirano (Valenzano)
Brescia – Italia
Téléphone : 030 6546161

Cuvée Brut

16/20 ▮ ▮ ▮▮ ▬ ▪▪ ✚ IP
★★★

🐷 🐷

Un chardonnay corsé, renforcé par un maigre apport des pinots
noirs et blancs, crémeux et persistant, qui développe des notes
de baguette au nez comme en bouche. La sensation grenue de la
texture, agrémentée d'arômes de foin et de fruits cuits, apportent
un caractère vineux et authentique. Excellent Franciacorta.

MONTENISA

Issu de la réunion des Antinori et des Maggi depuis 1999, ce domaine, dont les fondements existent depuis le XVIᵉ siècle, offre aujourd'hui une jeune et modeste palette de cuvées effervescentes déjà bien abouties.

www.montenisa.it
Lieu : Tenuta Montenisa Via Paolo VI, 62 – 25046 Cazzago San Martino (BS)
Téléphone : 39 030 7750838

Cuvée Montenisa Brut

15/20 ∎ ∎ ∎∎ ═ ▪▪ ✚

★★⭒

🐖 🐖

Le volume en bouche est léger, la texture persiste grâce à des bulles fines et tapissantes, c'est un vin surtout axé sur des notes de fruits blancs (agrumes, pommes) après quelques accents de levures. Peu toasté, peu complexe, un élevage plus conséquent pour la prise de mousse aurait pu lui apporter davantage de matière et de parfums. La distinction ayant été préférée à la corpulence, je préconise cette cuvée avant le repas.

Cuvée Montenisa Brut Rosé

16/20 ∎ ∎ ∎∎ ═ ▪▪ ✚

★★★

🐖 🐖

Un contraste très net avec la cuvée Brut non rosée de la même maison, car celle-ci s'impose immédiatement, dès l'attaque, par une expression fruitée et ferme, guidée par des notes de groseilles et de noyaux de fruits. L'effervescence est nouée, tissée, très réussie, en parfaite union avec la tension qui file jusqu'en finale. La signature de la maison s'exprime aussi : sobre, gracile et épanouie. Une belle dégustation.

Cuvée Montenisa – Dizero Brut

16/20 ▮ ▮ ▮▮ ▬ ▪▪ ✚

★★★

🐷 🐷

Un blanc de blancs tranchant à l'attaque en bouche qui se fait toutefois rapidement onctueux grâce à une effervescence réussie, crémeuse et surtout longue. Longueur par ailleurs apportée par un dosage sensible qui ne couvre pas les arômes de fenouil, d'agrumes et de biscuits sablés. De longueur estimable, ce vin peut facilement accompagner un plat de poisson gras à table.

QUADRA

Quadra est la marque de l'Azienda Marzaghette Colombaie, un domaine de 42 hectares situé au sud du lac d'Iseo. Propriété de la famille Ghezzi, elle dispose notamment d'un magnifique restaurant dont la gastronomie est évidemment harmonisée aux vins locaux, secs (Terre Franciacorta) et mousseux.

www.quadrafranciacorta.it
Lieu : Via S. Eusebio, 1 – 25033 Cologne (BS)
Téléphone : 030 7157314

Cuvée Brut

15/20 ▮ ▮ ▮▮ ▬ ▪▪ ✚ IP

★★★

🐷 🐷

Incisive, axée sur les agrumes au nez, cette cuvée apparaît très minérale, très fraîche. Elle présente d'abord des flaveurs herbacées puis, après la sensation de l'effervescence, aux bulles assez fines mais fuyantes, ce sont des flaveurs de fruits exotiques qui sont perçues. L'ensemble est harmonieux et léger. Il convient pour un apéritif.

15.3

Les maisons

D'ITALIE, en Ombrie

LA PALAZZOLA

Un domaine guidé par Stephano Grilli qui jouit de 18 hectares de vignes en propriété et de l'apport de raisins d'autres vignerons locaux pour sortir annuellement autour de 70 000 bouteilles dont quelques-unes sont consacrées à l'effervescence de grande qualité.

www.lapalazzola.it
Lieu : Vocabolo Vascigliano, 45 05039 Stroncone
Téléphone : 39 0744 609091

Cuvée Chardonnay 2000 – Brut
Dégorgé en 2005
Vino Spumante di Qualita

16/20 ▮ ▮ ▮▮ ▬ ▪▪  IP

★★★

Avec un nez légèrement boisé et de champignons, rehaussé de notes d'herbes et de pain blond, ce vin étonne par son intensité aromatique au nez comme en bouche. Il présente des bulles fines, onctueuses, qui forment une texture savoureuse avec une curieuse note rustique et amère en finale qui lui donne cependant beaucoup d'originalité. Une heureuse surprise.

15.4

Les maisons
D'ITALIE, en Piémont

CANTINE GANCIA

La maison a été fondée par Carlo Gancia au milieu du XIXe siècle. Cet homme est l'inventeur de l'Asti effervescent. Ses descendants, représentant la cinquième génération, sont toujours à sa tête. L'histoire de cette maison se confond avec celle de l'effervescence en Italie et de la publicité artistique dans l'univers du vin européen. Son musée en est d'ailleurs très révélateur.

www.gancia.it
Lieu : Corso Libertà, 66 – 14053 Canelli (Asti)
Téléphone : 39 0141 8301

Cantine Gancia – Mondonovo 2009 – Asti

15/20 ▮▮ ▮▮ ▬ ▪▪ ✚

★★✦

🐷

À la fois classique et parfumée au nez (abricot, vanille, noix de coco, amandes), muscatée forcément, cette cuvée est à la fois expressive et aérienne, les bulles sont délicates, fugaces en finale. Un apéritif sucré et frais ou un vin de dessert au choix.

CASTELLO DEL POGGIO

Autrefois résidence de la famille Bunéis, elle est aujourd'hui l'une des propriétés du groupe Zonin dans la province d'Asti. Elle bénéficie des raisins des communes de Portacomaro et Costigliole d'Asti.

www.casteldipoggio.it
Lieu : Via Borgolecco, 9 36053 Gambellara Vicenza
Téléphone : 39 0444 640111

Cuvée Brachetto – Rosé Doux

15/20 ▮ ▮ ▮▮ ═ ▪▪ ✚ IP

★★★

Le nez est discret, mais l'attaque en bouche est très expressive et orientée vers des arômes de cerises, de fraises et de framboises. Le dosage est certes élevé, mais il ne gêne pas la fraîcheur de l'ensemble. Les bulles ne collent pas, elles illustrent une effervescence crémeuse, presque aérienne si l'on sait prendre ce vin rosé sucré à bonne température, c'est-à-dire autour de 7 degrés.

FONTANAFREDDA

La maison est surtout connue pour ses vins rouges des appellations piémontaises, toutefois, elle élabore des vins effervescents intéressants, notamment issus de l'Alta Langa, élevé au rang de DOCG en février 2011.

www.fontanafredda.it
Lieu : Via Alba, 15 – 12050 Serralunga d'Alba (CN)
Téléphone : 0173 626 111

Cuvée Contessa Rosa – Pas Dosé Alta Langa

16/20 ▮ ▮ ▮▮ ▬ ▪▪ ✚ IP

★★★

🐷 🐷

Vif, presque mordant à l'attaque, habillé d'arômes de tisane au citron, de bergamote et de pomme, ce mousseux se fait plus caressant une fois en bouche grâce à l'onctuosité de son effervescence construite par de fines bulles, nouées et persistantes. Les parfums rappellent alors les fleurs, puis les pâtisseries à base de crème, la finale est gourmande et aimable. C'est un mousseux qu'il faut aérer afin qu'il s'offre avantageusement, on peut alors l'essayer sur une entrée froide de crevettes avec pamplemousse et avocat.

LA SPINETTA

Fondée en 1977, cette exploitation d'une centaine d'hectares est dirigée par la famille Rivetti qui élabore la plupart des appellations locales. La famille dispose aussi d'une propriété en Toscane, dont l'huile d'olive est splendide.

www.la-spinetta.com
Lieu : Via Annunziata 17 – 14054 Castagnole Lanze
Téléphone : 39 0173 262291

Cuvée La Spinetta 2011 – Bricco Quaglia Moscato d'Asti

16/20 ▋ ▋ ▋▋ ▬ ▬ ▪▪ ✚

★★★

🐷

Bricco Quaglia est le nom de la parcelle d'où est issu le muscat. Quels que soient les millésimes, c'est sa légèreté et ses parfums qui séduisent (poires chaudes, melons, abricots, roses). Ce vin est juste assez perlant pour exciter les papilles et juste assez sucré pour qu'on se permette plusieurs verres, sans craindre les excès de calories !

MICHELE CHIARLO

Cette maison a été fondée en 1956 à Calamandrana par Michele Chiarlo. Le vignoble est passé de 5 hectares de vignes dans le Monferrato à plus de 60 hectares de vignes, parsemés dans les différentes zones des appellations piémontaises (Canubi, Cerequio, Rovereto, Calosso, etc.). Si Michele Chiarlo est reconnu dans le monde entier pour ses vins secs rouges, ses vins effervescents, méconnus, sont aussi parmi les meilleurs du Piémont.

www.chiarlo.it
Lieu : Strada Nizza – Canelli 14042 Calamandrana (Asti), Italy
Téléphone : 39 0141 769030

Cuvée Nivole – Moscato d'Asti
16/20 ■ ■ ■■ ══ ▪▪ ✚

★★★

🐖 🐖

Ce vin contient 7 % d'alcool qui facilite la consommation à toute heure de la journée lorsqu'on désire plonger dans un bain de pêches, de miel, de melon et de coings. On embarque pour les champs méditerranéens et tous leurs arômes en dégustant ce vin simple et frais, au perlant amusant et excitant. Superbe !

Cuvée Extra-Brut – Metodo Classico
15/20 ■ ■ ■■ ══ ▪▪ ✚ IP

★★★

🐖 🐖

Très fin et iodé en bouche, heureusement biscuité en finale (genre biscuit breton), ce vin présente des bulles vives, rapides, tendues, qui agressent un peu au premier abord. Laissé de côté plusieurs minutes, cet effervescent se montre alors plus charmeur, dégageant aussi une palette d'arômes plus complexe et variée (verveine, céréale, acacia). Un vin qui mériterait d'être plus connu pour égayer les apéritifs d'amateurs de mousse.

15.5

Les maisons

D'ITALIE, en Toscane

CARPINETO

Cette jeune maison toscane (1967) est surtout connue pour ses vins rouges et pourtant elle élabore plusieurs vins effervescents, brut et doux, de belle qualité.

www.carpineto.com
Lieu : Dudda - 50022 Greve in Chianti (FI)
Téléphone : 055 854 90 62

Cuvée Brut Farnito

15/20 ▮ ▮ ▮▮ ═ ▪▪ ✚

★★☆

🐷 🐷

Minérale (terpénique) au nez, cette cuvée où le chardonnay semble presque accompagné de riesling présente une jolie texture suave, faite de bulles fines et nouées qui accompagnent des arômes simples et citronnés. Beau volume en bouche.

15.6

Les maisons
D'ITALIE, en Trentin-Haut-Adige

ENDRIZZI

Un domaine familial dirigé par Paolo Endrici et sa femme Christine, justement fiers d'être assis sur un domaine autrefois cultivé par les moines, avant que des immigrés austro-hongrois – les Endrizzi – s'y installent à la fin du XIXe siècle. La crise phylloxérique passée et la sélection de cépages élaborée (teroldego, lagrein, chardonnay, cabernet), l'arrière-grand-père de Paolo, Francesco Endrici constitua tranquillement son domaine. Modernisé, il offre aujourd'hui toutes les catégories de vins, de grappa, d'huile, de moutardes et même de pâtes !

www.endrizzi.it
Lieu : 38010 S. Michele all'Adige Loc. Masetto (TN)
Téléphone : 0461 650129

Cuvée Brut – 2005 Riserva

16/20 ▇ ▇ ▇▇ ▇▇ ══ 🇨🇭 IP

★★★

🐷 🐷

Une grande fraîcheur émane de ce vin à travers des arômes de bergamote, de fenouil, de fleurs blanches, puis de fruits secs à l'aération. Ce sont ces derniers qu'on décèle en bouche au sein d'une effervescence bien traitée, compacte, presque rigide par le comportement ramassé des bulles. Un Trento solide au contour charmeur.

FERRARI

Giulio Ferrari, un homme passionné par l'effervescence et per-suadé que sa région italienne septentrionale pouvait offrir des vins aussi somptueux que la Champagne, fonde sa maison en 1902. N'ayant pas de descendant, il transmet sa société à Bruno Lunelli en 1952. Ce dernier est déjà vigneron et connaît parfaitement le marché des vins effervescents. Jusqu'en 1969, il va contribuer à la renommée de la maison en modernisant les installations et en diffusant les cuvées à travers le monde. Ses enfants prennent alors la relève en associant les autres marques de vins secs au groupe familial. Camilla Lunelli souligne qu'elle « offre simplement l'Italie à travers des vins italiens de haut de gamme ». Elle a raison.

www.cantineferrari.it
Lieu : Via del Ponte di Ravina, 15 – 38100 Trento, Italia
Téléphone : 39 0461 972311

Cuvée Brut

16/20 ▌ ▌ ▌▌ ▬ ▬ ▪▪ ▪▪ ✚

★★★

🐖 🐖

Avec la même cuvée dans la catégorie Rosé, celle-ci est l'incon-tournable de la maison et se distingue par sa constance de goût et de comportement. Des notes de pain frais derrière une minéralité expressive se laissent d'abord saisir. On les retrouve en bouche au sein d'une effervescence très fine, compacte, riche, impeccable. Les flaveurs sont complexes, levurées, peu enjôleuses (farine de kamut), malgré des accents de banane et de poire en finale. Le dosage est parfait, c'est un vin effervescent sec très agréable, digne d'un champagne.

Cuvée Rosé – Brut

16/20 ▌ ▌ ▐ ▌ ═ ▪▪ ■ IP

★★★

🐷 🐷

D'abord discrètement floral au nez, ce vin s'ouvre de façon tout aussi délicate sur des notes de fruits rouges des bois (fraises, groseilles). D'une finesse étonnante pour ce qui est des bulles vives et persistantes, il se montre puissant en bouche (notes d'eau-de-vie de prune), tout en gardant un certain raffinement grâce à sa fraîcheur, sa minéralité. Un aspect épicé en finale lui confère de la complexité. On garde surtout le souvenir d'un parfait équilibre.

Ferrari Perlé Rosé Brut 2005

15/20 ▌ ▌ ▐ ▌ ═ ▪▪ ■

★★☆

🐷 🐷

Les arômes sont plus discrets que sur le millésime 2004, toutefois aussi multiples, mais plus fruités (raisins noirs, groseilles, framboises, cacao) avec cette pointe fumée qui caractérise cette cuvée. L'effervescence est très aérienne, la texture est délicate, c'est un rosé issu d'un millésime délicat qui présente une fraîcheur printanière et une finale juste assez mordante pour ouvrir l'appétit.

Cuvée Perlé Nero Extra-Brut 2004

17/20 ▌ ▌ ▐ ▌ ═ ▪▪ ■ IP

★★★☆

🐷 🐷

Nez expressif et net d'anis et de tilleul – dégusté à l'aveugle, j'ai d'abord cru être en présence d'un pinot noir d'Aÿ – qu'on retrouve dès l'attaque en bouche dans une belle fermeté de texture. L'élégance est ici apportée par l'effervescence qui est conduite à travers des bulles moyennes dans un volume léger. Il a assez de tenue pour être servi à table sur un plat de volaille, par exemple.

Cuvée Reserva Lunelli – Extra-Brut 2004

17/20 ■ ■ ■■ ══ ▪▪ ✚ IP

★★★✦

🐷 🐷 🐷

Le nez est curieusement plus discret que celui des autres cuvées de la maison, on perçoit bien quelques accents floraux, mais c'est en bouche qu'il se montre très expressif. Le chardonnay révèle son passage en futaille à travers des notes subtiles de brioche, de pain au lait, au sein d'une effervescence aux bulles moyennes dans un volume compact qui en fait un vrai vin de repas. Excellent.

Cuvée Giulio Ferrari Riserva del Fondatore Brut 2001

19/20 ■ ■ ■■ ══ ▪▪ ✚

★★★★✦

🐷 🐷 🐷 🐷

Les arômes sont aussi pâtissiers et nets (macarons, croissants) que lors d'une première dégustation pour l'édition 2012, l'aération laisse échapper un joli rancio de « prêt-à-boire ». Le vin présente une belle structure en bouche, toutefois tendre à l'attaque, les flaveurs sont immédiatement torréfiées, elles tournent au sein d'une effervescence tapissante et soyeuse. Une très belle cuvée qui arrivera à maturité avant 2015, le rancio se révélant accentué en finale de dégustation. Les impatients pourront l'apprécier dès aujourd'hui à table sur une entrée chaude de poissons. C'est un très grand vin effervescent européen.

PEDROTTI

La famille Pedrotti a vu évoluer la vigne et les appellations de sa région depuis 1901. Donatella et Chiara Pedrotti, les filles de Paolo, arrière-petit-fils du fondateur Emanuele, perpétuent la tradition depuis 2008 et profitent de leur « grotte », cave creusée dans le roc où dort aujourd'hui la collection de vins effervescents, après y avoir vu passer les troupes armées hongroises lors des conflits armés du XXᵉ siècle.

www.pedrottispumanti.it
Lieu : Via Roma 2 Nomi TN
Téléphone : 0464 835111

Cuvée Rosé 2007

16/20 ▮ ▮ ▮▮ ▭ ▦ ✚ IP

★★★

🐷 🐷

C'est un rosé à la fois tendu, croquant à l'attaque (notes de fraises fraîches, de fleurs blanches) et serré, mi-corsé lorsqu'on l'a en bouche, grâce à une effervescence nouée, crémeuse, et pourtant légèrement tannique et amère en finale. Un mousseux qui a du corps et qui développe les arômes d'un vin élégant et aérien (iode, sorbet au fruits rouges). Original et bien construit.

REVI

Un petit domaine familial fondé en 1982 qui élabore aujourd'hui autour de 12 000 bouteilles par année, issues de pinot noir et de chardonnay. Trois cuvées sont élaborées qui ont la particularité de toujours dormir au moins 30 mois avant leur dégorgement.

www.revispumanti.com
Lieu : Via Florida, 10 38060 Aldeno (TN)
Téléphone : 0461 842557

Cuvée Dosage Zéro
Dégorgement 2010

15/20 ▮ ▮ ▮▮ ▭ ▦ ✚ IP

★★☆

🐷 🐷

Ferme et sec à l'attaque, légèrement incisif, ce vin présente heureusement une effervescence onctueuse et serrée qui apporte un caractère aimable. Le fruité est également vif, axé sur des fruits blancs (pomme, pamplemousse, noisette). C'est un effervescent droit, voire encore austère, qui se prêtera facilement à la cave jusqu'en 2015.

Cuvée Brut – Vin de Base 2006 Dégorgement 2010

15/20 ▮ ▮ ▮▮ ═══ ▪▪ 🔲 IP

★★⌐

🐷 🐷

Malgré la catégorie, le dosage apparaît peu élevé et l'attaque en bouche signe un caractère tranchant qui, toutefois, n'empiète pas sur la pureté du fruit (pomme, citron). Reste une cuvée tendue à l'onctueuse effervescence qui pourtant, ne gomme pas le style un peu rigide. Là aussi, seules quelques années de garde seront bienfaitrices.

ROTARI

Au cœur des Dolomites, l'entreprise Rotari dispose d'une cuverie ultra-moderne où sont élaborées et dorment 8 millions de vins effervescents ! Marque majeure dans le domaine de l'effervescence italienne, elle bénéficie de 2 500 hectares de vignes.

www.rotari.it
Lieu : Via Une Teroldego 38016 - Mezzocorona
Téléphone : 0461 616399

Cuvée Talento – Brut

15/20 ▮ ▮ ▮▮ ═══ ▪▪ 🔲 IP

★★⌐

🐷 🐷

Un effervescent axé sur des notes florales, puis sur les agrumes. Plus vif que brioché en bouche, son effervescence présente des bulles de calibre moyen dans un volume léger quoique accrocheur. Pour un élevage de 24 mois, elle aurait pu se montrer plus nouée. Le dosage n'empiète pas sur le fruité général assez sec. C'est un mousseux agréable et simple, pour apéritifs faciles.

Cuvée 28 – Brut
15/20 ▮ ▮ ▮▮ ▭ ▭▭ ➕ IP
★★☆

🐖 🐖

Vivifiante et accrocheuse, minérale au nez comme en bouche, cette cuvée présente un chardonnay dominant et tendu avec 10 % de pinot noir qui apporte une touche anisée discrète. L'effervescence est plus nouée, plus crémeuse que sur les autres cuvées BSA de la maison. C'est un mousseux à la fois frais et onctueux, plutôt charmeur.

Cuvée Talento Riserva – Brut
16/20 ▮ ▮ ▮▮ ▭ ▭▭ ➕ IP
★★★

🐖 🐖

Pâtissier au nez comme en bouche (frangipane légère, fruits confits, pralines), ce mousseux surprend surtout agréablement par le comportement de son effervescence aussi riche et crémeuse que longue et parfumée. Elle transporte jusqu'en finale les arômes initiaux perçus avec élégance et le soutien d'un dosage bien conduit. Un mousseux de table pour plat fin et délicat.

15.7

Les maisons
D'ITALIE, en Vénétie

BELLENDA

Depuis 1975, ce domaine se consacre à l'élaboration de vins tranquilles et effervescents. Ces derniers, qui prédominent, sont reconnus parmi les meilleurs de l'appellation.

www.bellenda.it
Lieu : Via Giardino 90 – 31029 Carpesica (TV)
Téléphone : 39 0438 92 00 25

Cuvée San Fermo – Brut

15/20 ■ ■ ■ ■ ═ ▪▪ ✚ IP

★★⸽

Toujours aussi fiable, ce vin se présente léger et délicat tant dans le comportement des bulles que dans ses parfums. Il présente une facture classique et typique dans ses flaveurs subtiles de poires, d'agrumes et d'amandes fraîches, davantage présentes en bouche qu'à l'analyse olfactive. Digeste et apéritif.

Cuvée Col di Luna – Extra-Dry

15/20 ■ ■ ■ ■ ═ ▪▪ ✚ IP

★★⸽

La robe est aussi pâle que les arômes sont discrets (poire, réglisse). On est heureusement emballé dès que le vin est en bouche, car sa sucrosité est parfaitement maîtrisée. Les bulles sont très fines, elles développent un voile qui tapisse sans coller, dans la délicatesse des parfums annoncés. C'est un excellent vin d'apéritif.

Cuvée SC 1931 – Pas Dosé
Vintage 2007 – Metodo Classico

16/20 ■ ■ ■■ ═ ▪▪ ■ IP

★★★

🐷 🐷

Le nez était déjà très expressif en 2010, il se montre aujourd'hui également axé sur des arômes pâtissiers. L'effervescence foisonne tout en transportant une minéralité qui offre encore une belle fraîcheur. Une finale peu mordante indique sa maturité. On la privilégiera à l'apéritif.

Cuvée Miraval 2010 – Extra-Dry

17/20 ■ ■ ■■ ═ ▪▪ ■ IP

★★★↙

🐷 🐷

Mieux dessiné que le précédent millésime, ce vin présente une effervescence grasse et soyeuse au sein de laquelle la typicité aromatique est respectée : poires, pain légèrement grillé, raisins blancs, anis, amandes. La fermeté à l'attaque donne un caractère plus équilibré à l'ensemble de ce vin, car la finale se montre également très fraîche. Une réussite pour la catégorie.

BELLUSSI SPUMANTI

Une maison qui élabore de nombreux vins tranquilles et effervescents à base de prosecco et qui surprend parfois en offrant des cuvées qui sortent de la banalité générale des vins de l'appellation.

www.bellussi.com
Lieu : Via Erizzo, 215 – 31049 Valdobbiadene (TV)
Téléphone : 39 0423 982147

Cuvée Extra Dry
Prosecco di Valdobbiadene

15/20 ▮ ▮ ▮▮ ▬ ▪▪ 🇨🇭 IP

★★✦

🐷

Léger et linéaire, mais très équilibré tout de même. On passe de notes de poires à celle d'anis et de meringue tout en appréciant une mousse légère, peu riche, rafraîchissante. À boire en apéritif.

Cuvée Belcanto – Rosé Brut – VSQ

15/20 ▮ ▮ ▮▮ ▬ ▪▪ 🇨🇭 IP

★★✦

🐷 🐷

Très plaisant grâce à une vinosité et à un dosage raisonnables qui n'occultent pas les flaveurs légères de cerises et de framboises. La mousse a également une belle tenue, elle n'est pas riche et, pourtant, elle s'accroche en laissant passer quelques tanins du pinot. Un vin agréable à boire en apéritif.

BORGOLUCE

Propriété de la famille Collalto, elle a la particularité d'être axée sur plusieurs secteurs agricoles qui permettraient presque l'auto-suffisance (fromages, farines, charcuteries). Comme l'ensemble de tous les produits élaborés, les vins sont toujours de haute gamme.

www.borgoluce.it
Lieu : Localita Musile, 2 – 31058 Susegana (Treviso)
Téléphone : 0438 435287

Cuvée Valdobbiadene Prosecco Superiore DOCG – Brut

16/20 ▮▮▮▮▮ ▬ ▬ ▬ ➕ IP

★★★

🐖

Des flaveurs de bonbons acidulés très originales accompagnent celles, plus classiques, d'amandes et de poires. Le volume de l'effervescence est imposant en bouche, les bulles sont de calibre moyen, on y retrouve des notes d'agrumes et de mie de pain. C'est un vin plus plus rond que minéral au dosage appuyé, toutefois équilibré dans le comportement. Très agréable à l'apéritif.

BISOL

Le domaine de cette famille est établi depuis le XVIe siècle, toutefois, la famille s'est orientée dans la viticulture vers la fin du XIXe siècle. Après les soubresauts de la crise phylloxérique et de la Première Guerre mondiale, le vignoble fut totalement replanté. La famille Bisol devint très rapidement, dès les années 1970, au moment où l'appellation Prosecco s'orienta définitivement vers l'effervescence, une référence en la matière. Elle propose 3 styles de Prosecco, sous 3 marques définies : Jeio (surnom de Desiderio, l'aïeul qui replanta le domaine), The Cru et Talento.

www.bisol.it
Lieu : 31040 S. Stefano di Valdobbiadene (Fol) Treviso
Téléphone : 0423 900138

Cuvée Jeio – Colmei – Extra-Dry

15/20 ▮▮▮▮▮ ▬ ▬ ▬ ➕

★★✦

🐖 🐖

Floral au nez et en bouche, délicat, bien équilibré, l'amertume habituelle de ce cépage dans cette catégorie est occultée par une fraîcheur citronnée. C'est un vin caressant, facile et agréable, bien établi.

Cuvée Jeio – No SO2 – Extra-Dry

14/20 ∎ ∎ ∎∎ ═ ▪▪ ✚ IP

★★

🐷 🐷

Une cuvée sans soufre ajouté qui exhale des notes animales et de pommes à peau brune, peu charmeuses. Tonique en bouche, la texture de l'effervescence est légère, fuyante, à peine retenue par le dosage sensible. C'est un vin original et expressif qui satisfera les inconditionnels de la maison.

Cuvée Bisol – Crede 2010 – Brut

16/20 ∎ ∎ ∎∎ ═ ▪▪ ✚ IP

★★★

🐷 🐷

Dégustée en janvier 2012, cette cuvée est aussi florale au premier nez qu'elle l'était lorsque dégustée pour l'édition précédente de ce guide. Les arômes d'amandes se font délicats, nets, rehaussés de notes de poires et de pommes, des parfums classiques et récurrents pour cette cuvée qui, quels que soient les millésimes, se présente dans une effervescence onctueuse, fine et soignée. Un excellent prosecco.

Cuvée Bisol – Cartizze – Dry

16/20 ∎ ∎ ∎∎ ═ ▪▪ ✚ IP

★★★

🐷 🐷

Sans doute la cuvée la plus exotique du domaine, non pas grâce au dosage de la catégorie, mais grâce aux caractéristiques du sol qui nourrit le prosecco d'arômes de fruits confits, de pêches très mûres, d'ananas grillés. L'effervescence est fine, elle rehausse l'acidité nécessaire pour équilibrer la dégustation et donner une finale nerveuse. Un vin réussi.

Cuvée Jeio Valdobbiadene – Prosecco Superiore DOCG – Brut
15/20 ▮ ▮ ▮▮ ══ ▪▪ ✚

★★★/

🐷 🐷

Timide au niveau aromatique (amande, poire), cet effervescent s'illustre surtout par son effervescence crémeuse de belle tenue. Je note par ailleurs un dosage peu élevé pour la catégorie qui permet d'y découvrir une minéralité apéritive. Un prosecco classique et bien fait.

Cuvée Jeio Valdobbiadene Rosé Brut – Vino Spumante
15/20 ▮ ▮ ▮▮ ══ ▪▪ ✚ IP

★★★/

🐷 🐷

Nez discret de fraises fraîches avec une petite pointe de levure. En bouche, les arômes se montrent quelque peu fumés, l'effervescence est simple et veloutée, les bulles ont un calibre moyen, elles sont nouées, mais fugaces. C'est un mousseux aussi simple et soigné qu'abordable.

Cuvée Talento Metodo Classico Millesimato 2002 – Pas Dosé – Extra-Brut
18/20 ▮ ▮ ▮▮ ══ ▪▪ ✚ IP

★★★★

🐷 🐷 🐷

Immédiatement axé sur des arômes pâtissiers nets et expressifs (croissant à la frangipane, brioche très beurrée), puis sur un léger rancio, ce vin effervescent donne réellement l'impression d'être en champagne. La texture est satinée, les bulles sont très fines, foisonnantes en bouche, plus discrètes en finale. Le dégorgement très tardif (avril 2011) a apporté une richesse qu'on retrouve rarement dans les vins effervescents vénitiens. Chapeau !

Cuvée Talento Metodo Classico Millesimato 2005 – Rosé Brut

17/20 ▮ ▮ ▮▮ ▬ ▫▫ ✚ IP

★★★✦

🐷 🐷 🐷

Nez de mandarine, d'orange, en amusante et parfaite adéquation avec la couleur de la robe ambrée, attaque vive en bouche qui rappelle les mêmes agrumes, toutefois confits. La texture est ferme, tranchante grâce à une effervescence finement nouée. Un léger rancio d'évolution se laisse capturer. C'est un excellent effervescent, plus sérieux que bien d'autres cuvées.

BORTOLOMIOL

C'est en 1949 que Giuliano Bortolomiol monte sa société avec sa femme Ottavia Scagliotti. C'est toujours elle qui administre la maison, soutenue dans toutes les branches d'activités par ses filles Maria Éléna, Elvira, Luisa et Giuliana.

www.bortolomiol.com
Lieu : Via Garibaldi, 142 – 31049 Valdobbiadene (TV) – Italy
Téléphone : 39 0423 974911

Cuvée Motus Vitae – Brut 2009

17/20 ▮ ▮ ▮▮ ▬ ▫▫ ✚

★★★✦

🐷 🐷

Nez discret – comme la plupart des cuvées Brut en Prosecco – de fenouil et de poires. Sec et pur en bouche, la texture est d'un bel équilibre car elle tourne tout au long de la dégustation. Elle est conduite par des bulles de calibre moyen qui forment cependant une belle onctuosité. Un très bon mousseux frais et droit.

Cuvée Filenda Rosé 2009 - Brut Vino Spumante

17/20 ∎ ∎ ∎∎ ═ ▪▪ ✚ IP

★★★⌐

🐷 🐷

Du pinot noir à 100 % qui révèle des arômes discrets de fruits rouges et noirs dans une onctuosité effervescente très bien conduite, aux bulles perlantes et persistantes. Un vin aussi subtil que surprenant qui peut accompagner une entrée de poisson.

Cuvée Bandarossa 2010 - Extra-Dry

16/20 ∎ ∎ ∎∎ ═ ▪▪ ✚ IP

★★★

🐷 🐷

Nez discret toutefois très net de poires, de pommes et de bonbons qu'on retrouve en bouche dans une magnifique texture onctueuse. L'ensemble est généreux, l'effervescence est à la fois persistante et riche. C'est un mousseux réussi.

Cuvée Cartizze - Dry 2010

16/20 ∎ ∎ ∎∎ ═ ▪▪ ✚ IP

★★★

🐷 🐷

Nez de blanc en neige, puis de pommes. En bouche, ce sont d'abord des arômes de cire à l'attaque, puis des arômes plus classiques de poires et de pommes, et enfin d'amandes qui se laissent capturer. Comme sur le précédent millésime, le volume est large et évanescent, sucré comme le veut la catégorie, sans pour autant être collant. Très bon vin mousseux.

BOTTER

Une maison qui a plus de 70 ans, qui présente des vins tranquilles et effervescents de sa région. La famille participe à tous les secteurs d'activités de l'industrie moderne du vin. Elle a sa propre ligne d'embouteillage depuis 2011.

www.vinibotter.com
Lieu : Via L. Cadorna 17, Fossalta di Piave (VE)
Téléphone : 39 0421 67194

Cuvée Santi Nello – Prosecco Doc Spumante

14/20 ▮ ▮ ▮▮ ▬ ▪▪ 🇨🇭

★★

🐷

Discrète au nez comme en bouche, cette cuvée présente une mousse peu persistante. On perçoit des arômes citronnés et meringués qui s'évaporent en même temps que les bulles éclatent. C'est un vin facile, sans complexe, fait pour les apéritifs.

Cuvée Divici – Extra-Dry

15/20 ▮ ▮ ▮▮ ▬ ▪▪ 🇨🇭 IP

★★★⸜

🐷

Issus de parcelles en voie d'être converties à la culture biologique, les raisins de cette cuvée sont du glera (prosecco). Le nez est très fruité (salade de fruits blancs, pêches), l'effervescence est maîtrisée, les bulles sont fines. C'est une cuvée bien construite, au dosage certes sensible, toutefois non imposant en bouche, donc digeste. Idéal pour les apéritifs abordables.

CARPENE MALVOLTI

Est-il bien nécessaire de présenter cette maison ? Elle a développé et fait connaître le prosecco dans le monde entier. Fondée en 1860 par le père de l'École œnologique de Conegliano, Antonio Carpenè qui s'associa à Angelo Malvolti, elle est toujours dirigée par un membre de la famille, Étile Carpenè.

www.carpene-malvolti.com
Lieu : Via A. Carpenè, 1 – 31015 Conegliano (Trevise)
Téléphone : 39 0438 364611

Cuvée Brut – Valdobbiadene Superiore DOCG

15/20 ▮ ▮ ▮ ▮ ▭ ▭ ▪▪ ✚

★★☆

Floral, délicatement anisé, puis minéral, cet effervescent se présente avec la typicité locale. Les bulles sont fines, nerveuses et fugaces, elles développent des notes d'amandes, presque grillées en finale. C'est un mousseux simple et convivial, le parfait apéritif.

COLLALTO

250 hectares entourent le château de San Salvatore, 60 hectares sont consacrés au Prosecco. Le domaine, propriété de la famille De Croÿ Collalto, propose des activités sportives et artistiques régulières, tout en présentant une gamme de vins vénitiens complète et de haute qualité. C'est un domaine incontournable de Vénétie.

www.cantine-collalto.it
Lieu : Via 24 maggio, 1 – 31058 Susegana (TV)
Téléphone : 39 04387 38241

Cuvée Frizzante – Conegliano e Valdobbiadene Prosecco DOCG

16/20 ■ ■ ■ ■ ▬ ▬ ▪▪ ▪▪ ✚ IP

★★★

Nez très frais de fruits blancs et de raisins qu'on retrouve dès l'attaque en bouche dans une fraîcheur soutenue par un dosage très bas. La texture est satinée, les bulles sont d'une finesse rare, c'est une très belle surprise.

Cuvée Conegliano e Valdobbiadene Prosecco Superiore – Brut

14/20 ■ ■ ■ ■ ▬ ▬ ▪▪ ▪▪ ✚ IP

★★

Nez très discret de poires, attaque peu fruitée, tendue, sur la pureté. Les bulles sont de calibre moyen, en adéquation avec la légèreté des arômes. C'est une cuvée moins dosée que la plupart des autres Prosecco. Elle est austère, donc simple et digeste.

Cuvée Extra-Dry Prosecco di Conegliano e Valdobbiadene

16/20 ■ ■ ■ ■ ▬ ▬ ▪▪ ▪▪ ✚ IP

★★★

Le nez de jujube perdure cuvée après cuvée ! Avec une mousse riche aux bulles de calibre moyen, le volume se montre dense et tapissant, les arômes sont axés sur la pomme bien mûre. Malgré la catégorie, Collalto signe ici une cuvée au dosage très peu élevé, c'est sa signature. Elle lui permet de créer des vins toujours purs et digestes. À goûter absolument.

Cuvée 2058 Friends and Bollicine – Vino Spumante Extra-Dry

16/20 ■ ■ ■ ■ ══ ▀▀ ✚ IP

★★★

🐷 🐷

Un nouveau vin qui se distingue par une effervescence de moins de 4 bars et pourtant, dès l'attaque en bouche, les fines bulles agacent généreusement les papilles tout en offrant des arômes de pommes et d'eau-de-vie de mirabelle. C'est un vin original, à la belle persistance effervescente, aussi tendu que les autres cuvées de la marque. Une réussite.

Cuvée Extra-Dry – Rosé – Vino Spumante Rosato

15/20 ■ ■ ■ ■ ══ ▀▀ ✚ IP

★★★

🐷 🐷

Sans aucun doute la plus parfumée au nez de toutes les cuvées. D'abord florale, elle développe rapidement des accents de bonbons aux bananes, puis aux fruits rouges qu'on retrouve nettement en bouche dans une texture aérienne, conduite par des bulles au calibre moyen. Un rosé très classique et efficace pour les apéritifs.

DALDIN

Maison familiale fondée au début des années 1960, elle se consacre exclusivement aux vins effervescents de Vénétie.

www.daldin.it
Lieu : Via Montegrappa, 29 – 31020 Vidor TV - Italie
Téléphone : 04 23 98 72 95

Cuvée Valdobbiadene Prosecco DOC – Brut

15/20 ▪ ▪ ▪▪ ▭ ▪▪ ✚ IP

★★✦

🐷

Une effervescence aux bulles menues, bien conduites, qui transportent des arômes classiques de foin et de poires au nez comme en bouche. Peu complexe, toutefois très soignée dans le comportement de la texture, cette cuvée offre une longueur aromatique discrète, mais estimable. Le dosage peu élevé en fait un vin très apéritif.

DRUSIAN

Une propriété familiale d'une cinquantaine d'hectares au cœur du Vadobbiadene. 15 hectares ont été convertis en culture biologique, les vins sont élaborés par Francesco Drusian, assisté par sa fille Marika.

www.drusian.it
Lieu : Starda Anche 1, 31030 Bigolino di Vadobbiadene
Téléphone : 0423 982151

Cuvée Brut

17/20 ▪ ▪ ▪▪ ▭ ▪▪ ✚ IP

★★★✦

🐷

Nez expressif et curieusement vanillé, très charmeur. Ferme à l'attaque, belle matière en bouche, fruité très fin de poire, d'amande et de pomme. Beau caractère sec tout au long de la dégustation avec une pointe d'amertume en finale qui apporte de la personnalité.

Cuvée Cartizze - Dry

17/20 ∎ ∎ ∎∎ ═ ∷ ✚ IP
★★★✦

🐷 🐷 🐷

Superbe nez propre, franc, charmeur (fruits exotiques, poires sucrées, amandes douces). Effervescence maîtrisée, moins dosée que d'autres cuvées, vraiment charmeuse et digeste. La texture est satinée et longue sans être pâteuse, ce qui est rare dans cette catégorie. Une belle représentation du cru vénitien.

FOSS MARAI

Guia est une succession de collines très escarpées de la région. Marai est le nom de la vallée la plus profonde des Guia. Quant à Foss, il signifie fossé dans le patois local, le nom de l'entreprise fut ainsi déterminé lors de sa création il y a un siècle. Dirigée aujourd'hui par Carlo Biasiotto, Foss Marai est l'une des meilleures caves élaborant des vins effervescents de Vénétie.

www.fossmarai.it
Lieu : Guia - Strada di Guia N. 109 Treviso
Téléphone : 0423 900560

Cuvée Nadin - Dry 2009

16/20 ∎ ∎ ∎∎ ═ ∷ ✚ IP
★★★

🐷

Comme le 2008, le nez est expressif, axé sur des biscuits au citron puis aux amandes qu'on retrouve en bouche dans une effervescence à la fois serrée et légère, très rare dans cette catégorie où le sucre alourdit souvent les saveurs. C'est un vin rond et frais à la fois. Bravo.

Cuvée Extra-Dry

15/20 ▮ ▮ ▮▮ ═ ▪▪ 🇨🇭 IP

★★☆

Nez de glycine et d'acacia, puis à l'ouverture de tarte amandine. Le volume en bouche est compact, bien dessiné par les bulles menues, gracieuses. La finale est courte, toutefois digeste et fraîche. Un prosecco abordable et constant dans ses caractéristiques gustatives.

Cuvée Grillaia – Metodo Charmat Extra-Dry – Bollicine del Sol

15/20 ▮ ▮ ▮▮ ═ ▪▪ 🇨🇭 IP

★★☆

Un curieux vin à base de bombino bianco des Pouilles qui offre des saveurs de raisins secs et de tisanes fruitées. Très simple dans son effervescence vaporeuse, toutefois original par sa finale tranchante qui rappelle un vin sec et tranquille. À essayer.

LA MONTECCHIA

Les bulles ne sont pas leur spécialité, mais leur muscat effervescent est très bien élaboré. Le Castello della Montecchia est à 20 km de Padoue, au cœur d'un ancien relais de chasse du XVIe siècle.

www.lamontecchia.it
Lieu : Via Montecchia, 16 – 35030 Selvazzano Dentro (Padova)
Téléphone : 049 637294

Cuvée Fior d'Arancio – Colli Euganei DOC Vino Spumante Dolce

16/20 ▌▌▐▐▐ ═══ ▀▀ ✚

★★★

🐷

Un vin léger et floral, très fruité au nez (pommes, gomme à mâcher, bananes, sucre de canne), il est ferme à l'attaque, puis prend de l'expansion en bouche dans un bel élan de fraîcheur. L'effervescence est fine, nouée, très bien dessinée. Un joli vin simple et abordable.

MONTESEL

Avec sa femme Vania, Renzo Montesel élabore ses cuvées de vins tranquilles et effervescents au cœur de la région vénétienne.

www.monteselvini.it
Lieu : Via S. Daniele, 42 31030 Colfosco – TV
Téléphone : 0438 781341

Cuvée Brut – Riva dei Fiori

17/20 ▌▌▐▐▐ ═══ ▀▀ ✚ IP

★★★↗

🐷 🐷

Aussi charmeur en bouche que discret au nez, ce vin est d'un équilibre remarquable dans le crescendo de ses arômes (anis, poire, fleurs, miel), ainsi que dans l'accroche de la texture. L'effervescence est à la fois crémeuse et vive, elle apporte une minéralité en fin de bouche.

NINO FRANCO

Primo Franco, représentant la troisième génération de la famille Franco, dirige aujourd'hui cette marque. C'est son grand-père Antonio qui avait fondé la société en 1919. Incontournable famille de Vénétie, les vins effervescents de Nino Franco sont des références.

www.ninofranco.it
Lieu : Via Garibaldi, 147 – 31049 Valdobbiadene (TV)
Téléphone : 39 0423 972051

Cuvée Nino Franco – Prosecco di Valdobbiadene

15/20 ▮ ▮ ▮ ▮ ▬ ▬ ▬ ▬ ✚
★★☆

Très fruité au nez (pommes, gomme à mâcher, bananes, sucre de canne), il est ferme à l'attaque en bouche, puis immédiatement onctueux grâce à une effervescence tendre et fine, mais vaporeuse et courte. Quelques notes d'amandes, typique du cépage prosecco, enrobent la structure dont l'ensemble est très mûr. Pour un goûter avec des biscuits au beurre.

Cuvée Rustico – Prosecco di Valdobbiadene Brut

16/20 ▮ ▮ ▮ ▮ ▬ ▬ ▬ ▬ ✚
★★★

Pur et sec, ce vin, axé essentiellement sur des notes de pamplemousse et de lime, au nez comme en bouche, se distingue par sa minéralité tranchante, fine et longue. La texture est plus souple que ronde, il faut l'agrémenter d'un plat chaleureux comme un risotto aux crevettes, par exemple. Les amateurs d'effervescents au style plus international seront déçus, car le dosage appuyé n'a pas sa place ici. Je le note mieux qu'en 2010 car la cuvée dégustée présente plus de corps et de longueur.

Cuvée Faive – Rosé Brut – Vino Spumante

16/20 ▌▐ ▌▌ ▬▬ ▪▪ ✚ IP

★★★

🐷

Une originalité de couleur parme qui fleure bon les pêches séchées, les fraises et la menthe. Tout est délicat en bouche et pourtant, comme d'habitude avec les vins de la maison, on perçoit ce caractère sec qui a tendance à aspirer la rondeur de l'ensemble du vin. Curieusement, c'est l'effervescence qui, ici, apporte de la suavité. À découvrir à l'apéritif.

PERLAGE

Société établie en culture biologique depuis 2005, elle va fêter ses 30 années d'existence en 2015. Toutefois, la famille Nardi, qui la dirige, est dans l'univers agricole depuis plus d'un siècle.

www.perlawines.com
Lieu : Via Cal del Muner 16, Soligo 31010 Farra di Soligo - TV
Téléphone : 0438 900203

Cuvée Canah – Brut – Valdobbiadene Prosecco Superiore DOCG

14/20 ▌▐ ▌▌ ▬▬ ▪▪ ✚ IP

★★

🐷

Malgré la catégorie, le dosage est sensible dès l'attaque, les bulles ont un calibre moyen au sein d'une effervescence crémeuse. Ce prosecco se montre tendre dans son comportement et classique dans ses arômes d'amandes, de pommes et de poires. Pour un apéritif gourmand.

PODERE CASTORANI

Le nom Podere Castorani est celui du vignoble père, sis en Émilie-Romagne. Il est à la source de plusieurs vins des autres régions d'Italie. Jarno Trulli, son propriétaire, a su s'entourer des meilleurs professionnels pour chaque stade de l'élaboration d'un vin, depuis la vigne jusqu'à sa commercialisation. En Vénétie, le célèbre pilote, aujourd'hui retraité de la F1, fait élaborer le vin mousseux local pour chaque millésime.

www.poderecastorani.it

Cuvée Paparazzi – Millesimato 2011 Extra-dry – DOCG

15/20 ▌ ▌ ▌▌ ▬ ▬ ▪▪ ✚

★★★

Toujours aussi fiable, « millesimato après millesimato », le crescendo des arômes est classique : citron, amande et zeste d'agrumes se laissent deviner de façon subtile. C'est un prosecco à l'effervescence maîtrisée, réussie, qui forme un volume plus léger en bouche qu'il y a quelques années, malgré un dosage sensible, c'est la catégorie qui le veut. Les Italiens en sont friands. À nous de le devenir !

SPAGNOL

Agricultrice, la famille Spagnol s'est mise au vin effervescent au milieu des années 1980 grâce à une trentaine d'hectares de vignes en propriété.

www.coldelsas.it
Lieu : Via Scandolera, 51 31020 Colbertaldo di Vidor - TV
Téléphone : 0423 987177

Cuvée Col del Sas – Brut

17/20 ▌▐ ▌▌ ═ ▪▪ ✚ IP
★★★✦

🐷

Un prosecco qui surprend par sa fermeté, voire sa puissance, que seuls le volume de l'effervescence soyeuse et les arômes de bonbons, de poires et d'amandes viennent polir, rendant l'ensemble plus classique. Original toutefois et équilibré, cet effervescent peut facilement accompagner une entrée de crustacés.

TENUTA CA' BOLANI

Pas moins de 550 hectares en propriété appartiennent à la famille Zonin depuis 1970, laquelle a su restaurer merveilleusement ce domaine qui appartenait autrefois au comte Dominique Bolani.

www.cabolani.it
Lieu : Via Ca' Bolani, 2 – 33052 Cervignano del Friuli – Udine
Téléphone : 39 0431 32670

Cuvée Chardonnay Frizzante Delle Venezie Igt

14/20 ▌▐ ▌▌ ═ ▪▪ ✚ IP
★★

🐷

Comme à chaque cuvée, année après année, on perçoit des notes de bonbons, de guimauve, de gomme à mâcher, qui enveloppent des arômes floraux. La mousse est fine, perlante, très correcte même si sa sveltesse n'empêche pas le caractère un peu lourd de la texture du vin. C'est un vin effervescent moelleux qui s'accordera bien à un fromage crémeux à croûte fleurie.

VAL D'OCA

Coopérative basée en Vénétie depuis 1952, elle jouit de l'approvisionnement de 700 hectares de vignes, Val d'Oca se spécialise dans l'élaboration de prosecco et de vins effervescents vénitiens.

Cuvée Brut – Valdobbiadene Prosecco Superiore

15/20 ▮ ▮ ▮▮ ══ ▪▪ ✚ IP
★★�

Nez discret d'amandes douces, puis de poires. Bulles de calibre moyen, nouées, formant une agréable texture en bouche soutenue par un dosage toutefois sensible, malgré la catégorie. Les arômes de fruits blancs sont juste assez frais et longs pour accompagner un apéritif festif.

Cuvée Extra-Dry – Millesimato 2010

16/20 ▮ ▮ ▮▮ ══ ▪▪ ✚ IP
★★★

L'attaque étant curieusement ferme en bouche pour un vin dans cette catégorie de dosage, cela lui donne plus de caractère que la plupart des autres proseccos. Les bulles présentent un calibre moyen dans une texture compacte qui perdure jusqu'en finale. Une belle découverte.

Cuvée Punto Rosa – Millesimato 2010
Pinot Grigio / Pinot Nero – Vino Spumante

15/20 ▮ ▮ ▮▮ ══ ▪▪ ✚ IP
★★�

Nez expressif, d'abord floral, puis très légèrement anisé, finalement rapidement axé sur de petits fruits rouges (canneberges, cerises) et les épices. Ce vin se montre assez tendre en bouche grâce à une belle finesse de bulles, peu complexe dans le comportement, c'est-à-dire linéaire et court en finale. Classique et bien fait.

VILLA DI MASER

Construite par Andréa Palladio pour Daniele Barbaro entre 1550 et 1560, la Villa di Maser est aujourd'hui le siège social du domaine viticole qui appartient à Marina Volpi di Misurata.

www.villadimaser.it
Lieu : Via Cornud, 1 – I-31010 Maser
Téléphone : 39 0423 923003

Cuvée Brut – DOCG Prosecco Asolo Superiore

14/20 ▮ ▮ ▮▮ ═ ⁙ ✛ IP

★★☽

Moins métallique qu'autrefois, le nez reste discret, axé sur des notes de foin et d'amandes. Cette cuvée présente des bulles fines dans un corps sec et léger. Elle manque de corps, mais elle se distingue par un dosage juste qui soutient les flaveurs (anis, pommes) plutôt que de les occulter. Avec des dés de fromage en apéritif.

Cuvée Extra-Dry – DOCG Prosecco Asolo Superiore

15/20 ▮ ▮ ▮▮ ═ ⁙ ✛ IP

★★☽

Autrefois DOC Montello e Colli Asolani, ce vin est à présent en DOCG Prosecco Asolo. Vif et très parfumé, les notes de fruits blancs confits et d'amandes parcourent la dégustation dans une effervescence légère, peu collante pour la catégorie, illustrant la maîtrise de la vinification. Un vin attractif en bouche, un peu amer en finale. Prix intéressant.

VILLA SANDI

La famille Moretti Polegato siège dans un magnifique palais construit par André Pagnosin en 1622 dans le style palladien. En 1995, Mario Moretti Polegato transmet les rênes du domaine à son jeune frère Giancarlo pour monter une entreprise de chaussures (!), devenue mondialement connue aujourd'hui (Geox). C'est d'ailleurs à la suite d'un voyage viticole en Californie que Mario eut l'idée de chaussures à semelles percées. Représentant la troisième génération, Giancarlo développe aujourd'hui une gamme de vins et de grappas vénitiennes complète.

www.villasandi.it

Lieu : Via Erizzo, 112/B – 31035 Crocetta del Montello (Trevise)
Téléphone : 39 0423 665033

Villa Sandi – Valdobbiadene Prosecco Superiore DOCG – Millesimato 2011 – Brut

16/20 ▮ ▮ ▮▮ ▬ ▪▪ ✚

★★★

Superbe nez de bonbons aux fruits, de melon et de pêche qui laissent la place en bouche à des notes d'amandes amères dans une effervescence riche et serrée, particulièrement crémeuse. Le dosage apparaît sensible, mais il ne gomme rien, au contraire il soutiendrait presque le fruité de l'ensemble. Un prosecco charmeur et suave d'une grande finesse.

Cuvée Vigna La Rivetta – DOCG Valdobbiadene Superiore di Cartizze – Brut

17/20 ▮ ▮ ▮▮ ▬ ▪▪ ✚ IP

★★★✦

Le nez est délicat et net, axé sur des arômes d'amandes et de pain au lait. On les retrouve en bouche, entourés d'une très délicate acidité de fraîcheur, toutefois ce vin séduit surtout par la qualité de son effervescence qui s'illustre à travers des perles très nouées et vives, formant une véritable sensation de crème. Le dosage est judicieux, juste assez élevé dans la catégorie Brut afin d'éviter celui de la catégorie Sec qui, très souvent, alourdit le fruité des vins. Un prosecco qui fait honneur à son cru.

Cuvée Opéré – Amalia Moretti Riserva – Brut

17/20 ▊ ▊ ▊ ▊ ▭ ▭ ▪▪ ✚ IP

★★★⸜

🐷 🐷

Un excellent vin effervescent italien qui présente des notes pâtissières (baklava, croissant, riz au lait) au sein d'une effervescence à la fois gourmande, tassée et vive, signe d'une parfaite maîtrise de la seconde fermentation en bouteille. Le volume est à la fois dense et aérien, on perçoit en finale quelques accents de pain d'épices qui apportent un caractère à la fois exotique et mature. Sans doute parmi les meilleurs vins effervescents italiens.

ZONIN

Établie depuis le début du XIXe siècle en Vénétie, la famille Zonin possède aujourd'hui plus de 1 800 hectares répartis dans 7 régions (le Piémont, la Lombardie, la Vénétie, le Frioul, la Toscane, les Pouilles et la Sicile) sur 11 domaines depuis 1821. Ces chiffres font de la marque Zonin, la famille qui possède la plus grande surface de vignes en Italie. Les vins effervescents sont issus de la plupart des appellations régionales où les bulles sont populaires.

www.zonin.it
Lieu : Via Borgolecco, 9 - 36053 Gambellara - Vicenza
Téléphone : 39 0444 640111

Cuvée Brut – Prosecco – Special Cuvée

14/20 ▊ ▊ ▊ ▊ ▭ ▭ ▪▪ ✚

★★

🐷

Un vin qui a d'abord le mérite d'être abordable pour le plaisir simple, sans fioriture, qu'il apporte grâce à une effervescence perlante, veloutée, fugace et rafraîchissante, sans complexe. On décèle des flaveurs discrètes de tarte amandine sur laquelle une moitié de poire cuite est posée, l'attrait aromatique typique du cépage prosecco. C'est un vin polyvalent en matière d'harmonie gustative pour les apéritifs, plutôt de foule, ou pour le gâteau d'anniversaire fruité, à base de meringue.

Cuvée Recioto di Gambellara Spumante

15/20 ▮ ▮ ▮▮ ▬ ▪▪ 🇨🇭 IP

★★☆

🐷 🐷

En ayant obtenu le titre DOC en 2002, le Recioto di Gambellara va sûrement concurrencer les vins blancs doux populaires, car sa sucrosité n'est pas lourde. En offrant ici une version effervescente dont l'Italie vinicole a le secret amusant, malgré un emploi souvent abusif, la maison Zonin réussit l'harmonie de la légèreté et de l'onctuosité. La typicité aromatique du cépage garganega est présente, on perçoit des notes de fleurs et d'herbes séchées que des accents de pêche et de melon viennent titiller au sein d'une enveloppe perlante, presque subtile. Ce vin est à découvrir sur une entrée de mousse de foie de volaille légère et habilement alcoolisée, un fromage gras et peu puissant ou sur un dessert à base de fruits secs.

CELLIER LE BRUN

C'est en 1996 que Daniel le Brun, Champenois d'origine installé en Océanie depuis la fin des années 1970, a revendu ce domaine qu'il avait construit en 1980. Un léger conflit s'ensuivit entre la compagnie acquéreuse, Resene Paints Ltd, et l'ancien partenaire de Daniel Le Brun, Tony Nightingale, en raison des intérêts sur l'utilisation de la marque. Le décès de ce dernier en 1995 a entraîné d'autres tractations, purement commerciales, touchant aussi le vignoble. En juin 2007, la marque Cloudy Bay (LVMH) a finalement acquis Cellier Le Brun. Les réserves de vins destinées à l'effervescence sont toujours d'actualité au moment d'écrire ces lignes, les nouveaux propriétaires décideront de leur avenir...

www.lebrun.co.nz
Lieu : Terrace Rd., PO Box 33 – Renwick Marlborough
Téléphone : 64 3 572 8859

Cuvée Daniel le Brun – Brut

15/20 ▮ ▮ ▮ ▮ ▮ ═ ▰ ▰ ✚ IP
★★⌖

🐷 🐷

Les arômes d'agrumes et de rhubarbe dominent ceux de farine de froment. La fraîcheur et l'acidité en bouche sont vite étouffées par une texture séveuse qui, curieusement, tombe en finale. Les bulles fines et légères apportent un souffle minéral à l'ensemble, qui demeure cependant lourd.

Cuvée Brut Taché

16/20 ▮ ▮ ▮ ▮ ▮ ═ ▰ ▰ ✚ IP
★★★

🐷 🐷

Plus fraîche et plus corsée que la cuvée Brut, celle-ci développe des notes de cerises, d'ananas, de cake, au sein d'une effervescence vive, nerveuse, en harmonie avec le caractère sec, convenablement dosé du vin. La finale est puissante, toastée, elle permet un accord avec un mets épicé à table.

DEUTZ MARLBOROUGH

En développant un partenariat avec la marque Montana à la fin des années 1980, la maison de champagne Deutz a apporté son expertise dans l'élaboration de vins effervescents, selon la méthode traditionnelle. Les vins sont aujourd'hui devenus des classiques parmi les meilleurs vins mousseux du Nouveau Monde.

www.pernod-ricard-nz.com
Lieu : 4 Viaduct Harbour Ave – Auckland 1010
Téléphone : 64 9 336 8300

Cuvée Brut

16/20 ▌ ▌▌ ▌▌ ══ ▒▒ ✚ IP

★★★

🐷 🐷

Puissante et toastée dans l'ensemble, cette cuvée développe d'abord des flaveurs d'agrumes confits, presque caramélisés. La mousse est onctueuse, agréable, non collante, une fois qu'elle est passée, on perçoit davantage la fraîcheur des fruits (pamplemousses roses, prunes noires) et les parfums de sucre brûlé initialement perçus tournent en accents toastés, plus blonds, plus fins. Un excellent vin effervescent océanien, digne d'un bon champagne extra-dry.

LINDAUER

Marque du groupe Pernod-Ricard, la plupart des cuvées ont un dosage appuyé, toutefois, la maîtrise de l'élaboration est parfaite (méthode de transfert), elle permet d'offrir de très bons vins dont le style est reconnaissable. Elle a été créée par l'entreprise Montana installée sur la meilleure zone néo-zélandaise, Marlborough, pour élaborer des effervescents.

www.pernod-ricard-nz.com
Lieu : 4 Viaduct Harbour Ave – Auckland 1010
Téléphone : 64 9 336 8300

Cuvée Grandeur

15/20 ▮ ▮ ▮▮ ▬ ▪▪ ✚ IP

★★⸍

🐷 🐷

Le dosage est sensible, mais il n'occulte pas l'aspect levuré, farineux dans les arômes, quoique frais, auxquels s'accrochent des notes d'agrumes dans un premier temps. À l'aération, ce sont des accents pâtissiers multiples qui se laissent saisir avec un côté exotique très plaisant (crêpes, cake, kouglof, gâteau moka) qu'on retrouve dès l'attaque en bouche. La mousse est riche sans être tapissante, les bulles se fondent dans la texture du vin qui, dans l'ensemble, est corsé et vineux. Des notes d'orangettes, puis de cacao pur, pointent en finale. C'est un mousseux finalement complexe, nourrissant, fait pour le repas.

Cuvée Spéciale Réserve – Brut

16/20 ▮ ▮ ▮▮ ▬ ▪▪ ✚ IP

★★★

🐷 🐷

Cette cuvée apparaît curieusement plus structurée, toutefois moins fine que la cuvée Grandeur, aussi complexe grâce à ses accents grillés (noisettes, boisé, café) derrière une fraîcheur herbacée de jeunesse. Elle présente des bulles caressantes et fines. Velouté en bouche, peu imposant, toujours aussi dosé, c'est un effervescent qui offre aussi à la finale des notes d'évolution, de champignons et de tartines grillées. Très agréable.

No. 1 FAMILY ESTATE

Daniel et Adèle Le Brun ont fondé en 1997 leur deuxième maison exclusivement consacrée aux vins effervescents (voir Cellier Le Brun). Ils sont désormais aidés par leurs enfants Virginie et Rémy.

www.no1familyestate.co.nz
Lieu : Rapaura Rd, RD3 – Blenheim. Marlborough
Téléphone : 64 3 572 9876

Cuvée N1 – Blanc de Blancs – Brut
17/20 ▊ ▊ ▊▊ ▬ ▪▪ ✚ IP
★★★⭒

🐷 🐷

À la fois très délicat et intense au nez grâce à des arômes citronnés, un peu herbacés, puis rapidement laiteux et grillés à l'aération. En bouche tout est fin, les bulles et leur comportement satiné comme les flaveurs de melon, de biscuits secs au beurre, puis de tarte Tatin en finale. Ample sans être imposant, on est surpris par le fruité net et non développé, très mûr, habituel dans les vins effervescents néo-zélandais. Un vin où le chardonnay garde sa finesse. Bravo.

Cuvée N8 – Brut
16/20 ▊ ▊ ▊▊ ▬ ▪▪ ✚ IP
★★★

🐷 🐷

Les arômes sont plus typiques, plus proches de ceux qu'on rencontre dans des cuvées identiques chez d'autres producteurs locaux. On perçoit des notes de fruits confits et de marmelade avant les notes toastées apportées par l'aération. Les parfums sont les mêmes en bouche, ils sont conduits par des bulles au calibre moyen, éparses et fugaces. C'est un vin corsé, ferme, moins élégant que la cuvée N1, à consommer à table.

17

Les maisons
DU PORTUGAL

ALLIANÇA

Fondée à la fin des années 1920, cette compagnie qui a ses origines dans la région des Beiras possède aujourd'hui plusieurs domaines issus des plus belles appellations portugaises (Alentejo, Douro, Dão, Bairrada), soit autour de 600 hectares de vignes.

www.alianca.pt
Lieu : Rua do Comércio, 444 3780-124 Sangalhos
Téléphone : 234732045

Cuvée Bruto 2007

15/20

★★★

Chardonnay et baga sont associés dans cette cuvée pour nous offrir des notes de fruits blancs (pommes, pamplemousses) au sein de bulles au calibre moyen, toutefois nouées, qui engendrent une effervescence au volume léger et aérien. Classique et efficace à l'apéritif.

CASA DE SARMENTO

C'est le succès d'un restaurant et de leurs vins dans le Bairrada (Meta dos Leitoes) dont les propriétaires s'amusaient à créer leurs propres cuvées, uniquement servies sur place, qui a poussé ces premiers en 2005 à se lancer dans l'aventure viticole officielle. 70 hectares plus tard, une gamme complète de vins est internationalement distribuée avec succès ; les effervescents s'améliorant année après année.

www.casadesarmento.com
Lieu : Estrada Nacional 1 Km 234 – 350-382 Mealhada
Téléphone : 231 209 540

Cuvée Branco Bruto 2007

16/20 ▌ ▌ ▌▌ ▬ ▬▬ ✚ IP

★★★

🐷

Avec une seconde fermentation plus longue, ce vin présenterait une magnifique texture qui, ici, se laisse trop rapidement envelopper par une acidité légèrement agressive. Les arômes restent toutefois nets (agrumes, pain blond, amandes), l'effervescence présente des bulles menues et persistantes, c'est une agréable surprise. Il gagne à être attendu jusqu'en 2014.

CAVES DA MONTANHA

Fondée en 1943 par Adriano Henriques, cette cave développe des mousseux très convenables.

www.cavesdamontanha.pt
Lieu : Rua Adriano Henriques 12 Apartado 18 3781
907 Anadia
Téléphone : 351 231 512 260

Cuvée Brut – Reserva – Montanha

13/20 ▌ ▌ ▌▌ ▬ ▬▬ ✚ IP

★✦

🐷

Un peu vert au premier nez, il faut agiter le verre pour déceler des notes d'agrumes, puis de croûte de pain. L'effervescence abonde, les bulles ont un calibre moyen, elles flottent en bouche, puis s'évaporent rapidement, laissant des flaveurs discrètes de poires chaudes et de lait chaud. Peu complexe, peu fin, on l'appréciera à l'apéritif avec des cubes de fromages cheddar jeune qui lui apportent du mordant.

BACALHÔA

Quatre domaines pour 400 hectares de vignes exploitées pour l'élaboration de multiples appellations dont celles de vins effervescents. Cette marque fondée en 1922 n'a cessé de grandir au cours du siècle et d'évoluer avec la modernisation des équipements et de l'esprit commercial. Les résultats sont là.

www.bacalhoa.com
Lieu : Strada Nacional 10 Vila Nogueira de Azeitão
– 2925-901 Azeitão
Téléphone : 351 21 219 80 60

Cuvée Chardonnay 2008 – Loridos – Bruto

15/20  IP

★★☆

Comme le 2007, le nez dégage des arômes d'agrumes (bergamote, tarte au citron), puis de pommes brunes à l'aération. Attaque vive, un peu mordante, l'effervescence est onctueuse, toutefois fugace. Quelques notes de levures et foin rappellent la jeunesse du vin qui termine sa course sur une note un peu citrique. Il faut le laisser respirer, il révèle alors des arômes plus charmeurs de tisanes aux fruits blancs. Bel apéritif.

LUIS PATO

La famille Pato et la famille Melo Campos ont uni leurs compétences dans les années 1970 au sein de la Quinta do Ribeirinho, un domaine du Bairrada qui élabore du vin depuis le XVIIIe siècle. Le domaine s'est modernisé au fil des décennies. L'engouement du con- sommateur pour les vins effervescents a incité les propriétaires, depuis une dizaine d'années, à se lancer dans l'élaboration de vins mousseux qui privilégient les cépages locaux.

www.luispato.com
Lieu : Ribeiro da Gândara 3780-017 Amoreira da Gândara
Anadia
Téléphone : 231 596432

Cuvée Baga – Bruto – Espumante

13/20 ▮ ▮ ▮▮ ═ ▪▪ ✚ IP

★↗

Nez intense, parfumé, axé sur la fraise, la rose, puis le cassis, toutefois disparate dès l'attaque en bouche. L'effervescence est vaporeuse, fuyante. C'est un vin peu subtil et léger.

Cuvée Maria Gomes – Bruto – Espumante

13/20 ▮ ▮ ▮▮ ═ ▪▪ ✚ IP

★↗

Les flaveurs sont herbacées et levurées au nez comme en bouche, elles se déclinent dans une mousse abondante, un peu collante et finalement fuyante. Les quelques notes grillées, séduisantes en finale, ne rattrapent pas la sensation disparate du vin.

Cuvée Baga – Rosé – Bruto – Espumante

14/20 ▮ ▮ ▮▮ ═ ▪▪ ✚ IP

★★

Les bulles de cette cuvée sont curieusement plus fines et plus persistantes que celles de la cuvée élaborée avec le Maria Gomès et le Baga en blanc, les flaveurs sont également plus flatteuses (framboises, puis fruits secs), quoique déjà oxydatives (champignons). Le volume est compact grâce au comportement de l'effervescence qui ne s'épanche pas. La texture n'est pas riche, elle est souple, digeste, termine sa course sur une pointe acide rafraîchissante. Un bon apéritif lusitanien.

MATEUS SPARKLING

SOGRAPE VINHOS

Depuis 2009, Miguel Pessanha, qui dirige les vinifications du groupe Sogrape, élabore dans le Barraida – région mère des vins effervescents portugais – un Brut effervescent aussi rosé et populaire que le grand frère tranquille !

www.mateusrose.eu
Lieu : Apartado 3032 – 4431 – 852 Avintes
Téléphone : 227 838 104

Sparkling Mateus – Brut Rosé

14/20 ▌ ▌ ▌▌ ══ ▀▀ ✚ IP

★★

Un 100 % baga issu de la méthode Charmat qui présente de beaux reflets ambrés et un premier nez discret de petites baies rouges, puis de fenouil et de pommes vertes à l'aération. L'effervescence est contrôlée, les bulles sont fines dans un volume aérien qui transporte des notes de fraises et de réglisse noire. C'est un effervescent simple, fruité et droit, sans longueur, sans complexité, impeccable pour les apéritifs abordables.

MURGANHEIRA

Profitant d'une trentaine d'hectares, la cave de Murganheira, près de Viseu, est l'une des plus connues dans l'univers du vin effervescent portugais. Fondée en 1947, située sur l'appellation Tavora-Varosa, elle produit annuellement un million de bouteilles à partir des cépages locaux comme la malvoisie fine, le gouveio et le cerceal, assemblés aux traditionnels chardonnay, pinot noir et gewurztraminer.

Lieu : Abadia Velha 3610 – 175 Ucanha
Téléphone : 254 670 185

Cuvée Malvasia Fina – Brut
15/20 ▮ ▮ ▮▮ ▬ ▦ ✚ IP
★★⸜

L'une des cuvées les plus originales parmi la dizaine que propose la marque. Axéé sur des notes de poires, d'abricots, de pêches au premier nez, elle se fait plus biscuitée en bouche. L'effervescence est bien conduite, elle est crémeuse, toutefois fugace en finale. On garde le souvenir d'un vin parfumé grâce à un dosage sensible. Un effervescent portugais de bonne facture.

QUINTA DO VALDOEIRO
MESSIAS

Ce domaine, qui appartient au groupe Messias depuis les années 1940, est situé dans les Beiras sur l'appellation Bairrada. Il appartenait autrefois au comte de Valdoreiro. Il a doublé de surface en 50 ans, passant à 130 hectares dont 70 sont consacrés au vin. Reconnue pour ses portos et ses vins secs, la marque Messias élabore des mousseux, toujours constants dans leur qualité.

www.cavesmessias.pt
Lieu : Rua Comendador Messias Baptista, 56 – 3050-361 Mealhada
Téléphone : 351 231 200 970

Cuvée Baga/Chardonnay Vinho Espumante 2009 – Bruto

15/20 ▌▌▐▐▐ ═ ▐▐ ▐▐ ➕ IP

★★★

🐷

Un vin dégusté en 2 étapes dont la première m'a particulièrement séduit grâce au comportement de l'effervescence très fine et persistante. Puis, quelques heures plus tard, un second verre présentait des bulles grossières et aériennes alors que, généralement, c'est l'effet contraire qui se produit. Les arômes entremêlent roses et fruits rouges qu'une finale quelque peu vineuse, légèrement rustique, vient compléter. Un mousseux simple et correctement élaboré qu'on se doit donc de consommer dès l'ouverture pour apprécier sa finesse.

Cuvée Nature Brut 2004

15/20 ▌▌▐▐▐ ═ ▐▐ ▐▐ ➕ IP

★★★

🐷

3 cépages typiques (arinto, bical, maria gomes) qui offrent au sein d'une effervescence abondante et aérienne, des arômes de fruits blancs à la fois frais et confits (pêches, abricots, raisins) couronnés d'une légère touche de pain au lait grillé. Un vin original quelque peu tâché, qui fait davantage dans la fraîcheur que dans la mâche.

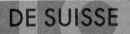

18
Les maisons
DE SUISSE

CAVE DE LA CÔTE

Environ 400 vignerons sont réunis sous cette bannière qui a vu le jour au début des années 1930. Bénéficiant aujourd'hui de 415 hectares et de deux caves de vinification à Nyon et Morges, ce sont presque 7 millions de bouteilles, toutes catégories de vins confondues, qui sont commercialisées chaque année.

www.uvavins.com
Lieu : chemin du Saux 5 – 1131 Tolochenaz/Morges
Téléphone : 21 804 54 54

Cuvée Bleu Nuit
Grand vin mousseux de Romandie

14/20 ▮ ▮ ▮▮ ▭ ▮▮ 🇨🇭 IP

★★

🐷

Un vin expressif autant au nez qu'en bouche qui offre des arômes délicats, mais nets d'abricots secs et d'agrumes confits. Le dosage sensible est rafraîchi par l'effervescence aérienne. Les bulles ont un large calibre, elles conviendront pour des apéritifs gourmands.

DOMAINE DE VILLAROSE

Vignerons depuis une vingtaine d'années, avec 6 hectares plantés en terrasse dans la région de Vully, Alain et Patricia Besse-Derron offrent une belle gamme de vins dans les trois couleurs, dont un mousseux à base de chardonnay.

www.domaine-de-villarose.ch
Lieu : 1787 Mur
Téléphone : 026 673 12 40

Cuvée Bleu Azur – Chardonnay 2010 Brut – Vully

15/20 ▮ ▮ ▮▮ ▬ ▪▪ ✚ IP
★★★

Un nez délicat d'agrumes et de pommes vertes, légèrement beurrés à l'aération après quelques minutes dans le verre. L'attaque en bouche est vive, presque mordante, rapidement soignée par une effervescence caressante, habillée de bulles éparses, toutefois persistantes. La finale rappelle quelques pâtisseries à base de crème au niveau aromatique, l'ensemble est équilibré, encore jeune. C'est un mousseux simple et bien fait, impeccable en apéritif.

DOMAINE DU FEUILLERAGE

Un domaine qui appartient depuis un siècle à la famille Gaillard dont l'arrière-grand-père, acquéreur des lieux, fut l'employé de l'ancienne famille détentrice du vignoble. Si la vigne représente aujourd'hui l'essentiel de l'exploitation, celle-ci a eu durant plusieurs décénnies une vocation essentiellement agricole.

Lieu : 1166 Perroy
Téléphone : 021 825 1263

Cuvée Starlight – Kerner 2010
Méthode Traditionnelle

16/20 ▪▪ ▪▪ ▪▪ ▬ ▪▪▪ 🇨🇭 IP

★★★

🐷 🐷

Un vin effervescent à base de Kerner, c'est-à-dire le croisement d'un cépage rouge, le trollinger, et d'un cépage blanc, le riesling, qui offre ici un mousseux expressif dans ses arômes d'agrumes confits, puis de salade de pommes variées qu'on aurait sucrées au miel. La bouche laisse entrevoir un dosage sensible qui n'enraye pourtant pas le fruité blanc qu'on perçoit tout au long de la dégustation au sein d'une effervescence à la fois onctueuse (les bulles sont nouées) et légère (elles sont fugaces en finale). Une cuvée originale et réussie.

HAMMEL

Une maison qui a vu ses débuts dans la tonnellerie au début du XXe siècle pour rapidement se diversifier dans l'univers du vin et devenir, au XXIe siècle, l'un des fleurons suisses de la vinification et du négoce, à travers 9 domaines en propriété.

· www.hammel.ch
Lieu : chemin des Cruz 1180 Rolle
Téléphone : 021 822 07 07

Cuvée Val d'Eve – Blanc de Blancs – Brut

15/20 ▪▪ ▪▪ ▪▪ ▬ ▪▪▪ 🇨🇭 IP

★★✦

🐷

Un mousseux qui joue la carte de la délicatesse dans les arômes et le comportement. Les fruits blancs (pomme, poire) dominent ceux de vinification et d'élevage (levure, mie de pain, meringue), on les distingue aisément au sein d'une effervescence aérienne, délicate, toutefois persistante. On le privilégiera à l'apéritif.

MAULER

Cette société existe pratiquement depuis la maîtrise de la seconde fermentation en bouteille. Depuis 1829, la famille Mauler est toujours la digne représentante de l'effervescence helvétique qu'elle perpétue au Prieuré Saint-Pierre de Môtiers, acquis dès 1869 et développé pour mieux conserver les vins, en y creusant des caves.

www.mauler.ch
Lieu : Le Prieuré St Pierre CH 2112 Môtiers – Neufchâtel
Téléphone : 32 862 03 03

Cuvée des Bénédictins – Brut

16/20 ▮ ▮ ▮ ▮ ▬ ▬ ▦ ▦ ✚ IP
★★★
🐷 🐷 🐷

Une cuvée originale par le crescendo de ses arômes et aboutie dans le comportement de sa texture : fruits blancs secs, poire, melon, frangipane. Un fruité doux que viennent agacer des bulles nerveuses et fines, conjuguant ainsi solidité et fraîcheur pour donner un vin finalement harmonieux. Belle réussite.

Cuvée Tradition Brut – Grand Vin Mousseux

15/20 ▮ ▮ ▮ ▮ ▬ ▬ ▦ ▦ ✚ IP
★★☆
🐷

Sans doute une des cuvées de la maison les plus abouties et chaque année constante dans ses arômes de fruits secs et de miel au sein d'une effervescence qui abonde, à la texture un peu vaporeuse, toutefois soignée.

Cuvée Switzerland Dry – Grand Vin Mousseux

15/20 ▮ ▮ ▮ ▮ ▬ ▬ ▦ ▦ ✚ IP
★★☆
🐷

D'abord les agrumes, puis la poire chaude légèrement poivrée. Ce sont les arômes qu'on décèle au nez et qu'on déguste dès l'attaque en bouche qui est légèrement amère pour se faire rapidement oublier grâce à l'onctuosité de la texture (sucre résiduel) menée par l'effervescence serrée et grasse. Les gourmands l'essaieront à l'apéritif.

THIÉBAUD

La famille Thiébaud est établie dans le Neufchâtelois, en tant que vigneronne, depuis le Moyen-Âge. Son travail de négociant en vin commence au début du XXᵉ siècle où l'on commercialise alors des « Asti Champagne » ! Étiquette qui aujourd'hui ferait frémir ! En rachetant une marque du Piémont voisin, Thiébaud élabore avec succès des Asti à base de muscat, lui permettant au milieu des années 1970 de grossir la gamme de produits effervescents bon marché comme des Kir royaux ou des mousseux aromatisés.

www.thiebaud.ch
Lieu : 20, rue de la Gare CH – 2014 Bôle
Téléphone : 032 842 57 47

Cuvée Prestige Brut Louis Thiébaud

14/20 ▮ ▮ ▮▮ ▬ ▪▪ ✚ IP

★★

Une cuvée axée sur les agrumes et le tilleul au nez comme en bouche. L'effervescence est classique et soignée, les bulles ont un calibre moyen, leur persistance permet d'accompagner les arômes initialement perçus vers une finale tendue et expéditive. C'est un mousseux d'apéritif correct et abordable.

Cuvée Prestige Rosé Brut Louis Thiébaud

15/20 ▮ ▮ ▮▮ ▬ ▪▪ ✚ IP

★★★

Le pinot noir séduit par ses arômes discrets et son comportement : noyaux de cerise et fermeté à l'attaque. L'effervescence apporte l'onctuosité nécessaire grâce à des bulles fines et serrées. C'est un bon mousseux, plus réussi que la cuvée Prestige établie en blanc. Ses qualités permettent un accord avec une entrée à table.

CAHIER SPÉCIAL
Fines bulles de Touraine

La Touraine viticole, une histoire qui a 1 600 ans.

Il est incontestable que la Touraine a été exploitée au niveau viticole par les Gallo-Romains. Un pressoir en pierre datant du IIe siècle après JC a été découvert près d'Azay–le–Rideau et de nombreux noms de communes ou lieux-dits dans la région prouvent la présence ancienne de la vigne et de sa culture pour le vin. Le village de Vineuil, par exemple, tire son nom de la langue celte puisqu'il signifie l'endroit où l'on cultive la vigne.

Toutefois, il faut attendre l'expansion de l'église catholique et de ses préceptes pour constater l'essor de la viticulture dans la région. De nombreuses abbayes sont érigées à la fin du IVe sous l'impulsion de Saint Martin, évêque de Tours. En se destinant à l'agriculture, elles se constituent au carrefour de lopins de terre, à proximité de cours d'eau et de voies praticables.

Dès la fin du XVIe siècle, afin de défendre les intérêts locaux, un arrêt du Parlement de Paris interdit aux cabaretiers, taverniers et marchands de vins parisiens de s'approvisionner dans des vignobles situés à moins de 20 lieues (88 km) de la capitale. Il profite à la Touraine, car les marchands à la recherche de vins plus authentiques descendent la Loire et le Cher. Grâce à son réseau fluvial et à la qualité de ses vins, la région devient alors l'un des principaux fournisseurs de la région parisienne et de la cour de France.

Le phylloxéra est apparu en Touraine vers 1880. La région étant alors en surproduction, le puceron cause une crise économique et accule la profession à la faillite. Il faut attendre 1919 et le début d'une délimitation territoriale pour voir le vignoble tourangeau renaître. La notion de cépages est introduite dans « l'aire de production » en 1927, puis en 1935, les appellations d'origine contrôlées sont décrétées. L'appellation Touraine est reconnue dés 1939 et l'appellation Touraine Effervescent en 1946.

Les vins effervescents AOC Touraine existent depuis la parution du décret, ils étaient produits principalement par les sociétés de négoce, spécialisées dans ce domaine. A partir des années 1980, les vignerons soucieux d'élargir leur gamme de vins ont choisi d'orienter une partie de leur production vers l'élaboration de Touraine Mousseux. On assiste alors à une progression des ventes directes à la propriété.

En 2000, un syndicat professionnel alors dénommé Union des Maisons de Touraine Mousseux, constitué de négociants élaborateurs, est constitué parallèlement au Syndicat AOC Touraine. Sa véritable mission de promotion et de défense débute en 2003 par le dépôt de la marque collective : Fines Bulles de Touraine. Elle s'élargit aux caves coopératives et aux embouteilleurs, puis elle change de dénomination pour devenir l'Union des Maisons de Fines Bulles de Touraine. Sur le plan de la production, l'Union a élaboré, avec le Syndicat des vins d'AOC Touraine, une charte de qualité pour la production de moût d'AOC Touraine Mousseux. Considérant la terminologie « Fines Bulles » plus valorisante que « Mousseux », l'Union décide en 2007 de modifier sa communication et de créer un logo s'appuyant sur la marque collective Fines Bulles de Touraine. Ce logo, lié également à la charte de qualité et positionné sur les bouteilles, a pour but de valoriser l'image de l'appellation auprès des consommateurs.

Géographie, cépages et organisation

L'aire de production est identique à celle de l'AOC Touraine qui produit annuellement autour de 280 000 hectolitres dont 38 % de vin rouge, 42 % de vin blanc, 8 % de rosé et 12 % de fines bulles.

Elle regroupe 104 communes de l'Indre-et-Loire et 42 communes du Loir-et-Cher, depuis les limites de l'Anjou jusqu'aux portes de la Sologne, soit 5 500 hectares de vignes plantées. Les Fines Bulles de Touraine se déclinent en blanc et rosé. Les cépages autorisés pour l'élaboration de vins mousseux blancs sont les suivants : chardonnay, chenin blanc, cabernet franc, grolleau, grolleau gris, orbois, pineau d'Aunis et pinot noir. Les cépages autorisés pour l'élaboration de vins mousseux rosés sont les suivants : cabernet franc, cabernet sauvignon, cot, gamay, grolleau, grolleau, meunier, pineau d'Aunis, pinot gris et pinot noir.

Le cépage chenin blanc (appelé localement Pineau de la Loire) ou le cépage orbois blanc représente au moins 60 % de la cuvée. Par cuvée, on entend l'ensemble des volumes de vin destinés directement à la mise en bouteille pour la prise de mousse. La cuvée est constituée d'un vin de base ou d'un assemblage de vins de base. Le cépage chenin blanc est le plus utilisé dans l'élaboration des mousseux de Touraine.

Pour les mousseux rosés, la proportion d'un cépage dans la cuvée ne peut dépasser 70 %. Par cuvée, on entend l'ensemble des volumes de vin destinés directement à la mise en bouteille pour la prise de mousse. La cuvée est constituée d'un vin de base ou d'un assemblage de vins de base.

Les richesses en sucre des raisins pour les vins de base et les titres alcoométriques volumiques naturels répondent aux caractéristiques suivantes : 153 gr par litre de moût et 9,5 % minimum. Le rendement est de 72 hectolitres par hectare, le rendement butoir est de 78 hectolitres par hectare pour les mousseux blancs et les mousseux rosés. Le titre alcoométrique volumique total est de 13 %.

Tout lot de vin de base destiné à l'élaboration des vins mousseux présente une teneur en anhydride sulfureux total inférieure ou égale à 140 milligrammes par litre. En matière de conditionnement des lots, l'opérateur tient à disposition de l'organisme de contrôle agréé les informations figurant dans le registre des manipulations visé à l'article D. 645-18 du code rural et de la pêche maritime français. Il tient également à disposition une analyse réalisée avant ou après le conditionnement, ou lors du dégorgement. Les bulletins d'analyse doivent être conservés pendant une période de 6 mois à compter de la date du conditionnement ou du dégorgement.

Les vins mousseux sont élaborés et commercialisés dans les bouteilles à l'intérieur desquelles a été réalisée la prise de mousse, à l'exception des vins vendus dans des bouteilles d'un volume inférieur ou égal à 37,5 centilitres ou supérieur à 150 centilitres. Ils ne peuvent être mis en marché à destination du consommateur qu'à l'issue d'une période d'élevage de 9 mois minimum à compter de la date de tirage. Au cours de cette période, les vins peuvent circuler entre entrepositaires agréés.

La production et la commercialisation

Avec une moyenne de production de 35 000 hectolitres, le volume produit en Fines Bulles de Touraine a augmenté de 20 % sur les 10 dernières années (2002/2012) et a été multiplié par 5 depuis 20 ans. Dans les années 1980, les Fines Bulles de Touraine ne représentaient en effet que 5 000 hectolitres. La part de commercialisation par le biais de la grande distribution (supermarchés) en France est très faible, elle ne représente que 16 % des ventes. L'exportation des vins mousseux d'appellation Touraine augmente, toutefois elle reste faible puisqu'elle est estimée à 8 % des volumes commercialisés. La majorité des ventes sont réalisées directement à la propriété.

ANTOINE SIMONEAU

Viticultrice depuis la Révolution française, la famille gère une exploitation qui présente aujourd'hui une vingtaine d'hectares et qui offre toutes les appellations de Touraine.

www.antoinesimoneau.com
Lieu : Domaine Antoine Simoneau 41400 St Georges sur Cher
Téléphone : 02 54 71 36 14s

Cuvée Brut Rosé – Touraine

15/20 ▌▌ ▌▌▌ ═══ ▪▪▪ ✚ IP
★★★

Du grolleau et du gamay assemblés qui offrent un nez au fruité rouge net, léger et frais (cerise, fraise) qu'on retrouve en bouche au sein d'une effervescence légère, aux bulles larges et éphémères. La texture accroche grâce à un dosage appuyé et une fine amertume qui donne du corps et finalement de l'équilibre à cet effervescent agréable et facile.

ANTOINE ET VINCENT DUPUY

11 hectares de vignes exploités en lutte raisonnée par Antoine Dupuy et son fils Vincent qui l'a rejoint, en 2007, pour la vinification et la commercialisation de toutes les appellations tourangelles dont un Noble-Joué très remarqué.

Lieu : Le Vau 37320 Esvres-sur-Indre
Téléphone : 02 47 26 44 46

Cuvée Touraine – Sec – Méthode Traditionnelle

15/20 ▌▌ ▌▌▌ ═══ ▪▪▪ ✚ IP
★★★

Vif à l'attaque (notes de citron, de pamplemousse), plus délicatement pâtissier à l'ouverture et en bouche (meringue, amande fraîche, tarte au citron confit, miel). L'effervescence abonde à travers des bulles au calibre moyen, toutefois nouées, qui filent jusqu'en finale où reviennent quelques accents confits, bien habillés par le dosage réussi. Pour un dessert peu sucré.

BLANC-FOUSSY

Un négociant incontournable de la Loire qui jouit de caves remarquables (Saint Roch) ouvertes au public à Rochecorbon, aux portes de Tours. La sélection des moûts auprès de producteurs tourangeaux est exclusivement orientée vers l'élaboration de bulles ligériennes de plusieurs appellations.

www.blancfoussy.com
Lieu : 65 quai de la Loire 37210 Rochecorbon
Téléphone : 02 47 40 40 20

Grande Cuvée Touraine – Brut 2010 Méthode Traditionnelle

15/20 ▮ ▮ ▮▮ ═ ▪▪ ➕ IP
★★☆

🐖

Nez discret, floral et céréalier, plus minéral à l'aération. Attaque fraîche, presque tendue, qui révèle un soupçon aromatique de pain blond qui perdure dans une effervescence aérienne, très légère. La finale est courte, un peu citrique, elle permettra des accords simples avec des fromages de chèvre plus crayeux et jeunes que parfumés et puissants.

CELLIER DU BEAUJARDIN
CAVE DE BLÉRÉ

La cave coopérative de Bléré dispose d'un lieu de vinification, d'élevage et de mise en bouteille qui délivre la plupart des appellations locales : Touraine blanc issu des cépages Sauvignon et Chenin, Touraine rouge issu des cépages Gamay, Cabernet et CO / Malbec, Touraine rosé issu des cépages rouges locaux, Touraine Amboise, les Rosés de Loire, le Crémant de Loire et les Fines Bulles de Touraine blanc et rosé.

www.vin-touraine-cellierdubeaujardin.com
Lieu : 32, avenue du 11 Novembre 1918 - 37150 Bléré
Téléphone : 02 47 57 91 04

Cuvée Touraine
Rosé Demi-Sec

15/20 ▐ ▐ ▐▐ ▬ ▌▌ ✚ IP
★★❧

🐖

Un mousseux qui se distingue par son bel équilibre dans une catégorie trop souvent sucrée. Le nez est d'abord floral, plus fruité à l'aération (fruit rouges). On retrouve des notes de framboises et de cerises au sein d'une effervescence qui présente des bulles de calibre moyen, toutefois nouées. Un ensemble peu complexe, frais et agréable que je préconise sur un dessert aux fruits.

DE CHANCENY
ALLIANCE LOIRE

De Chanceny est le nom d'une gamme de vins effervescents d'Alliance Loire, un regroupement de 8 coopératives ligériennes, établi depuis 2002 qui, en une décennie, est devenu le premier producteur de vin de la région avec 20 millions de bouteilles élaborées. Le groupe dispose de 3 600 hectares depuis Nantes jusqu'à Tours et du soutien de 800 vignerons.

www.allianceloire.com
Lieu : route des Perrières 49260 Saint-Cyr-en-Bourg
Téléphone : 02 41 53 74 44

Cuvée de Chanceny – Touraine – Rosé Brut

15/20 ▮ ▮ ▮▮ ═ ▦ ✚ IP
★★★

Nez discret à la fois floral et fruité (aubépine, framboise, groseille). Attaque en bouche nerveuse et fraîche, texture souple et aérienne construite par une effervescence soignée aux bulles toutefois éparses et fuyantes. Un vin effervescent abordable pour cocktail dînatoire à canapés variés.

DOMAINE CHARBONNIER

Suite au départ en retraite de Daniel Charbonnier en 2009, ce sont Michel, son frère, et Stéphane, son fils, qui ont repris l'exploitation de 21 hectares en appellation Touraine. À noter un excellent chardonnay tranquille, fermenté en barrique.

Lieu : chemin de la Cossaie 41400 Châteauvieux
Téléphone : 02 54 75 49 29

Cuvée Brut – Touraine

15/20 ▮ ▮ ▮▮ ═ ▦ ✚ IP
★★★

Les pamplemousses, les pommes et la citronnelle se laissent capter au nez. On les retrouve dès l'attaque en bouche au sein d'une effervescence tapissante, aux bulles larges, toutefois bien nouées. La finale est minérale et croquante. C'est un mousseux pour apéritif simple et convivial autour de canapés variés.

DOMAINE DE LA GIRARDIÈRE

Nelly et Patrick Léger gèrent un domaine de 17 hectares créé au début du XXᵉ siècle, alors en polyculture. Sa particularité étant que 95 % du vignoble est d'un seul tenant, réparti autour de la bâtisse principale.

www.domaine-dela-girardiere.fr
Lieu : La Girardière 41110 Saint-Aignan sur Cher
Téléphone : 02 54 75 42 44

Cuvée Touraine – Brut – Méthode Traditionnelle

16/20 ▪ ▪ ▪▪ ══ ▪▪ ▪▪ ✚ IP
★★★

Premier nez discret et minéral, puis sur les agrumes à l'aération. L'attaque en bouche est franche, un peu citrique, la texture est satinée grâce à des bulles fines, nouées et persistantes, très bien conduites. C'est un effervescent soigné et vif, impeccable à l'apéritif ou sur un fromage de chèvre

DOMAINE DU CHAPITRE

Maryline et François Desloges exploitent un vignoble de 25 hectares transmis génération après génération depuis près de deux siècles.

www.domaineduchapitre.com
Lieu : 82, rue Principale 41140 Saint Romain sur Cher
Téléphone : 02 54 71 71 22

Cuvée Perle du Chapitre – Touraine – Brut Méthode Traditionnelle

15/20 ▪ ▪ ▪▪ ══ ▪▪ ▪▪ ✚ IP
★★★

Nez discret, à la fois sur les céréales et les agrumes qu'on retrouve dès l'attaque en bouche dans une belle fraîcheur, toutefois rapidement gommée par un dosage sensible qui perdure jusqu'en finale. Je préconiserais donc cet effervescent sur un fromage de chèvre peu crayeux et aromatique.

DOMAINE DES ÉLÉPHANTS

Philippe et Guillaume Boucher, père et fils, exploitent ce domaine familial de 35 hectares tirant son nom des deux imposants éléphants en porcelaine d'Inde qui se dressaient autrefois sur la route du domaine.

www.domainedeselephants.com
Lieu : 19, route des Éléphants 41400 Monthou-sur-Cher
Téléphone : 02 54 71 32 08

Cuvée Rosé Brut – Touraine

15/20 ▮ ▮ ▮▮ ▬ ▬ ▮▮ ▮▮ ✚ IP
★★★

Nez discret, légèrement herbacé, plus floral à l'aération. L'attaque en bouche est fruitée, bien dosée, la texture est aérienne grâce à des bulles au calibre moyen, éparses et fuyantes en finale. L'ensemble se montre frais, simple et agréable. C'est un mousseux de Touraine abordable et plaisant.

DOMAINE FRANÇOIS CARTIER

Vincent Cartier exploite 26 hectares de vignes en digne représentant de la 5e génération de vignerons et commercialise les appellations locales classiques : Touraine blanc Sauvignon; Touraine rouge Gamay; Touraine rouge Cabernet, Côt (Malbec); Touraine rouge assemblage « Senteur d'Antan » (60% Cabernet, 40% Côt); Touraine rosé « Pineau d'Aunis » et Touraine mousseux blanc et rosé « Méthode traditionnelle ».

Lieu : 13, rue de la Bergerie 4110 Pouillé
Téléphone : 02 54 71 51 54

Cuvée Touraine – Brut – Méthode Traditionnelle

15/20 ▮ ▮ ▮▮ ▬ ▬ ▮▮ ▮▮ ✚ IP
★★★

Nez de levure, d'orge, puis d'agrumes à l'aération qu'on retrouve en bouche au sein d'une texture imprégnée par un dosage appuyé que seule l'effervescence aérienne, aux bulles éparses, vient rafraîchir. Un effervescent local de facture classique, bien travaillé, qui accompagnera facilement un dessert peu sucré.

DOMAINE HUET

Ce domaine est une référence pour les vins tranquilles de la Loire, à tel point qu'on en oublie parfois l'excellence des cuvées effervescentes.

www.huet-echansonne.com
Lieu : 11-13, rue de la Croix Buisée 37210 Vouvray
Téléphone : 02 47 52 78 87

Cuvée Rosé Brut – Touraine

15/20 ▮ ▮ ▮▮ ▬ ▬ ▪▪ ✚ IP
★★✭

🐷 🐷 🐷

Appétissante et croquante, dévoilant des notes subtiles de cerises et de fraises, cette cuvée présente une effervescence abondante, aux bulles éparses, toutefois nouées qui forment une texture veloutée et fraîche. Un bel apéritif.

DOMAINE JOËL DELAUNAY

27 hectares exploités depuis 5 générations, aujourd'hui gérés par le fils de Joël Delaunay, Thierry Delaunay, qui l'a repris en 2004 après avoir suivi des études d'œnologie à Bordeaux.

www.joeldelaunay.com
Lieu : 48, rue de la Tesnière 41110 Pouillé
Téléphone : 02 54 71 45 69

Cuvée Touraine – Rosé Brut

16/20 ▮ ▮ ▮▮ ▬ ▪▪ ✚ IP
★★★

🐷

Net et frais au premier nez, axé sur des arômes de fleurs, immédiatement fruité en bouche (pamplemousse, bergamote, puis cerise et groseille). Les bulles sont fines, toutefois peu nouées, en parfaite harmonie malgré tout avec la fraîcheur « ozonée » qui se dégage lors de la dégustation. Un très bon mousseux, pur et aérien, d'une belle matière originale qu'on saura apprécier en apéritif.

DOMAINE PRIOU

Jean-François Priou dirige ce domaine de 22 hectares depuis 1990. L'exploitation était surtout agricole depuis 4 générations, elle est devenue viticole et offre aujourd'hui une belle palette des principales appellations locales.

Lieu : 48, route de Blois 41140 Saint-Romain-sur-Cher
Téléphone : 02 54 71 72 58

Cuvée Brut – Méthode Traditionnelle Touraine

17/20 ▮ ▮ ▮▮ ▮ ▬ ▬ ▪▪ ▪▪ ✚ IP
★★★★⌡

Un nez particulièrement charmeur de beurre frais et de pâtisseries aux fruits blancs qui se distingue particulièrement des autres vins effervescents de la même appellation. L'autolyse a certainement dû être longue (au moins 2 ans et demi), car au-delà des arômes de champignons frais qu'on distingue en bouche (après plusieurs minutes d'attente), l'effervescence se montre crémeuse et dense, illustrée par des bulles fines et persistantes. Seul le dosage légèrement sensible en finale couvre la minéralité qu'on rencontre pourtant dès l'attaque en bouche. L'ensemble impressionne par son équilibre et sa présence, c'est une très belle surprise.

MONCONTOUR

Plus de 40 vins que la famille Féray élabore sur un domaine qui a mille ans !

www.moncontour.com

Lieu : Château Moncontour, rue de Moncontour – 37210 Vouvray
Téléphone : 027 52 60 77

Tête de Cuvée – Grande Réserve du Domaine Brut – Touraine

15/20 ▮ ▮ ▮▮ ▮ ▬ ▬ ▪▪ ▪▪ ✚
★★★⌡

Léger et aérien en bouche, ce mousseux présente une effervescence aux bulles éparses, peu tapissantes, qui transportent d'abord des arômes herbacés, puis de céréales, enfin de salades d'agrumes après aération. Peu complexe dans le comportement et les flaveurs, il se montre toutefois d'un grand équilibre de l'attaque à la finale et saura rafraîchir les apéritifs.

MONMOUSSEAU

Le domaine est superbe, il a vu le jour en 1886 grâce à Alcide Monmousseau. Un réseau de 15 km de caves creusées dans le tuffeau rappelle qu'autrefois, ce sous-sol a servi à la construction des châteaux de la Loire.

www.monmousseau.com
Lieu : 71, route de Vierzon – BP 25 – 41401 Montrichard
Téléphone : 02 54 71 66 66

Cuvée J.M. Monmousseau – Brut 2007 Touraine

15/20 ■ ■ ■■ ═ ▪▪ ✚ IP

★★❯

Un vin effervescent plus aromatique que le millésime précédent, toutefois plus autoritaire dans le comportement. La fermeté de l'attaque se laisse rapidement occulter par une effervescence abondante, aérienne et tapissante où pointent des notes de pomme et d'agrumes, puis de pâtisseries aux fruits jaunes. Quelque peu biscuité en finale, ce mousseux est un apéritif classique et frais.

PAUL BUISSE

En achetant les caves de la Boule blanche, dans les années 1950, à Montrichard, Jean Buisse imaginait-il que son fils Paul Buisse deviendrait un incontournable dans l'univers des vins du Val de Loire, cinquante ans plus tard ? En 2011, le domaine Pierre Chainier, basé à Amboise, a racheté la maison Paul Buisse.

www.paul-buisse.com
Lieu : 69, route de Vierzon – BP 112 – 41402 Montrichard
Téléphone : 02 54 32 00 01

Cuvée Prestige – Brut – Touraine

16/20 ▪ ▪ ▪ ▪ ▭ ▪▪ 🇨🇭 IP

★★★

Nez élégant et original de menthe poivrée et de thym qu'on retrouve dès l'attaque en bouche, typique du pineau d'Aunis et du cabernet franc lorsqu'on les assemble. L'effervescence est soignée, elle offre une belle fraîcheur grâce à des bulles plus éclatantes que persistantes. Un beau coup de cœur original et tellement ligérien !

Cuvée Touraine – Brut Rosé

15/20 ▪ ▪ ▪ ▪ ▭ ▪▪ 🇨🇭 IP

★★★⟩

Le nez est subtil, axé sur un fruité rouge un peu cuit qui se confirme dès l'attaque en bouche au sein d'une texture veloutée, illustrée par des bulles nouées, toutefois légères et fuyantes. Le dosage est réussi, l'ensemble est digeste, un rancio d'évolution se laisse capturer en finale. C'est un bon mousseux de facture classique.

BIOGRAPHIE
de l'auteur

Historien et sommelier de formation, Guénaël Revel a suivi des études en histoire de l'art à l'École du Louvre à Paris, avant d'en poursuivre en dégustation de vins et d'alcools à l'Université de Bordeaux.

Il s'installe au Québec en 1995 et travaille à titre de sommelier dans plusieurs établissements montréalais (Winnie's, Churchill, Hôtel Germain). En 1997, il fonde l'entreprise Le petit canon, spécialisée en évaluation de caves auprès des assureurs et en création d'événements culinaires et bachiques.

Chroniqueur pour plusieurs magazines culinaires au Québec, membre de jurys internationaux de concours de dégustation de vin ou de sommellerie, dont celui du *Concours du meilleur sommelier du monde*, il a été président de l'Association canadienne des sommeliers professionnels de 2001 à 2006. Il gère aujourd'hui les affaires internationales au sein du conseil d'administration de cet organisme.

Il a coécrit et coanimé l'émission *Champagne !* diffusée sur la chaîne Évasion au Québec en 2008.

Il est l'auteur de livres dédiés à l'univers du vin : *L'essentiel des caves et des celliers* (Éditions Les 400 coups), *La bible du porto* (Éditions Modus Vivendi), *Couleur Champagne* coécrit avec la romancière québécoise Chrystine Brouillet (Éditions Flammarion – ce livre a été consacré meilleur livre sur les vins au Canada en 2007, au concours *Cuisine Canada*) et *Vins mousseux et champagnes, les 500 meilleurs effervescents du monde entier* (Éditions Modus Vivendi, aussi consacré meilleur livre sur les vins au Canada français 2007 au concours *Gourmand World Cookbook Award*).

On peut lire régulièrement ses commentaires sur les sites Internet MonsieurBulles.com et petitcanon.org et l'écouter dans ses chroniques hebdomadaires sur les ondes de la radio montréalaise CIBL 101.5 le mercredi et le jeudi matin.

Guénaël Revel intervient sporadiquement en tant que chroniqueur à la télévision de Radio-Canada dans la série hebdomadaire de consommation alimentaire la plus écoutée au Québec : *L'épicerie*.

Nommé porte-parole des vins de Loire au Québec depuis 2011, il a également rejoint l'équipe des enseignants de l'Institut de tourisme et d'hôtellerie du Québec (ITHQ).

Visitez le site de Guénaël Revel à l'adresse suivante :
www.petitcanon.org
www.MonsieurBulles.com

INDEX